LES VIOLENTS
DE L'AUTOMNE

Philippe Georget

Philippe Georget est né en 1963 en région parisienne. Après des études d'Histoire, il participe à une mission humanitaire au Nicaragua. Il voyage ensuite en Irlande du Nord, puis se rend à Jérusalem, en Cisjordanie et à Gaza. En 2001, il embarque sa femme et leurs trois enfants dans son camping-car et fait le tour de la Méditerranée en passant par l'Italie, la Grèce, la Jordanie, la Libye. Il opte ensuite pour le journalisme et poursuit sa carrière à France 3 comme journaliste-rédacteur, présentateur et caméraman (ce qui a sans doute influencé son écriture si originale…). Il est également investi dans le sport, la course et la boxe entre autres.

Il est l'auteur de quatre romans, *L'été tous les chats s'ennuient* (Jigal, 2009), prix du Premier Roman policier et prix SNCF du polar, *Le Paradoxe du cerf-volant* (Jigal, 2011), *Les Violents de l'automne* (Jigal 2012) et *Tendre comme les pierres* (Jigal, 2014).

PHILIPPE GEORGET

LES VIOLENTS
DE L'AUTOMNE

ÉDITIONS JIGAL

© 2012 - Éditions Jigal
ISBN : 978-2-266-22211-2

Avertissement

« Toute ressemblance avec des personnes existantes ou ayant existé serait totalement fortuite et involontaire. Cette mention traditionnelle souffre, dans ce livre, d'une seule exception : le lieutenant Degueldre, déserteur de l'armée française, membre actif de l'OAS, fusillé en 1962. Je me suis permis de lui prêter certaines paroles, mais, concernant les actes accomplis, je n'ai malheureusement rien inventé.

En revanche, toute ressemblance avec des lieux et des paysages du pays catalan est non seulement assumée mais revendiquée. »

CHAPITRE 1

Son vieux pouce noueux déformé par les rhumatismes lui envoya une violente décharge électrique lorsqu'il tira sur le chien de son arme. Avec sa main libre, il rajusta ses lunettes sur son nez. En face de lui, la cible roulait des yeux effrayés.

Sa main boursouflée se referma sur la culasse.

Il avait eu raison de s'attaquer au maillon faible du groupe. La peur rendait bavard. Il savait tout, maintenant. Les salopards allaient payer. Les uns après les autres.

Il posa avec peine son index tordu sur la détente.

La cible s'agitait désespérément sur sa chaise malgré les menottes qui lui maintenaient les bras derrière le dossier. Elle aurait voulu crier, hurler ou pleurer mais le bâillon qui déchirait sa bouche ne lui autorisait qu'une émission pénible de borborygmes inutiles.

Il ne comprenait pas cette vaine agitation. Quand l'heure était venue, il fallait savoir se résigner. Il y avait deux hommes dans cet appartement fermé à clé. L'un était attaché, l'autre tenait un Beretta 34. Il n'y aurait pas d'échappatoire, pas de fin heureuse, pas de rebondissement de dernière minute. On n'était pas au cinéma mais dans la vie. La vraie, la dure, l'impitoyable.

9

El-Mektoub… Le destin allait frapper.

Il trouvait le vieux, en face de lui, pathétique et laid. La peur déformait ses traits encore plus sûrement que les ans. Il peinait à le reconnaître.

Les souvenirs affluaient comme des vagues. Autrefois, c'était hier. Les années pouvaient être des passerelles, des murs ou simplement des parenthèses. Il n'avait rien oublié. Rien. La brûlure aveuglante du soleil sur la peau et dans les yeux au sortir d'une ruelle encore fraîche. Le bleu, du bleu partout, la mer et le ciel. Le bruit des vagues, le souffle des bateaux, les parfums mêlés d'anis, d'iode et d'épices. Des éclats de voix, les rires de l'insouciance, une joie de vivre sans pareille.

Il ne devait pas se laisser envahir par la nostalgie. Il le savait. Elle était plus forte que lui. Il avait réussi à l'oublier pendant plusieurs décennies avant qu'elle ne revienne s'emparer de son cœur et de son esprit. Il s'efforça de penser aux derniers mois de sa jeunesse, le paradis se changeant en enfer, le bruit des casseroles, les cris, les larmes et le sang. Et une odeur de poudre par-dessus tout, une odeur entêtante, enivrante, violente et sauvage.

Il grimaça. Sa main malade crispée sur l'arme le faisait souffrir.

L'homme qu'il avait en face lui renvoyait un reflet. Lui-même était vieux et laid. Et tant mieux si sa Gabriella lui jurait le contraire.

Il était vieux et il avait mal.

Une polyarthrite rhumatoïde sévère avait déposé sur ses articulations un calcaire douloureux. Elle avait d'abord déformé ses doigts, imposant à leurs dernières phalanges des angles improbables. Puis elle

10

avait cloqué ses mains. Des bosses avaient surgi ici et là au fil des ans et des nuits d'insomnie. Il sourit en songeant à Gabriella qui aimait faire glisser ses doigts de fée sur ses gibbosités.

Gibbosité… D'où lui remontait donc ce vocabulaire désuet ? Son français s'était figé au début des années soixante. Depuis, il ne parlait plus sa langue maternelle.

Son prisonnier, sur sa chaise, semblait s'être calmé. Résigné ? Peut-être… Ou alors il avait pris son sourire fugace pour une possible clémence. L'espoir est un phénix indomptable, il peut renaître d'un signe ou d'un souffle. Il peut mourir aussi dans un regard.

Leurs yeux se croisèrent et se fixèrent quelques secondes avant de partir d'un même mouvement vers les trois lettres écrites à la peinture noire sur la porte du salon.

Trois lettres maudites.

Trois lettres magiques.

Il n'y aurait pas de pardon. Impossible. Il n'avait pas réveillé en vain les chagrins, il n'avait pas fait tant de chemin, traversé la mer, pour reculer maintenant. Il irait jusqu'au bout de la mission qu'il s'était assignée.

La dernière.

Sa langue claqua dans sa bouche desséchée. Il avait soif. Il se leva lentement. Ses os craquèrent. Il s'efforça de retenir un soupir. La maladie s'était répandue de ses mains à son corps tout entier. Certains jours, vivre – simplement vivre – devenait une souffrance. Il pensait alors à sa grand-mère : elle aussi avait souffert le martyre. « Le jour où je n'aurai plus mal, lui disait-elle souvent, c'est que je serai morte. »

Il prit un verre propre sur la paillasse de l'évier et

fit couler de l'eau au robinet. Il but quelques gorgées avant de reposer le verre. En revenant vers le vieil homme attaché à sa chaise, il s'empara de l'oreiller qu'il avait posé sur la table. Il l'avait pris tout à l'heure dans la chambre de sa cible.

Sa victime, bientôt.

Il retrouvait des sensations étranges et oubliées. Ce calme surprenant dans l'action, l'impression de ne plus habiter son corps, ce sentiment curieux de n'être que le témoin de ses actes.

Le son de la télévision des voisins traversait la cloison. On devinait les rires préfabriqués d'une série américaine. Il eut envie d'allumer également l'écran du salon pour couvrir le bruit de la détonation à venir mais il renonça très vite devant la complexité de la télécommande.

La cible ouvrait grand ses yeux chassieux. On y lisait comme dans un livre le désespoir et la peur. Mais le vieux tueur ne voyait plus rien, il n'entendait plus les gémissements, il était ailleurs. Là-bas. Cinquante ans plus tôt.

— C'est l'heure, fit-il.

Puis il contourna la chaise et appuya l'oreiller sur la nuque de son prisonnier. Il posa le Beretta sur la toile usée. Son index déformé caressa la détente. Il compta jusqu'à trois avant d'appuyer. L'onde de choc transmise par ses os gangrenés le fit crier de douleur.

CHAPITRE 2

Après plusieurs jours de colère, la tramontane venait de s'apaiser. Elle avait nettoyé le ciel de ses derniers nuages et un soleil d'automne encore vif séchait les flaques d'eau sur le goudron ainsi que les larmes sur les visages.

C'était une belle matinée pour enterrer un enfant.

La foule en noir se massait autour de la petite église de Passa. Une centaine de personnes n'avaient pu trouver place à l'intérieur et suivaient la cérémonie debout sur la place du village. Arrivé parmi les premiers, Gilles Sebag avait tenu à rester dehors. Dans l'église, le désespoir était trop fort, la peine trop intime.

Appuyé contre le mur d'une maison, il serra sa fille contre lui. Il sentit le jeune corps secoué par les sanglots. Il aurait aimé pouvoir l'aider davantage, prendre sur lui son tourment et préserver ainsi son insouciance. Son innocence. Mais Séverine avait treize ans et elle venait brutalement de comprendre que la mort était définitive. La vie ne ressemblait pas à un jeu vidéo. Après le « game over », on n'avait pas le droit de rejouer : Mathieu ne pourrait jamais recommencer sa partie.

La main de Claire caressait doucement les cheveux de Séverine. Gilles se tourna vers sa femme et lui sourit.

C'était bon de la sentir à ses côtés, il avait eu si peur de la perdre, l'été précédent. Mais il chassa rapidement ces mauvais souvenirs, ce n'était vraiment pas le moment de repenser à tout ça. Claire répondit à son sourire. L'éclat de ses yeux verts se mouillait de tristesse.

De la foule compacte, la peine giclait çà et là par bouffées déchirantes. Pleurs, cris et gémissements composaient un chant funèbre que les adolescents entonnaient en canon. Certains de ces gamins avaient sans doute déjà côtoyé la mort : celle d'un grand-parent probablement. Ils avaient eu de la peine, ils avaient sincèrement pleuré, mais cette disparition-là ne les avait pas touchés au plus profond de leur être. La mort de leur copain de classe, en revanche, était aussi la leur. À la douleur se mêlait une sourde angoisse.

Pour ne pas se laisser submerger par la peine des enfants, Sebag se força à examiner les bâtiments autour de lui. L'église de Passa n'avait malheureusement aucun charme particulier. Sa façade, recouverte d'un enduit couleur béton, se décorait simplement d'un porche en marbre auquel conduisait une volée de marches en demi-cercle. L'église était emprisonnée dans une rangée de maisons de village sans attrait. Sur la gauche toutefois, le bureau de poste, avec son assemblage de briques et de galets typique du Roussillon, attirait l'œil mais sans le séduire tout à fait.

Les volets de l'agence étaient clos, la poste avait fermé ce samedi matin pour cause d'enterrement.

Mathieu était mort trois jours auparavant dans un accident de scooter. Une rue de Perpignan, une camionnette qui fait une soudaine embardée et Mathieu arrivant en sens inverse qui ne peut l'éviter. Le choc avait été violent mais le gamin s'était dans un premier temps relevé sans bobo apparent. Il avait pu parler avec le chauffeur de la camionnette et, d'un commun accord, ils avaient décidé d'appeler quand même les secours. Au cas où. Avant l'arrivée du SAMU toutefois, Mathieu s'était brutalement effondré. Hémorragie interne. Tout était allé si vite. Les médecins n'avaient rien pu faire pour le sauver.

Mathieu... Un copain de Séverine. Élève de quatrième du collège de Saint-Estève. Un sportif, un rugbyman. Un gamin qui croyait que la vie lui souriait.

Putain de scooter !

La camionnette noire des pompes funèbres se fraya, en marche arrière, un chemin à travers la foule. La messe s'achevait. Les employés ouvrirent les portes du corbillard et commencèrent à ranger dans le véhicule les couronnes de fleurs. Un long cortège se forma sur la place pour aller saluer dans l'église les parents de Mathieu. Séverine se détacha de ses parents pour rejoindre un groupe de copines. Sebag fit un pas pour la suivre mais Claire l'arrêta. Séverine se retourna au même instant et lui confirma d'un regard qu'elle préférait y aller seule. Enfin... avec ses copines. Sans lui, quoi !

Sebag eut un pincement au cœur et s'en voulut aussitôt. Il souffrait de voir sa fille grandir trop vite, mais de cela non plus, ce n'était ni le lieu ni le moment de se plaindre. Séverine était en vie. Rien d'autre ne pouvait compter. Les parents de Mathieu, eux, n'auraient jamais cette chance de voir leur fils devenir adulte.

Une cloche se mit à sonner. Un coup triste suivi d'un long écho plaintif. Les gens levèrent la tête. L'église de Passa se terminait par une tour carrée dotée

15

de deux cloches au sommet. La plus petite des deux se balançait doucement. Son tintement s'envolait au-dessus du village pour porter ses lamentations très loin vers les collines striées de vignes.

L'église se vida lentement. Un frisson parcourut la foule quand sortirent les parents. Le père, droit comme un i, suivait le cercueil de son fils, la tête dodelinant sans contrôle, absent du monde tel un boxeur groggy. À ses côtés, la mère avançait péniblement, soutenue par une jeune fille. Sebag reconnut la grande sœur. Il l'avait aperçue deux ou trois fois les années précédentes lorsqu'il avait accompagné sa fille aux anniversaires de Mathieu. Séverine sortit à son tour au sein d'une grappe d'adolescents, garçons et filles se soutenant mutuellement. Son Rimmel avait coulé et traçait un sillon pour les larmes sur ses joues rebondies.

Le cercueil fut installé dans le corbillard et le cortège s'ébranla en direction du cimetière. Le chant funèbre des sanglots adolescents se fit chœur. Claire prit la main de son mari et ils marchèrent trois rangs derrière leur fille. Gilles peinait à contenir son émotion et se mordit la lèvre jusqu'au sang. Il devait tenir et se montrer solide. Pour Séverine, pour ses copains et pour les autres aussi.

C'est vrai qu'il en avait vu d'autres dans son métier. Combien de fois avait-il annoncé brutalement à quelqu'un le décès d'un proche ? Un parent, une femme, un mari… un enfant. Il s'était longtemps reproché de ne pas savoir dire les mots qu'il faut pour atténuer la peine. Jusqu'à ce qu'il comprenne qu'il ne les trouverait jamais. Parce que ces mots n'existaient pas. Tout simplement.

Le corbillard s'arrêta à la porte du cimetière. Les

employés des pompes funèbres sortirent le cercueil, puis, suivis par la foule, ils le portèrent le long d'une rangée de caveaux. Gilles s'adossa au mur du cimetière et alluma une cigarette. Il ne fumait que rarement. Il avait acheté un paquet sur la route le matin même. Claire s'empara de sa cigarette, en tira une bouffée et la lui rendit.

— Ça va ? lui demanda-t-il.

Elle haussa les épaules.

— Et toi ?

— Pareil.

Il lui tendit de nouveau sa cigarette. En face du cimetière, les ouvriers d'un chantier fumaient eux aussi. Ils avaient cessé le travail au passage du cortège et attendaient la fin de la cérémonie pour reprendre le ballet des engins de terrassement. Avec les allées qu'ils avaient déjà tracées, on devinait les prémices ici d'un nouveau lotissement. Un de plus. Cinq mille habitants supplémentaires débarquaient chaque année dans les Pyrénées-Orientales : il fallait bien les loger.

Sebag aperçut Séverine qui revenait vers eux, accompagnée de deux amies. Les gamines se tenaient par la taille et leur démarche s'en trouvait chaloupée. Les vêtements de deuil les affinaient et les faisaient paraître plus âgées. De vraies petites femmes, se dit Sebag. Et puis, non ! Réflexion faite, les vêtements n'y étaient pour rien. C'était le deuil lui-même qui les avait mûries.

Quand elles furent devant lui, son cœur se serra à la vue de leurs yeux gonflés. Elles avaient le regard aussi halluciné que si elles avaient fumé un plant entier de cannabis. « Là, c'est franchement con comme réflexion », s'engueula-t-il : il fallait être flic pour penser de telles choses dans un moment pareil.

— Papa, j'ai quelque chose d'important à te demander, fit Séverine.

Son visage entier semblait une prière.

— La sœur de Mathieu dit que tout n'est pas clair dans l'accident de son frère et que le chauffeur de la camionnette ne serait pas le seul responsable... Apparemment, les policiers jugent que l'affaire est close et ne veulent pas enquêter plus loin.

Sebag attendit la suite mais il avait déjà deviné.

— Je lui ai dit que toi tu pourrais essayer...

Un clignement des yeux fut sa première réponse. On était samedi, il reprenait le travail dans deux jours après une semaine de vacances, et selon ce qu'il savait par son collègue Molina, le calme régnait au commissariat : il aurait sans doute le temps de jeter un coup d'œil au dossier.

— Je verrai ce que je peux faire, promit-il.

Séverine lui sourit à travers sa tristesse et ajouta de sa douce voix de flûte :

— Je lui ai dit que s'il y avait quelque chose à trouver, tu le trouverais.

Sebag ressentit malgré la peine un bonheur profond. Le deuil, finalement, n'avait pas complètement métamorphosé sa fille : elle était bien encore une gamine de treize ans, une enfant qui voyait toujours en son père un faiseur de miracles...

— Je lui ai dit aussi que tu étais le meilleur policier de Perpignan. J'ai eu raison ?

Il acquiesça d'un mouvement de tête qui se voulait confiant puis déposa un bisou sur la joue fraîche et humide.

CHAPITRE 3

— Bonjour, lieutenant ! Vous avez passé de bonnes vacances ?

Gilles Sebag se retourna, avant de réaliser que la question s'adressait bien à lui. Lieutenant... Cela faisait plus de quinze ans déjà qu'un gouvernement avait prétendu moderniser la police rien qu'en américanisant les grades mais il avait encore du mal à s'y habituer. D'ailleurs, il était sûr maintenant qu'il ne s'y ferait jamais, les termes de « lieutenant » ou de « capitaine » auraient toujours pour lui le parfum exotique et crétin d'un feuilleton américain. « Lieutenant Columbo » ou « lieutenant Horatio Caine », oui, ça, ça pouvait avoir de la gueule, mais « lieutenant Sebag », quelle blague ! Il trouvait cela aussi ridicule que d'associer un prénom anglo-saxon à un patronyme bien de chez nous. Les hommes politiques se révélaient parfois aussi stupides que les Français moyens. Certains trouvaient cela rassurant. Pas lui.

Il se rendit enfin compte que Martine, la jeune fliquette chargée de l'accueil au commissariat de Perpignan, attendait une réponse.

— Les vacances se passent toujours bien. C'est quand elles sont passées que ça se complique.

Martine eut la gentillesse de sourire.

— Bonne journée et surtout bon courage, alors.

— Il en faudra…

— On dirait que vous allez à l'abattoir !

Sebag se contenta de lui adresser une risette polie. Il passa son badge devant le lecteur électronique. La porte de sécurité s'ouvrit et il entra dans la partie du commissariat interdite au public. Il y retrouva sans plaisir une odeur qui lui était familière, un mélange d'eau de Javel et de sueur, de café froid et de rires gras. Il grimpa les marches de l'escalier quatre à quatre, non par impatience d'arriver à son bureau, mais parce que en bon marathonien il ne négligeait aucun effort susceptible de participer à son entraînement.

Parvenu au deuxième étage, il retarda l'échéance en faisant une halte à la fontaine à eau installée au milieu du couloir. Il se servit un verre et le but avec lenteur. Depuis quelques années, son travail lui était devenu pénible. La routine, la violence, le manque de reconnaissance en interne et le mépris des citoyens. Il fallait encaisser tout cela, et pour quel résultat ? En s'engageant dans la police, il s'était imaginé médecin d'une société malade. Il avait mis du temps à comprendre qu'il n'était qu'un petit infirmier condamné à panser des plaies purulentes avec des pommades aux dates de péremption dépassées. La criminalité ne cesserait jamais, elle ne pouvait cesser, elle était dans la nature de l'homme. Tout juste pouvait-on espérer faire baisser un peu la fièvre. Mais on n'avait pas encore réussi à inventer un thermomètre fiable.

Il but un second verre en s'appliquant à penser à Séverine et aux parents de Mathieu. Il ne changerait à lui seul ni la police, ni la société, mais il pouvait tout de même apporter un peu de réconfort à quelques personnes. Il suffisait de se fixer des objectifs modestes et de se remuer un peu les fesses. Il écrasa son gobelet et le jeta dans la poubelle. Puis il se dirigea d'un pas énergique vers son bureau.

Il en poussa la porte. À sa grande surprise, son collègue, Jacques Molina, était déjà arrivé.

— Tiens, t'es tombé du lit aujourd'hui, fit Sebag en posant son blouson sur le dossier de la chaise.

— On dit bonjour quand on est poli ! répliqua Molina.

— Bonjour-quand-on-est-poli.

— Toi, t'as pas la grande forme. La fin des vacances pour toi, c'est comme une gueule de bois…

— Un peu, oui. Je m'attendais à ce que ce soit difficile, mais là, je crois que c'est pire.

— Heureusement que tu n'es parti qu'une semaine… Je t'offre un café ?

Sebag ne put réprimer un frisson de dégoût. Il était amateur de café, de vrai, pas de cette espèce de jus sombre que prodiguait pour quarante centimes le distributeur de la cafétéria du commissariat.

— Merci, non. La reprise est déjà une torture : je ne veux pas y ajouter un empoisonnement.

— Comme tu voudras.

Molina se leva de son fauteuil.

— Moi j'y vais, j'en ai besoin.

— On a rendez-vous avec le chef, ce matin ?

Chaque lundi, le commissaire Castello tenait une réunion générale pour faire le point des affaires en cours.

— Non, il a annulé. Je crois que ces réunions du lundi, ça l'emmerde autant que nous quand la mer est calme.

Molina quitta la pièce tandis que Sebag allumait son ordinateur. L'engin se réveilla lentement en émettant un son qui tenait davantage du chemin de fer des années trente que de l'informatique du troisième millénaire. Sebag retira du premier tiroir de son bureau trois photos qui égayaient son univers professionnel. Il posa tour à tour : le visage ensoleillé de Claire sur un fond bleu de piscine, le sourire de Séverine soufflant les treize bougies de son anniversaire et enfin la fierté de Léo, le fiston, chevauchant son scooter rutilant. Gilles ressentit un creux à l'estomac en repensant à l'accident de Mathieu. Pas Léo, non, jamais, pas Léo... Il s'en voulait de n'avoir pas su résister au travail de sape de sa femme et de son fils. Il avait fini par dire oui et Léo circulait depuis un an sur cet engin de mort.

L'ordinateur acheva son réveil. Sebag renonça à ouvrir sa messagerie. Une semaine de vacances... Il y aurait trop de mails, des notes de service, des copies de procès-verbaux, des tracts syndicaux, des publicités et peut-être quelques messages personnels. Il savait que s'il plongeait dedans en se disant « Cinq minutes seulement », il ne relèverait pas la tête avant une bonne demi-heure. Il alla donc directement à la banque de données du commissariat. Un mot de passe, un clic sur la rubrique Accidents, et il trouva sans difficulté le dossier de Mathieu. Il chercha la signature à la fin du document. Lieutenant Cardona. Le chef de la section himself. Un flic bourru et pas toujours très consciencieux. C'était à la fois une bonne et une mauvaise nouvelle. Car s'il pouvait espérer découvrir des éléments qui auraient échappé à son collègue, Sebag savait aussi qu'il allait au-devant d'un certain nombre d'emmerdements. Tant pis. Pour Séverine, il était prêt à tout.

Il commençait la lecture du procès-verbal quand Molina poussa brusquement la porte du bureau.

— Arrête de jouer sur l'ordi et mets ton blouson, lui jeta-t-il, essoufflé. On a du taf.

Sebag leva les yeux. Molina se dirigeait vers son propre bureau.

— Un cadavre, dans un appartement du Moulin-à-Vent, place de Montbolo. Découvert ce matin par une voisine.

Il s'empara d'un flacon de parfum et s'offrit une longue giclée sous sa chemise.

— Le type est mort depuis au moins trois jours. C'est l'odeur qui a donné l'alerte.

Sebag prit une boîte de mouchoirs en papier, il en sortit deux sur lesquels il versa quelques gouttes d'huile essentielle de lavande.

— Je suis paré, fit-il tout en lançant l'impression du dossier de Mathieu. Mort naturelle, suicide ou homicide, on a une idée ?

— D'après les pompiers, y a de la cervelle partout sur les murs et la victime a une plaie bien nette à l'arrière du crâne.

Sebag se leva.

— Je vois. Il y a plus naturel, comme mort, effectivement. Quant au suicide, à moins d'être contorsionniste…

— D'autant que la victime, un certain Bernard Martinez, était menottée sur une chaise.

— OK, ça réduit encore les hypothèses.

L'imprimante se mit à cracher les premières pages. Sebag enfila son blouson en se disant qu'il n'aurait probablement pas de temps à consacrer ce jour-là à l'accident de Mathieu et qu'il devrait ramener le dossier à la maison pour le potasser le soir après le dîner. Joli programme pour une journée de reprise.

— L'odeur est insupportable.

Le visage de Thierry Lambert, jeune flic au commissariat de Perpignan, s'affichait aussi blanc qu'une cuvette de chiottes dans un hôtel de luxe.

— Et pourtant, tu la supportes, répliqua Molina. C'est le métier qui rentre.

Sebag et Molina avaient rejoint Lambert dans l'appartement de la place Montbolo. Les trois flics patientaient dans le couloir, observant à distance les agents de la police scientifique qui, revêtus de leurs combinaisons intégrales, s'affairaient au salon autour du cadavre. Sebag agita devant lui son mouchoir parfumé et parvint à faire reculer quelques instants les relents âpres et sucrés de la mort. Arrivé le premier sur les lieux, Lambert avait pu observer rapidement la scène.

— C'est un homme plutôt âgé, je dirais, au moins soixante-dix ans. Mais il lui manque une partie du visage. La balle a fait du dégât en ressortant.

— Un crime crapuleux sans doute, hasarda Molina. Des cambrioleurs qui auront voulu faire avouer au vieux où il cachait ses économies…

— Mais pourquoi l'avoir tué ? demanda Lambert.

— Parce qu'il aura refusé de parler ou parce qu'il aurait pu les reconnaître.

— Tu crois ? s'indigna le jeune flic. Les salauds ! J'espère qu'on pourra les coffrer facilement.

Sebag écoutait distraitement en contemplant le couloir sombre. Un papier peint défraîchi, des photos noir et blanc, une moquette mauve usée et un guéridon doré sur lequel était posé un téléphone. Outre celle ouverte sur le salon, le couloir desservait trois portes.

— Qu'est-ce que tu en penses, toi ? le questionna Lambert.

— Moi ? Pour l'instant, rien. Je n'ai rien vu, alors je ne pense rien.

Il s'approcha des photos. Elles représentaient toutes la même ville, une cité blanche au bord de la mer.

— Toujours aussi prudent, lui reprocha Molina. Tu ne te mouilles pas.

Sebag haussa les épaules.

— J'évite d'avoir des idées préconçues en arrivant sur une scène de crime. Autant d'idées, autant d'œillères. Un flic doit se méfier de son imagination.

— T'as bien noté, Thierry ? plaisanta Molina. C'était la leçon numéro un du lieutenant Sebag.

Gilles agita de nouveau son bouquet de lavande en papier.

— Leçon numéro deux : un bon flic est une éponge. Il doit s'imprégner de son environnement.

Il joignit ses mains au niveau de son ventre avant de les monter à hauteur de poitrine. Puis il écarta lentement les bras pour décrire un arc de cercle.

— On se tait, on observe, on écoute, on regarde, on respire. Tranquillou. Et on note tout. Ça servira plus tard.

D'un geste, il stoppa Lambert qui s'apprêtait déjà à suivre ses recommandations à la lettre.

— Quand je dis « On respire », c'est une façon de parler. Vas-y mollo quand même aujourd'hui. Je ne tiens pas à récupérer ton petit déj' sur ma chemisette.

Pendant que Molina s'esclaffait, Sebag ouvrit les autres portes : une chambre à coucher, un WC et une salle de bains. Il repéra deux brosses à dents sur la tablette accrochée au-dessus du lavabo. Il se tourna vers Lambert.

— Je croyais qu'il vivait seul, M. Martinez.

— C'est ce que m'a dit la voisine lorsque je suis arrivé.

— Tu ne voudrais pas retourner la voir dès maintenant et recueillir son témoignage, qu'on en sache un peu plus sur la victime ? Et puis, tu peux interroger aussi les autres voisins. Quand on est arrivés, il y avait au moins une dizaine de curieux sur le palier, autant en profiter.

— OK, pas de problème.

Ravi d'échapper au calvaire olfactif, Lambert avait déjà la main sur la poignée de la porte d'entrée quand il se figea.

— Ah, au fait, je ne vous ai pas dit : y avait un mot sur la porte.

— Quelle porte ? questionna Sebag.

— La porte du salon.

— Celle-ci ? fit Sebag en désignant la porte ouverte.

— Oui… enfin de l'autre côté, sinon tu le verrais.

— Et qu'est-ce qu'il y avait sur ce mot ?

— Je ne sais pas.

— Tu ne l'as pas lu ?

— Ben si, quand même… Y avait que trois lettres. Mais j'ai rien compris : ça ne devait pas être du français.

Sebag n'était pas sûr de comprendre.

— Un mot de trois lettres… écrit sur une feuille accrochée à la porte ?

— Non, écrit sur la porte elle-même, en gros et à la peinture noire.

— À la peinture ? C'était quoi, ce mot ?

— Je ne sais pas, je te dis, c'était pas en français…

— Mais trois lettres, tu peux t'en souvenir quand même !

— Hou là, j'ai pas fait attention. Ça commençait par un O, je crois.

Sebag entendait Molina pouffer derrière lui.

— C'est grave ? s'inquiéta Lambert.

— Pour l'enquête, non, on pourra voir ça tout à l'heure, mais pour toi, oui : ne pas réussir à mémoriser un mot de trois lettres…

— Moi, j'en connais un que tu pourras retenir facilement, intervint Molina. Y a un O aussi dedans, mais plutôt au milieu.

— Ça va, j'ai compris. Je ne suis pas si…

Lambert s'interrompit brusquement, dévisagea ses collègues hilares et sortit en claquant la porte.

— Je crois que tu nous l'as fâché, constata Sebag.

— Ça aussi, c'est le métier qui rentre. Le problème, c'est qu'avec lui, il ressort aussitôt.

Molina consulta sa montre et grogna.

— Ça fait plus d'une heure qu'ils sont dans ce salon. J'ai l'impression que c'est plus long chaque fois leurs conneries : tout ça pour mettre des poils de cul dans des éprouvettes…

— Belle conception de notre métier : c'est toujours sympa de se sentir apprécié !

Revêtu de sa classique combinaison blanche, Jean Pagès, le responsable de la police scientifique de Perpignan, avait surgi dans le couloir. Il regardait Molina avec un mépris non dissimulé. Sebag tenta de désamorcer le conflit naissant.

— Tu connais Jacques, il est de la vieille école.

— Oui, je sais, maugréa Pagès, celle des interrogatoires musclés et des erreurs judiciaires.

— Un bon coup d'annuaire sur le crâne apporte souvent plus de preuves que vos prélèvements ADN, répliqua aussitôt Molina qui affectionnait le rôle du flic obtus.

Sebag coupa court :

— Vous avez fini, on peut entrer ?

— Oui, c'est bon. Nous, on va bosser maintenant dans les autres pièces. J'espère que vous n'avez pas mis le souk partout.

— J'ai jeté un coup d'œil sans entrer, répondit Sebag.

— Si le pithécanthrope, lui, est resté sagement dans le couloir, ça me va.

Sebag poussa Molina dans le salon avant qu'il ne réplique. L'odeur de charogne s'épaissit davantage. Indifférente, Elsa Moulin, l'adjointe de Pagès, avait rangé son matériel et commençait à prendre des photos.

— Tu sais que t'es belle, toi, habillée comme ça, lança Molina en caressant la charlotte qui dissimulait la chevelure de la jeune femme. Cette tenue m'excite de plus en plus. Il faudra que tu m'invites un soir à dîner chez toi ou que tu me la prêtes pour une de mes amies…

Elsa Moulin abaissa son masque sur son menton et lui tira la langue avant de répondre :

— Je te la prête quand tu veux !

Le salon, séparé de la cuisine par un bar, faisait une trentaine de mètres carrés. Une porte-fenêtre donnait sur un balcon ensoleillé. Au milieu de la pièce trônait une table recouverte d'une toile cirée à petits carreaux blancs et rouges. Quatre chaises complétaient l'ameublement, deux étaient encore sagement rangées le long de la table, la troisième portait le corps, la dernière lui faisait face. Il n'était pas difficile de deviner que l'assassin s'était assis là pour contempler sa victime. Ou pour discuter avec elle.

— Tu peux nous résumer en deux mots ? demanda Sebag à la jeune femme. Molina nous a froissé ton boss.

Elsa Moulin s'approcha du cadavre retenu à la chaise par la chaîne des menottes qui entravaient ses mains. Ce qui lui restait de tête retombait sur l'épaule droite. La jeune femme désigna la plaie à l'arrière du crâne.

— La balle est entrée là pour ressortir en pleine face.

Elle releva la tête du cadavre. Il n'avait plus de nez et avait perdu une partie de la joue droite.

— Une balle tirée à bout touchant ? fit Molina.

— Pas tout à fait.

Elle désigna un oreiller emballé dans un sac plastique.

— L'assassin l'a utilisé pour atténuer le bruit de la détonation.

— Et ça a suffi ? s'étonna Molina.

— Il faut croire, puisque personne ne nous a alertés.

— À quand remonte le décès selon toi ? demanda Sebag à Elsa.

— La putréfaction du corps a largement commencé. Je dirais donc à vue de nez – et pour une fois, l'expression est vraiment justifiée – cinq jours, peut-être six.

— Non mais tu te rends compte ? reprit Molina. Six jours sans que personne ne se soucie de lui, c'est vraiment incroyable. Autrefois, ça n'aurait pas été possible, mais de nos jours, putain, c'est vraiment le règne

29

de l'égoïsme et de l'indifférence. Putain, dans quelle société on vit... Merde !

Sebag laissa son collègue étaler une colère qui lui semblait aussi pertinente que vaine. Il était facile d'user de grands mots et d'évoquer de nobles sentiments, beaucoup plus difficile en revanche de les mettre en application. Sebag n'avait jamais entendu Molina parler de ses voisins autrement que pour s'en plaindre. Lui-même avait toujours limité au strict minimum ses relations avec son entourage et il doutait d'être capable de s'en apercevoir si par malheur quelque chose de grave arrivait dans l'une des deux maisons qui jouxtaient la sienne. Alors pourquoi user sa bile si l'on n'était pas capable de changer son propre comportement ? Ce qui choquait le plus Sebag dans la France d'aujourd'hui, ce n'était pas l'indifférence ou l'égoïsme, c'était qu'on y trouve plus de donneurs de leçons que de donneurs d'exemple.

— Cinq jours, peut-être six, reprit-il à haute voix. Ça va être coton pour recueillir des témoignages fiables.

— Le légiste sera plus précis. La température dans l'appartement étant à peu près constante, ça ne lui posera pas de problème pour donner une fourchette à quelques heures près.

Sebag enregistra avec satisfaction cette bonne nouvelle.

— Quel âge selon toi, la victime ?

— Soixante-dix-huit ans.

Les deux inspecteurs ne purent retenir leur surprise devant cette précision. Elsa Moulin sourit largement. D'un signe de tête, elle désigna la commode.

— Dans le tiroir de gauche, vous trouverez toute la

paperasse utile. Carte d'identité, permis de conduire, carte de Sécu, déclaration d'impôts, etc.

Sebag s'approcha du cadavre. Un petit vieux, inoffensif apparemment, vêtu d'un peignoir sale et élimé, largement ouvert sur un marcel d'où s'échappaient trois misérables poils blancs.

— D'après ses papiers, la victime s'appelait Bernard Martinez. Il est né en 1934 à Alger.

Alger... Bien sûr. La ville blanche sur les photos du couloir...

— Mais le plus intéressant est ici, poursuivit Elsa en s'approchant de la porte du salon.

Elle referma la porte et Sebag découvrit alors le fameux mot écrit à la peinture noire, ces trois lettres dont Lambert n'était pas parvenu à se souvenir. « Quel con, décidément, celui-là ! » se dit-il.

Même si elles n'étaient pas séparées par des points, les lettres ne formaient pas un mot mais un sigle. Et elles n'avaient rien d'étranger. Sans avoir de connaissances particulières en histoire, Sebag connaissait bien sûr ce sigle. Celui d'une organisation qui avait fait trembler les rues d'Alger cinquante ans plus tôt et semé la terreur parmi la population arabe.

OAS.

OAS comme Organisation armée secrète.

L'inscription figurait sur la porte telle une condamnation à mort. Molina s'approcha et l'aperçut à son tour. Il siffla longuement avant de laisser échapper un juron.

— Bordel de merde !

CHAPITRE 4

Le commissaire Castello leva la main pour établir le silence. Sa barbiche poivre et sel finement taillée ne masquait pas le sourire satisfait qui étirait ses lèvres. Malgré les évolutions récentes imposées à sa fonction par la haute hiérarchie, le patron du commissariat de Perpignan restait un homme de terrain plus que de statistiques : rien ne le faisait davantage vibrer que de réunir « ses flics » autour de lui pour plancher sur une affaire importante. En apprenant le meurtre du Moulin-à-Vent, il n'avait pas hésité une seconde et il avait mobilisé toute son équipe. Sept hommes au total. Llach et Ménard avaient dû abandonner leurs dossiers en cours dès la fin de la matinée pour aider Sebag, Molina et Lambert. Quant à Raynaud et Moreno, les deux compères inséparables, on n'avait pas réussi à les contacter plus tôt et ils venaient juste de rejoindre leurs coéquipiers dans la salle de réunion du commissariat.

C'était l'heure de faire le point de la première journée d'enquête.

Castello distribua le rapport que Sebag et Molina venaient de rédiger ainsi que le compte-rendu de Jean Pagès.

— La victime s'appelle Bernard Martinez, résuma pour tous le commissaire. C'est un pied-noir, né en

32

Algérie en 1934. Arrivé en France en 1962, il s'est installé dans les Pyrénées-Orientales où il a exercé la profession de viticulteur. Depuis sa retraite, il vivait dans un appartement du quartier du Moulin-à-Vent. *A priori*, c'était un retraité sans histoire. Mais d'abord, les faits, Jean, droit au but s'il vous plaît : donnez-nous vos conclusions. Pour les détails, nous avons votre rapport.

Il tapota le paquet de feuillets qu'il avait sous la main.

— Et bravo pour votre célérité. Comme d'habitude, c'est parfait.

Le responsable de la police scientifique rougit. Malgré ses quarante années de service et son air revêche, il n'était pas rassasié de compliments. Il s'éclaircit la voix avant de se lancer.

— Le meurtrier a agi seul et sans prendre aucune précaution. Nous avons recueilli d'excellentes séries d'empreintes digitales, sur les poignées de portes, les chaises ainsi que sur les menottes. Malheureusement, elles ne nous servent à rien pour l'instant car le meurtrier ne figure pas dans nos fichiers, ni dans ceux de la gendarmerie. C'est sans doute une des raisons pour lesquelles il n'a pas pris de précautions.

— Elles nous serviront malgré tout plus tard, fit remarquer Castello avec un certain optimisme. Elles constitueront une preuve solide lorsqu'on lui aura mis le grappin dessus. Autre chose, Jean ?

— Notre homme a utilisé une arme de poing, d'un modèle assez ancien probablement, calibre 9 mm. La balle a été retrouvée dans une plinthe. Il a attaché sa victime à une chaise avec des menottes. Mais pas grand-chose à espérer de ce côté-là non plus pour l'instant, il s'agit d'un modèle courant que l'on peut trouver facilement sur Internet.

— On trouve des menottes sur Internet ? s'étonna le jeune Lambert.

— On trouve de tout sur Internet, lui répondit Llach.

— Oui, mais des menottes… Pour quoi faire ?

Des sourires apparurent sur quelques visages. Molina posa sa main sur le bras de son collègue.

— On en trouve aussi dans des sex-shops. Y a des amateurs. Je t'expliquerai un jour, Thierry.

La digression n'était pas du goût de Castello qui recadra aussitôt la discussion.

— Comment le meurtrier est-il entré dans l'appartement ?

— Aucune trace d'effraction, il semblerait que ce soit la victime qui lui ait ouvert.

— On peut donc penser que Martinez connaissait son assassin ? supposa Llach, toujours adepte des raisonnements simples pouvant conduire aux élucidations rapides.

Jean Pagès fit la moue. Son visage dévoré par des rides profondes se creusa encore davantage.

— C'est une hypothèse mais ce ne serait pas la première fois qu'une victime ouvrirait naïvement à son assassin sans qu'ils ne se soient jamais rencontrés auparavant.

Joan Llach fronça ses sourcils bruns et drus. Une barre obstinée se forma au-dessus de ses yeux noirs.

— Tout de même, de nos jours, avec l'insécurité qui augmente, les vieux n'ouvrent plus facilement la porte à des inconnus…

— C'est sans doute vrai pour une majorité mais pas pour tous, répliqua Pagès. Certains restent même très crédules. Il suffit de leur présenter un calendrier des Postes ou des pompiers et ils te laissent entrer. Ils vont même sortir leur portefeuille et l'ouvrir devant toi.

— On n'est que fin octobre, c'est un peu tôt pour les calendriers, ergota Llach.

— C'était juste un exemple. Mais les gens ouvrent aussi facilement à un fonctionnaire EDF, à un agent recenseur ou mieux encore à un individu qui se prétend policier.

Castello s'adressa à Sebag :

— Gilles, votre avis ?

Sebag avait horreur d'être interpellé ainsi. Le considérant de fait comme le chef de l'équipe, Castello l'invitait souvent à donner son opinion lors des débats entre inspecteurs. Or, non seulement Gilles n'était le chef de rien ni de personne, mais il avait même refusé toutes les promotions qu'on lui avait récemment proposées. Il éluda la question :

— Les deux hypothèses sont plausibles...

Castello, contrarié, se retourna vers Pagès.

— Autre chose ?

— Il y a un élément qui a pu rassurer la victime et l'amener à ouvrir facilement à son meurtrier. Pour l'instant, je n'ai aucune certitude mais on ne peut pas écarter l'hypothèse que l'assassin soit lui aussi une personne âgée.

— Allons donc ! fit le commissaire.

— Un papy flingueur..., plaisanta Molina.

Jean Pagès ignora la remarque.

— Sur le dossier de la chaise qui faisait face à la victime, j'ai retrouvé un cheveu blanc...

Un ricanement bruyant l'interrompit.

— Wouah, un cheveu blanc découvert chez un retraité, se moqua Molina, quel scoop !

Le responsable de la police scientifique ne détourna pas la tête et continua de s'adresser à Castello.

— Il m'a semblé d'un blanc et d'une longueur différents des cheveux de la victime.

— Un retraité qui recevrait parfois chez lui d'autres retraités, continua Molina, encore un scoop ! Je veux bien admettre que ton job consiste à couper les cheveux en quatre, mais là, tu dépasses les bornes !

Jean Pagès se mordit les lèvres. Il avait du mal à se contenir et regrettait à cet instant d'avoir repoussé d'un an son départ à la retraite. Il aurait dû partir après l'été mais n'avait pu s'y résoudre.

— Je sais très bien, moi, qui dépasse les bornes, rétorqua Castello, se portant au secours de Pagès. Ce n'est pas avec ce type de réflexion sarcastique, voire agressive, que nous ferons avancer le débat.

Le commissaire lança un regard noir à Molina. Puis son visage s'adoucit et il adopta une voix plus douce, presque mielleuse.

— Il faut quand même reconnaître, Jean, que sur le fond – et seulement sur le fond – la remarque de Molina n'est pas tout à fait dénuée de fondement. J'ai confiance dans vos intuitions mais il conviendra de les confirmer. Sinon, vous avez relevé d'autres choses dans l'appartement ?

— Non, rien d'autre, grogna Pagès.

Castello se tourna vers Lambert.

— À votre tour, Thierry : que vous a appris l'enquête de voisinage ?

Le jeune inspecteur ouvrit de grands yeux surpris. Certes, c'était lui qui avait commencé l'enquête de voisinage mais il avait été rejoint très vite par Llach et ne s'attendait pas à se voir ainsi donner la parole en réunion. Dernière recrue de l'équipe, il avait intégré le commissariat de Perpignan un an auparavant à l'issue de son stage.

Il se redressa sur sa chaise et ce seul mouvement libéra dans la petite salle de réunion les effluves épicés d'un déodorant bon marché. Molina se pinça le nez en regardant Sebag. Lambert avait la phobie des odeurs corporelles et redoutait par-dessus tout de sentir mauvais. Son séjour auprès du cadavre avait dû le conduire à vider en une journée tout un flacon.

— Vous le disiez tout à l'heure, commissaire, c'était apparemment un retraité sans histoire. Ses voisins n'avaient pas à se plaindre de lui, à part qu'il écoutait parfois la télé un peu fort. D'après eux, ça faisait une quinzaine d'années qu'il vivait dans cet appart'. Martinez a été viticulteur, ça aussi vous le disiez, chef, viticulteur dans les Aspres, mais il a fait faillite et il a dû vendre ses terres. Pas de famille, pas d'enfants, juste une petite amie *a priori*. Enfin… je veux dire une vieille amie. Depuis son installation au Moulin-à-Vent, les principales occupations de Martinez, à part la télé, semblaient être les mots fléchés et la pétanque. Il faisait partie également d'une association de pieds-noirs.

— Hum, hum, fit Castello en hochant pensivement la tête. Les voisins n'ont rien remarqué d'anormal ces jours derniers ?

— Le meurtre remontant au moins à cinq jours, ils n'ont rien pu dire. Ils ne se souviennent de rien.

— Et la voisine qui a découvert le corps, vous l'avez vue ?

— Elle était sous le choc. Elle pleurait et elle tremblait de tous ses membres. Ça l'a secouée…

— Qu'est-ce qui l'a poussée à se préoccuper précisément ce matin de son voisin ?

— On a d'abord cru que c'était l'odeur qui lui avait mis la puce à l'oreille…

— Tu devrais plutôt dire à la narine, ricana Molina.

Lambert gloussa mais le commissaire fit un mouvement sec et autoritaire du menton qui l'incita à reprendre son récit.

— En fait, c'est l'amie de Martinez, celle dont je parlais tout à l'heure, qui a demandé à cette voisine d'aller sonner chez lui. Elle est en ce moment en vacances chez sa fille à Barcelone. Martinez n'avait pas répondu à ses derniers messages téléphoniques et elle s'inquiétait.

François Ménard leva la main pour signifier qu'il allait intervenir.

— Ce ne serait pas Josette, son prénom ?

— Oui, je crois que c'est ça, fit Lambert en consultant devant lui ses notes prises à la volée sur des tickets de supermarché. Voilà, c'est là : Josette Vidal.

— J'ai trouvé une carte postale récente signée de cette Josette, expliqua Ménard.

— Puisque vous avez pris la parole, François, vous allez la garder, proposa le commissaire. Vous étiez chargé d'éplucher la paperasse qui se trouvait chez la victime.

Ménard étala à son tour ses notes, dépliant plusieurs feuilles de format A4 noircies d'une écriture serrée.

— Rien que de très banal en fait, ce que tout un chacun conserve dans ses tiroirs : relevés bancaires, factures de gaz et d'électricité, livret de famille, quelques photos – pas beaucoup –, un dossier d'assurance habitation, des lettres et des cartes postales, de cette Josette Vidal essentiellement. Bref, rien de fondamental, mais j'ai pu glaner dans tous ces documents quelques infos qui précisent ce que nous venons de dire.

Il pencha son visage long sur ses feuilles.

— À savoir donc… que Bernard Martinez est le premier enfant de Jean Martinez, commerçant à Alger, et d'Odette Blanchard, couturière. Il a eu un frère cadet né en 1937 et décédé l'année suivante. Martinez est rentré en France comme la plupart des pieds-noirs à l'été 1962. Il a débarqué avec ses parents à Sète. Eux se sont installés à Marseille, lui à Perpignan. Ses parents sont morts dans les années quatre-vingt.

Ménard s'offrit une courte respiration.

— En février 1963, il a acheté douze hectares de vignes à Terrats, près de Thuir. Il les a exploités jusqu'à la mise en liquidation judiciaire de son entreprise en 1997. Les primes à l'arrachage et la vente du terrain lui ont à peine permis de régler ses dettes. Depuis, il vit avec le minimum vieillesse.

Ménard survola ses notes, tournant et retournant ses feuilles.

— *A priori*, rien n'a été volé chez Martinez. Dans son portefeuille, il y avait même sa carte bleue et de l'argent liquide.

— Des objets de valeur peut-être ? suggéra le commissaire.

— Impossible à préciser pour l'instant, répondit Ménard. Il faudra retrouver l'amie dont parlait Thierry. Elle pourra nous dire si quelque chose manque. Mais c'est peu probable vu qu'il n'était pas riche.

— Il y a peu de chances que ce soit un crime crapuleux alors ? s'inquiéta Llach.

— Peu de chances effectivement, répondit Castello.

Le commissaire s'accorda quelques secondes de réflexion avant d'aborder la question qui lui paraissait la plus préoccupante.

— Pour l'instant, l'inscription découverte sur une porte de l'appartement apparaît donc comme la seule piste possible.

Au fond de la pièce, Moreno et Raynaud, qui n'avaient pas encore manifesté d'intérêt pour cette affaire, s'agitèrent enfin. Après s'être raclé la gorge, Moreno fit entendre sa voix de basse :

— Autrement dit, ce serait un crime politique, quoi !

— Une vengeance contre l'OAS, compléta son compère.

Castello leva les mains devant lui pour tempérer les ardeurs du binôme le plus incontrôlable de son équipe. Raynaud et Moreno ne se quittaient jamais d'une semelle. Ils ne se parlaient pas mais chuchotaient seulement, l'œil aux aguets, comme s'ils échangeaient de lourds secrets d'État. S'affirmant toujours à l'affût du gros coup qui boosterait leur carrière, ils traînaient pourtant dans les bars glauques et les lieux interlopes où il ne se passerait jamais rien. Bref, à l'image des soldats du *Désert des Tartares*, ils trompaient leur ennui par la routine.

— Doucement, messieurs, n'allons pas trop vite en besogne, conseilla Castello. À ce stade de l'enquête, je vous le concède, on peut tout imaginer. Et la presse, malheureusement, s'en chargera bien assez vite. Nous, nous devons procéder par étapes. Et la première chose sera de vérifier les liens éventuels que Martinez a pu entretenir autrefois avec cette organisation. Justement que savons-nous à cette heure du passé lointain de la victime ?

La question s'adressait avant tout à Ménard et à Lambert.

— Je n'ai trouvé aucun document chez lui qui permette d'attester un lien quelconque avec l'OAS, répondit Ménard en premier. À part qu'il était abonné à des revues pieds-noirs qui ne figurent pas parmi les plus modérées.

Le commissaire se retourna vers Lambert.

— Qu'en disent les voisins, Thierry ?

Lambert se ratatina sur sa chaise et balbutia :

— Euh, je n'ai pas pensé à demander. Je ne savais pas à ce moment-là ce qu'était l'OA… l'OA truc, là !

Le commissaire soupira et dévisagea le jeune flic sans aménité. Sebag, en douce, consulta son téléphone. Il était déjà 19 heures. Les mains sous la table, il rédigea discrètement un SMS pour avertir Claire de ne pas l'attendre pour le dîner.

Castello posa ses deux mains à plat et inspira longuement.

— Je crois qu'il n'est pas superflu de faire maintenant un petit rappel d'histoire. Je me doutais que vous n'étiez pas forcément des spécialistes de la guerre d'Algérie mais je croyais au moins que vous aviez tous entendu parler de l'OAS.

Molina donna un coup de coude à Lambert tandis que Castello commençait son exposé.

— L'OAS, c'est donc l'Organisation armée secrète, un mouvement clandestin créé en 1961 en réaction aux attentats du FLN.

Castello fixa de nouveau Lambert et prit la peine d'articuler avec soin.

— FLN pour Front de li-bé-ra-tion na-tio-nale, un mouvement indépendantiste qui avait débuté la lutte armée en 1954.

Le commissaire reprit pour tous les inspecteurs :

— L'OAS donc en réaction aux actions du FLN et à la politique d'autodétermination du général de Gaulle…

Il marqua une nouvelle pause.

— Autodétermination, Lambert, ça vous dit vaguement quelque chose ?

— Euh… vaguement, ouais, bredouilla le jeune inspecteur.

— Et le général de Gaulle ? questionna un Molina perfide.

— Ah oui, ça oui… le général… de Gaulle, ça, je connais…

— Au fait, comment va-t-il ?

La plaisanterie de Jacques fit rire les inspecteurs et parvint même à arracher un vague rictus au commissaire qui reprit néanmoins son récit.

— Les Français d'Algérie hostiles à l'indépendance créèrent donc l'Organisation armée secrète qui effectua au total en moins de deux ans une bonne dizaine de milliers de plasticages sur le territoire algérien mais également ici en métropole. On lui attribue plus de mille six cents morts…

Le chiffre jeta un froid dans l'assistance.

— Oui, je sais, ça paraît incroyable de nos jours mais j'ai vérifié le chiffre. Mille six cents morts. L'OAS s'en prenait essentiellement aux Arabes mais elle a exécuté également des policiers français en service.

Un murmure scandalisé se fit entendre.

— Certains chefs de l'OAS ont été fusillés après avoir été arrêtés. Beaucoup ont fait de la prison. Mais dans l'ensemble, ils ont été graciés dès la fin des années soixante.

Castello attendit quelques instants pour être sûr d'avoir toute l'attention de son équipe.

— Le mot OAS inscrit près du cadavre nous renvoie donc à cette époque troublée et encore très sensible, notamment dans la communauté des anciens Français d'Algérie, une communauté qui, je vous le rappelle en passant, compte encore dix mille personnes dans le département. De plus – et là je ne vous apprends rien, j'espère – les tensions ont été vives ces dernières années dans la ville entre les associations de pieds-noirs et leurs opposants à propos de plusieurs mémoriaux érigés dans des lieux publics. Chaque fois, il y a eu des manifestations, les pour et les contre, et on a évité de justesse les affrontements. Bref, nous marchons sur des œufs et je peux vous dire que beaucoup de gens par ici vont suivre de très près notre enquête.

Un silence de plomb succéda à cette déclaration. Les inspecteurs restaient songeurs. Personne dans la police n'aimait travailler sous la pression des politiques et des médias.

— Nous n'écarterons toutefois aucune piste, poursuivit Castello. Y compris celle du règlement de comptes personnel maquillé en affaire politique. Demain, Llach et Lambert rencontreront l'amie de Martinez. Ils l'accompagneront notamment dans l'appartement pour qu'elle nous confirme qu'il n'y a pas eu de vol. Raynaud et Moreno, de leur côté, se pencheront sur le passé professionnel de Martinez. Il faut voir s'il n'y a pas eu matière à contentieux dans sa faillite commerciale.

Sebag jeta un regard en coin à ses deux collègues et constata avec plaisir leur déception d'être écartés de la piste politique. Puis il se reconcentra sur les instructions du commissaire.

— Sebag et Molina enquêteront d'abord dans la communauté pied-noir de Perpignan et interrogeront en premier lieu les responsables de l'association dont faisait partie Martinez. Il faut très vite savoir si la victime a appartenu ou pas à l'OAS. Puis ils rencontreront ceux qui se sont opposés aux différents monuments de la mémoire pied-noir. Enfin, Ménard, lui, s'occupera plus particulièrement de l'aspect historique. Vous avez rendez-vous déjà, je crois, avec un professeur de l'université ?

— Oui, c'est un spécialiste de la guerre d'Algérie. Plus du FLN que de l'OAS malheureusement mais il pourra sans doute me diriger vers des collègues et vers des témoins de l'époque.

Castello regarda ses inspecteurs, l'un après l'autre, avant de conclure avec gravité :

— Messieurs, je compte sur vous pour être là demain à la première heure. Il faut aller vite car il y a un élément que nous n'avons pas encore abordé parce que c'est trop tôt et que, comme je l'ai répété tout à l'heure, je n'aime pas brûler les étapes. Mais je suis sûr que certains d'entre vous y ont déjà pensé.

Il regarda à nouveau les inspecteurs.

— Si nous avons affaire à une vengeance contre l'OAS, on ne peut pas exclure que ce meurtre soit le premier d'une série. Vous pouvez disposer.

Molina passait un coup de fil pendant que Sebag récupérait les feuilles du dossier de l'accident de Mathieu qu'un courant d'air malencontreux avait éparpillées dans le bureau.

— Parfait, monsieur Albouker. À demain.

Molina raccrocha.

— Le président du Cercle pied-noir peut nous recevoir demain à 10 h 30. Il aurait préféré le soir parce qu'il veut que son trésorier soit là et que celui-ci n'était pas disponible le matin. Mais j'ai dit qu'on avait un autre rendez-vous dans la soirée.

— Tu as bien fait. Si on écoutait les gens, on travaillerait jour et nuit. Déjà qu'aujourd'hui pour ma rentrée, j'ai eu ma dose…

— Le trésorier, il est à la retraite, alors il peut faire un effort. Moi aussi, j'ai eu ma dose. Et puis j'ai encore l'impression de traîner avec moi l'odeur du cadavre mêlée à celle de Lambert : un cocktail répulsif à faire fuir la plus avide des nymphomanes !

Molina se leva et enfila son blouson.

— J'ai un mauvais pressentiment sur cette affaire. J'entrevois un sac d'embrouilles pas possible. On va être sous pression.

— C'est sûr. J'espère qu'on va avancer rapidement.

— Avec un peu de chance, c'est sa petite amie qui l'a tué et elle va nous l'avouer en pleurant sur l'épaule de Lambert. Un crime passionnel à soixante-dix balais, ça s'est déjà vu, non ?

— Ouais, sans doute, mais là, faut pas rêver.

— Tu ne le sens pas comme ça, n'est-ce pas ?

— Non. Comme toi, je miserais plutôt sur le sac d'embrouilles.

— C'est bien ce que je craignais.

Sebag avait terminé de rassembler et de classer toutes les feuilles du dossier. Il tapota le paquet pour en faire une pile bien nette qu'il glissa sous son bras. Il sortit ensuite du bureau sur les pas de Molina.

Claire et Séverine regardaient la télévision confortablement installées dans le canapé lorsque Sebag rentra à la maison. Il les embrassa et les vit grimacer. Il n'avait pas eu le temps de se changer depuis son séjour dans l'appartement de Martinez.

— Je sais, je vais prendre une douche.

Sans en dire davantage, il fila dans la salle de bains attenante à sa chambre. Il mit ses affaires dans le panier à linge sale avant de se glisser sous un jet brûlant. Il laissa couler l'eau cinq bonnes minutes pendant qu'il se récurait la peau et les cheveux.

Après s'être séché, il enfila un peignoir.

— Léo est là ? demanda-t-il aux filles, toujours scotchées devant leur écran.

— Dans sa chambre, répondit Claire.

Gilles traversa le séjour et s'engagea dans le couloir qui menait vers les chambres des enfants. Il frappa à la porte de son fils. Pas de réponse. Il entra. Un casque sur les oreilles, Léo était rivé à son ordinateur.

— Bonsoir, fit Sebag d'une voix forte.

Léo bougea à peine la tête.

— Salut, p'pa.

— Ta journée s'est bien passée ?

— Ça va.

— Pas trop de devoirs ?

— Non, ça va.

Sebag contempla quelques secondes la nuque de son fils. Il hésitait. Il avait prévu de rappeler une fois de

46

plus Léo à la prudence sur son scooter mais il avait bien conscience que ce « une fois de plus » serait perçu comme « une fois de trop ». Il était préférable de ne pas insister. Ses relations avec son fils n'étaient pas conflictuelles – pas encore – mais leur ancienne complicité s'était effilochée au fil des ans et Gilles regrettait durement l'époque de leurs jeux en commun dans le jardin ou sur l'ordinateur et les longues discussions le soir avant de se coucher. C'était la vie, pourtant. Léo avait grandi. Il était devenu un adolescent de seize ans. Un gamin de son temps. Autiste vis-à-vis de ses parents mais capable de chatter des journées entières avec ses copains sur Internet.

Sebag soupira, referma la porte et retourna dans le séjour. La pièce n'était séparée de la cuisine que par un bar. Sur le plan de travail, il trouva sous une cloche en verre une assiette avec des courgettes farcies et un peu de riz. Il la mit à réchauffer au micro-ondes. Pendant que le four tournait, il jeta un œil sur le film. Une série américaine, policière évidemment. Il n'y avait plus que cela à la télévision.

Le four sonna. Sebag récupéra son plat et s'installa sur un coin de table. Claire ne tarda pas à le rejoindre. Séverine avait mis un casque sur ses oreilles pour suivre tranquillement son programme télé.

— Ta journée s'est bien passée ? demanda Claire.

— Elle a sans doute ressemblé à ton feuilleton.

— Un meurtre ?

Il avala une grande bouchée et dut se contenter de le lui confirmer d'un signe de tête.

— C'était ça, l'odeur ?

Il lui expliqua les grandes lignes de l'affaire.

— Pour un retour de vacances, tu as été servi, commenta-t-elle.

— On peut le dire, oui. Mais tu ne regardes plus la télé ?

— J'ai vu un premier épisode et avec ce que tu viens de me raconter je n'ai plus du tout envie de voir la suite.

— Comme on dit, la réalité dépasse souvent l'affliction.

— Tu ne me l'as pas déjà servie, celle-là ?

Gilles pratiquait avec délices le détournement de proverbes, mais en vingt ans de vie commune avec Claire il n'avait plus d'inédit en stock.

— C'est probable… Et toi, ta journée ?

Claire lui raconta sa routine de prof de français au collège de Rivesaltes, les tensions entre les enseignants et le nouveau principal, puis la difficulté à maintenir l'ordre dans les classes surchargées, surtout la 4e C qui comptait dans ses rangs deux ou trois élèves un peu plus insolents que la moyenne. Elle lui parla aussi de son moment de détente à son cours de gym, le plaisir de se défouler physiquement avant de conclure la séance avec un hammam entre copines.

Sebag décrocha. Il ne parvenait plus à écouter. Un mot ou un geste suffisaient parfois pour faire sournoisement remonter en lui une nausée de jalousie, une onde mauvaise, un mal de cœur et de tripes qui persistait depuis l'été. Gilles avait découvert par le plus cruel et le plus douloureux des hasards que Claire lui mentait. À propos d'un cours de gym, justement, auquel il savait qu'elle n'avait pas assisté. Un doute était né en lui mais il n'avait rien dit.

Les présomptions sur l'infidélité de son épouse

avaient grandi les jours suivants, s'approchant peu à peu de la certitude.

Et il n'avait toujours rien dit.

Il aurait été pourtant facile au lieutenant Sebag d'user de son savoir-faire de flic pour connaître rapidement le fin mot de l'histoire. Il aurait pu aussi tout simplement en parler franchement avec Claire. Il la connaissait bien : s'il y avait eu quelque chose, elle lui aurait tout avoué sans détour. Il en était certain.

Mais il avait fini par décider qu'il ne voulait pas savoir.

Devant les marques d'amour et de désir que Claire continuait de lui prodiguer, il avait considéré que la vérité n'avait pas d'intérêt. La seule chose qui comptait, c'était leur amour, leur amour commun, leur amour toujours. Là était la seule sincérité importante. Et cet amour si fort pouvait bien s'accommoder d'une petite égratignure. D'autant qu'il ne constatait plus rien d'anormal dans le comportement de Claire depuis la rentrée. Si sa femme avait eu une « aventure », celle-ci était terminée.

De parvenir ainsi à prendre avec philosophie une si douloureuse et banale infortune capable de briser bien des couples, Sebag s'était vu beau et grand. Sublime et généreux. Magnanime. Et cette image positive avait posé un baume sur sa blessure d'orgueil.

Mais aujourd'hui, le baume ne faisait plus effet. Et c'était de lui-même qu'il doutait. Il se demandait de plus en plus souvent si sa belle grandeur d'âme ne cachait pas autre chose.

De la peur tout simplement.

La peur de savoir et de ne pas supporter la vérité.

Il avait laissé l'égratignure se refermer avec des

gravillons restés cachés sous la peau. La blessure marquait son âme et se rappelait à lui de temps en temps. De plus en plus souvent. Comme une gangrène.

— Je n'aime pas quand tu me regardes avec ces yeux.

Il revint à lui. Il revint à elle. Claire le dévisageait tristement.

— Je n'aime pas quand tu me regardes avec ces yeux, répéta-t-elle avec douceur.

L'amorce d'un sourire étira les lèvres de Sebag.

— Ce sont mes yeux. Je n'en ai pas d'autres.

— Ce n'est pas vrai, répliqua-t-elle. Tes yeux sont amoureux et tendres. Ceux-là sont durs et froids. Et surtout ils sont loin. Trop loin de moi.

Le sourire de Gilles se fit plus franc.

— Ah voilà, c'est mieux, dit Claire. Dès que tu souris, tes yeux reviennent.

Ils se regardèrent en silence pendant de longues secondes. Un froid immense enserra ses tripes et bloqua sa respiration. Il vit les lèvres de Claire s'entrouvrir puis se refermer aussitôt. Gilles eut le sentiment effrayant qu'ils pensaient la même chose. Mais il ne voulait pas en parler, il ne souhaitait pas crever l'abcès. Pas maintenant. Tant qu'il pourrait supporter la douleur, il la supporterait. Tout ce qu'il espérait, c'était de pouvoir reprendre très vite le cours normal de leur amour.

Casque sur les oreilles, Séverine se tenait debout à côté d'eux. Elle prit le verre de Gilles qu'elle remplit d'eau avant de boire avidement.

— J'avais soif, constata-t-elle en retournant se vautrer devant la télé.

L'instant était passé. Ouf… Claire, la première, changea de sujet.

— Tu n'as pas dû avoir le temps de travailler sur l'accident de Mathieu ?

— Non, mais j'ai rapporté le dossier, je vais regarder ça maintenant.

— Séverine attend beaucoup de toi.

— Je sais.

— Mais s'il n'y a rien à trouver, elle comprendra.

— J'espère.

Il termina sans appétit ses courgettes farcies et nettoya son assiette avec du pain. La vie reprenait. Gilles respira. Une autre fois…

— C'était délicieux. Tu as mis pas mal d'oignons, n'est-ce pas ?

— Un peu, oui.

— C'est ça qui est bon. Tu connais le proverbe ?

— Hou là, voilà que ça te reprend. Alors ?

— L'oignon fait la farce.

— Celui-là aussi, je le connaissais, mais j'aime bien. Tu as fait pire.

— Toi aussi.

— Comment ça, j'ai fait pire ? Je ne donne pas dans le proverbe détourné, moi !

— Je parlais de ta cuisine…

Sebag s'allongea sur son lit et cala l'oreiller sous son dos. Il commença la lecture.

L'accident de Mathieu s'était produit le mercredi précédent. Le garçon revenait de la piscine olympique de Perpignan où il s'entraînait tous les mercredis après-midi. D'après le procès-verbal, il était 17 h 15 lorsque la camionnette blanche de livraison des transports Chevrier s'était brusquement déportée sur sa gauche, heurtant de front le scooter de Mathieu. Aucune trace de freinage au sol. Le choc avait été violent. Conformément à ce que Sebag savait déjà, le gamin s'était relevé aussitôt sans blessure apparente. Avant de s'effondrer soudainement, un peu plus tard. Hémorragie interne. Le médecin du SAMU avait enregistré le décès à 17 h 57.

Le chauffeur de la camionnette – Pascal Lucas, âgé de quarante-cinq ans et père de deux enfants – prétendait avoir changé brusquement de trajectoire pour éviter une voiture qui débouchait sur sa droite malgré un stop. Les témoins décrivaient un chauffeur paniqué et donnant tous les signes d'une ivresse manifeste. Sebag survola les documents jusqu'à ce qu'il trouve le certificat médical établi par la suite au commissariat : 1,2 g d'alcool dans le sang. Plus loin, il trouva une copie du casier judiciaire. Pascal Lucas n'en était pas à son coup d'essai. Il avait déjà subi une suspension de permis pour conduite en état d'ivresse trois ans auparavant. Ça commençait à faire beaucoup. Le dossier s'annonçait malheureusement très simple.

Claire sortit nue de la salle de bains. Gilles la suivit des yeux pendant qu'elle enfilait une nuisette blanc crème décorée au bas d'un liseré de dentelle rose. Il la contempla encore tandis qu'elle s'allongeait à côté de lui. Il aimait la regarder ainsi lorsqu'elle s'habillait ou se déshabillait. Il savait qu'elle appréciait aussi.

Claire colla ses jambes aux siennes. Le moment des questions était passé. Était-il seulement venu ?

— Alors, ce dossier ? fit Claire.

Il haussa les épaules.

— C'est mal barré pour le chauffeur. Il est le seul

à affirmer qu'une voiture lui a grillé la priorité. Aucun témoin n'en fait état. Ça ressemble vraiment à un truc inventé pour atténuer sa responsabilité.

— Si tu ne trouves rien, ce n'est pas grave. Ce dont la famille a besoin, c'est d'être sûre que l'accident s'est bien déroulé comme la police le dit.

— Mes collègues ne font pas toujours du mauvais boulot.

— Tu le connais, celui qui a travaillé sur l'accident de Mathieu ?

— Oui, bien sûr.

— C'est un bon ?

— Euh… Joker !

— Ah, ah… Alors, cela vaut peut-être le coup de gratter encore un peu, ajouta-t-elle en éteignant sa lumière.

— Tu ne lis pas ?

— Non, je suis crevée ce soir. Ils étaient vraiment tous agités aujourd'hui au collège. Déjà que le lundi d'ordinaire est une journée chargée…

Elle se redressa pour l'embrasser.

— Bonne nuit.

— Bonne nuit.

Plus que de la fatigue, Gilles ressentait lui aussi une profonde lassitude. Il s'efforça pourtant de poursuivre sa lecture. Il regarda les dates et les heures des procès-verbaux. Tous avaient été réalisés le même jour, dans la foulée de l'accident. Cardona avait travaillé tard mais il avait apparemment décidé le soir même qu'il n'y avait pas là matière à enquêter davantage. Une affaire classée rapidement. Pouvait-on pour autant en déduire qu'elle avait été bâclée ?

Sebag posa les feuilles sur sa table de nuit avant

d'éteindre. Il resta un instant allongé sur le dos, les yeux fixant le plafond éclairé par les lumières orange de la rue. Le vent y faisait danser avec bonheur et grâce les ombres du palmier planté dans la cour. Claire respirait calmement. Elle dormait déjà.

Il ferma les yeux mais les pages persistèrent à défiler devant lui. Comptes-rendus des pompiers et du SAMU, récits des témoins, synthèse de Cardona.

Un truc le chiffonnait mais il ne savait pas quoi.

Il ralluma la lumière et relut rapidement tous les témoignages, les resitua, les compara. Claire se retourna dans le lit, gênée par le brusque retour de la clarté. Elle grogna légèrement. Gilles ne se laissa pas troubler et continua d'éplucher les pièces.

Et il comprit.

Oui, le dossier avait été bâclé et il y avait quelque chose à gratter, comme avait dit Claire. Oh, pas grand-chose, sans doute une fausse piste, mais qui pouvait savoir ? Peut-être ce fameux petit fil de laine qui permettait parfois de dérouler une pelote entière.

Il éteignit à nouveau la lumière et ne tarda pas à s'endormir.

CHAPITRE 5

Alger, le 25 novembre 1961

Les trois hommes attendent dans la Dauphine depuis une demi-heure.

— Qu'est-ce qu'il fout, Georges, bon sang ? s'impatiente celui qui est au volant.

Un des deux hommes installés à l'arrière le réprimande.

— On a dit : pas de nom perso, d'accord ? Juste les noms de code. Et puis calme-toi, Omega. Prends exemple sur Sigma. C'est sa première opération et pourtant est-ce qu'il perd son sang-froid, lui ?

Il donne un coup de coude dans les flancs du jeune homme assis à sa gauche. Celui qu'il a surnommé Sigma se sent tendu malgré tout mais parvient à le dissimuler par un demi-sourire qu'il maintient en permanence sur ses lèvres.

Omega ouvre un paquet de Bastos et en propose aux deux autres qui ne se font pas prier. Il fait circuler ensuite son briquet à essence. La voiture se remplit rapidement d'un brouillard épais et âcre. Sigma entrouvre la fenêtre de son côté. Un air frais venu de la mer souffle sur Alger. Le ciel de novembre se couvre d'un voile blanc.

Omega se tourne à nouveau vers les deux hommes à l'arrière.

55

— On va où, après ? Tu le sais, toi, Bizerte ?

— J'en ai une vague idée, oui, mais c'est Babelo qui nous le confirmera. C'est lui le boss.

Sigma s'efforce de fumer calmement. Il tire de longues bouffées qu'il relâche doucement. Un, deux, trois, quatre, cinq, six… Il compte intérieurement lorsqu'il souffle. L'opération d'aujourd'hui constitue une sorte de test pour lui : il doit se montrer à la hauteur pour qu'on l'autorise à poursuivre le combat.

Dans la rue, des gamins en culotte courte jouent avec un ballon, indifférents au monde qui les entoure. Un monde condamné. Sigma ne se sent pas beaucoup plus vieux que ces mômes. Quelques années à peine et un peu de poil au menton le séparent d'eux. Jamais il n'avait imaginé que son passage à l'âge adulte se ferait avec une arme glissée dans la ceinture de son pantalon.

Babelo apparaît au coin de la rue, habillé élégamment comme à son habitude. Il s'arrête, lisse sa fine moustache et prend le temps de regarder autour de lui avant de se rapprocher de la Dauphine.

Bizerte ouvre sa fenêtre et lui tend la main.

— Nous sommes prêts. Nous n'attendions que toi.

Babelo monte à côté du chauffeur. Il consulte sa montre.

— Il est presque midi. On est dans les temps.

Omega tourne la clé du contact. Le moteur de la Dauphine se met à ronronner.

— On va où ?

— Boulevard de Champagne, l'usine d'embouteillage. C'est bientôt l'heure de la pause.

Omega, malgré sa nervosité, conduit avec prudence. Il ne s'agit pas de se faire remarquer, même si les risques sont faibles que les flics osent s'intéresser à quatre hommes embarqués dans une voiture.

En un quart d'heure, ils arrivent à destination. Babelo fait signe à Omega d'arrêter la voiture à une cinquantaine de mètres de l'usine. Peu après, une dizaine d'ouvriers arabes sortent de l'atelier. Ils s'installent par terre dans une allée d'herbes pauvres, en demi-cercle autour d'une gamelle commune.

Babelo donne les dernières consignes.

— Omega, tu vas passer devant eux pour aller faire demi-tour plus loin. Puis, en revenant, tu t'arrêtes à leur hauteur côté droit de la route. Bizerte et moi, on ouvrira les fenêtres ; toi, Sigma, tu sortiras de la voiture et tu prendras appui sur le toit.

Omega redémarre la Dauphine. Au premier passage devant l'usine, Sigma s'applique à regarder de l'autre côté de la rue : il ne veut voir aucun visage avant. Omega roule doucement jusqu'au carrefour suivant puis effectue son demi-tour. Il revient à une allure plus rapide jusqu'à l'usine avant de stopper à la hauteur des ouvriers.

Les ouvriers, affolés, se lèvent aussitôt mais Babelo et Bizerte ont déjà baissé leurs fenêtres. Ils ouvrent le feu. Sigma sort de la voiture, se met debout et, conformément aux instructions, cale son pistolet sur le toit. Il vise un ouvrier qui fuit déjà vers la porte de l'usine. Il fait mouche. L'homme s'écroule. Il en vise un autre qui, frappé de stupeur, reste immobile devant la gamelle. Il le touche mais a l'impression qu'il n'est pas le premier à l'atteindre.

La suite de la fusillade est plus confuse. Quand Babelo donne l'ordre de cesser le feu, plus aucun Arabe ne bouge. Bizerte range son arme et se saisit d'une sacoche posée entre ses jambes. Il sort, pioche dans la sacoche pour en extraire des feuilles qu'il balance sur les corps.

Puis il se réinstalle dans la voiture. Omega fait crisser les pneus de la Dauphine qui s'élance sur le boulevard.

— Joli carton, messieurs, les félicite Babelo, un large sourire aux lèvres. Maintenant, je vous emmène tous au cinéma. Ils passent *Rio Bravo* au Rex. Avec John Wayne. Un film qui fera date dans l'histoire du western, paraît-il.

Une odeur enivrante de poudre flotte dans la voiture. Au coin du boulevard, Sigma croise le regard d'un enfant. Un gamin des rues. Plutôt bien habillé pour un petit Arabe. Le gosse a tout vu et tend un doigt accusateur vers la voiture. La Dauphine tourne dans un nouveau crissement de pneus. Le gamin disparaît de la vue de Sigma et le jeune homme croit alors qu'il va aussitôt disparaître également de sa vie. La guerre n'a rien de romantique. Sigma, malgré sa jeunesse, vient d'en prendre conscience.

Devant l'usine d'embouteillage, les policiers dénombrent six morts et trois blessés dont un grave. En effectuant les constatations d'usage qui, ils le savent, ne serviront à rien, ils piétinent les tracts abandonnés par les tueurs. Les policiers ne prennent pas la peine de les lire, ils les connaissent par cœur. Les tracts que le vent dispersera dans Alger ne comprennent qu'une phrase grossièrement imprimée en lettres noires sur fond blanc :

« L'OAS frappe quand elle veut, où elle veut. »

CHAPITRE 6

Gilles Sebag attendait dans la voiture garée en double file que son collègue fasse le plein de cigarettes au bureau de tabac. Les passants filaient tête basse pour amadouer le vent car la tramontane faisait un retour en colère après quelques jours de repos.

Molina s'engouffra dans la voiture, voulut refermer la portière mais une bourrasque le devança pour la lui claquer au nez.

— J'ai frôlé l'accident de travail, déplora-t-il.

— On t'a toujours dit que le tabac, c'était dangereux, se moqua Sebag.

— Je sais mais j'arrive pas à arrêter. À mon âge, je crois que c'est trop tard.

— Non, c'est sûr, tu ne changeras plus. On va encore arriver en retard à cause du détour que tu viens de nous imposer.

Sebag démarra et dégaina une seconde plaisanterie :

— Le vieux flic en toi a toujours eu un faible pour le passage au tabac.

— Toi non plus, tu ne changeras jamais, soupira Molina. Blagues à deux balles…

— Blagues à tabac.

— OK… quand je dis deux balles, je suis encore trop généreux.

— Ta bonté te perdra.

— Ça risque pas.

— J'en suis bien convaincu. Je disais ça comme ça.

Molina interrompit leur dialogue :

— Tourne à gauche, c'est ici. Rue Joseph-Jaume. Je sens qu'on n'a pas fini de se balader dans le quartier.

Le siège du Cercle pied-noir occupait une petite maison avec jardin, située face à l'entrée du Moulin-à-Vent. Construit au début des années soixante sur les hauteurs de Perpignan, ce quartier d'immeubles blancs aux toits de tuiles rouges avait tout naturellement accueilli de nombreux rapatriés d'Algérie. Et même si les pieds-noirs avaient ensuite essaimé dans tout le département, un grand nombre vivait toujours sur place ou aux environs. L'appartement de Bernard Martinez n'était qu'à trois cents mètres du siège du Cercle.

Cheveux blancs et barbe de la même couleur, Guy Albouker les accueillit avec le sourire. Sebag le trouva étonnamment jeune malgré ses poils blancs et ses poches pleines sous les yeux. Le président de l'association leur fit suivre un étroit couloir les conduisant dans ce qui avait dû constituer un salon et ressemblait davantage maintenant à une salle de réunion. Donnant sur le jardinet, la pièce se meublait principalement de quelques tables de réunion.

— Durant les premières années du Cercle, nous avions un logement dans un immeuble en face, expliqua Albouker, mais quand nous avons vu que cette maison était en vente, nous avons sauté sur l'occasion. Ici, c'est plus grand, et surtout, il y a le jardin. Une fois par mois, on fait le couscous et, quand il fait beau, c'est plus sympa dehors.

Albouker parlait d'une voix agréable et chaude avec

un accent discret. Seules quelques intonations s'alanguissant sur certaines syllabes trahissaient ses origines.

— Pour nous, la convivialité reste fondamentale. Même si loin du pays.

La formule intrigua Sebag. Albouker avait parlé du « pays » comme si celui-ci n'avait pas disparu depuis cinquante ans. Il se retint de chatouiller son interlocuteur là-dessus. Ça n'aurait pas été une bonne entrée en matière.

— Jean-Pierre !

Sebag sursauta.

— Jean-Pierre, cria de nouveau Albouker avant de se retourner vers les policiers. Mon trésorier travaille à l'étage. Il a pu se libérer finalement. J'ai insisté : il connaissait Bernard mieux que moi. Ils sont de la même génération.

Les policiers s'assirent. Guy Albouker leur présenta l'homme qui entrait.

— Jean-Pierre Mercier.

Le trésorier du Cercle pied-noir les dévisagea longuement avant d'aller s'asseoir à l'autre extrémité de la pièce. Son physique austère et ses traits sévères ne transmettaient aucune chaleur mais les policiers avaient l'habitude des accueils réservés. Albouker s'installa au milieu, le dos à la porte-fenêtre. Suivit un silence gêné de quelques secondes. Sebag posa le petit cahier dans lequel il prenait des notes sur les enquêtes en cours. Il sortit un stylo et cliqua pour dégager la mine. Ce fut pour Molina le signal pour ouvrir les débats.

— Comme je vous le disais au téléphone hier soir, Bernard Martinez a été retrouvé mort à son domicile. Il a été assassiné.

Les deux hommes acquiescèrent sobrement. Albouker

fit un geste en direction du journal local qui traînait sur un coin de table. Un court article relatait la macabre découverte mais le journal ne faisait pas allusion à l'OAS. D'un commun accord le commissaire et le procureur n'avaient pas encore révélé à la presse l'inscription trouvée chez la victime.

— Nous effectuons aujourd'hui une enquête de routine auprès des gens qui connaissaient M. Martinez pour en dresser un portrait le plus exact possible. Vous le connaissiez depuis longtemps ?

Albouker et Mercier se consultèrent du regard. Le président du Cercle répondit le premier :

— En ce qui me concerne, depuis cinq ou six ans, je crois.

— Une quinzaine d'années pour ma part, enchaîna le trésorier. Il a adhéré à notre association lorsqu'il est venu s'installer au Moulin-à-Vent.

— Vous le connaissiez… bien ?

— Je ne peux pas dire ça, fit Albouker. Pour un pied-noir, il était plutôt du genre discret et réservé.

— Il était assez timide en effet, précisa Mercier, mais en petit comité, il se laissait davantage aller. J'ai été souvent ou son partenaire ou son adversaire à la pétanque, il pouvait se montrer râleur et même très mauvais perdant.

— Que saviez-vous de sa vie ?

— Ce qu'il avait bien voulu nous en confier, répondit le trésorier. Il a vécu pendant trente-cinq ans à Terrats où il avait une vigne mais malgré tous ses efforts il n'a pas réussi à en vivre vraiment. Je crois que ça l'avait beaucoup affecté. Il était revenu d'Algérie avec un petit pécule qu'il avait réussi à sauver, un héritage je crois, et il avait tout investi dans sa vigne. Il a tout perdu.

Sebag prenait des notes pendant que Molina conduisait l'entretien. Il relevait souvent la tête pour observer leurs interlocuteurs.

— Il ne s'était jamais marié ? demanda Molina.

Jean-Pierre Mercier secoua la tête.

— Non.

— Pourquoi ?

— Nous n'en avons jamais parlé.

— Ah bon ?

— Nous n'étions sans doute pas assez intimes. Et puis nous sommes d'une génération qui ne discute pas facilement de choses si personnelles.

— Il avait une amie, je crois ?

— Josette Vidal, oui. Elle tenait autrefois un bureau de tabac dans le quartier, sur les Ramblas du Vallespir. Elle a perdu son mari il y a dix ans. Avec Bernard, ils se fréquentent depuis une paire d'années. Mais on ne les voyait pas souvent ensemble, ils étaient très indépendants. Et puis, Mme Vidal n'est pas pied-noir et Bernard venait toujours seul à nos réunions.

— Vous avez remarqué un changement dans le comportement de M. Martinez, ces derniers temps ? Est-ce qu'il semblait inquiet, par exemple ?

Albouker et Mercier se consultèrent une nouvelle fois du regard puis hochèrent négativement la tête.

— À votre connaissance, il avait des ennemis ? insista Molina.

Les deux hommes eurent l'air surpris, presque choqués.

— Vous pensez qu'il aurait pu en avoir ? dit

Albouker. Ça m'étonnerait : c'était vraiment un homme sans histoire.

— À part quelques joueurs de pétanque vexés par certaines de ses remarques, franchement, je ne vois pas, confirma Mercier.

Le trésorier du Cercle commençait à se détendre. Sebag posa son stylo et décida d'intervenir pour orienter l'entretien.

— Il parlait souvent de l'Algérie ?

— Très souvent, répliqua aussitôt Albouker.

Ses yeux se plissèrent, gonflant encore les poches qu'il avait sous les yeux. Puis sa bouche s'élargit en un large sourire. Il ajouta :

— Très souvent, oui, mais peut-être un peu moins que la plupart d'entre nous.

— Et qu'est-ce qu'il en disait ?

La question parut les surprendre.

— Rien de spécial, fit Albouker, il évoquait des souvenirs de son enfance, de sa jeunesse, il parlait du pays, quoi. La nostalgie reste forte chez nous, vous savez. Et bien souvent, plus on vieillit, plus elle s'aggrave. Nous avons tous gardé l'amour de notre pays.

Il frappa son cœur avec le plat de la main.

— Il est toujours vivant ici, ajouta-t-il mélodramatiquement. Et tant que nous aurons un souffle de vie, il continuera de vivre.

Son visage se ferma sur sa tristesse. Seules les commissures de ses lèvres frémissaient. Sebag eut le sentiment que le président du Cercle retenait difficilement ses larmes. Il en fut étonné. Albouker s'en aperçut.

— Il y a deux choses qui unissent aujourd'hui encore notre communauté, reprit le président après s'être ressaisi. La première est l'amour de ce pays perdu. La seconde est l'incompréhension, voire l'hostilité des autres Français devant cet amour encore intact.

Sebag se sentit percé à jour et ne chercha pas à le dissimuler. Il poursuivit néanmoins.

— J'aurais aimé que vous soyez plus précis. Vous savez ce qu'il faisait comme travail en Algérie ?

— Il travaillait dans la quincaillerie de son père à Alger dans le quartier de Bab-El-Oued, répondit Mercier. Mais il avait fait quelques études de viticulture. C'était déjà sa passion.

— Ce n'est pas en restant à Alger qu'il aurait pu l'exercer, remarqua Molina.

— Il avait trouvé un boulot chez un colon dans le bled mais son père l'a rappelé auprès de lui pour l'aider dans sa boutique. Son unique employé avait été tué dans un attentat du FLN. Une bombe au Casino de la Corniche en juin 57.

La voix de Mercier vibrait sous l'effet d'une rancœur qui cherchait encore une occasion de s'exprimer.

Il y a eu dix morts et près d'une centaine de blessés. Tous des jeunes venus là pour danser et s'amuser.

Sebag sauta sur l'occasion :

— Que pensait Bernard Martinez des attentats du FLN ?

Les deux hommes parurent à nouveau surpris.

— Il pensait comme nous tous, répliqua vivement Mercier. Qu'il fallait être lâche pour poser des bombes dans des lieux publics et tuer ainsi des innocents !

— Et quelle était son opinion par rapport à l'indépendance de l'Algérie ?

— Là encore, il pensait comme nous tous, les Français d'Algérie. Que l'indépendance était une connerie et que personne n'avait le droit de nous faire partir du pays où nous étions nés, du pays que nos parents et grands-parents avaient construit et fait prospérer…

Sebag sentit plus de réserves chez Albouker. Il l'invita à s'exprimer.

— Certains pieds-noirs étaient quand même plus modérés que d'autres. Dans ma famille, par exemple, tout le monde était SFIO. Nous pensions que le système n'était pas parfait mais qu'il pouvait évoluer. Nous étions prêts à un certain nombre de réformes et de concessions pour que l'Algérie reste française. La guerre a balayé tous nos espoirs. Quand la poudre parle, seuls les extrémistes peuvent encore se faire entendre.

— Et Bernard Martinez faisait partie de ces extrémistes, à l'époque ?

— À l'époque et encore aujourd'hui, soupira Albouker. Il avait conservé un discours très… tranché.

Mercier approuva avec vigueur. Sebag considéra qu'il était temps d'aborder la question principale.

— Est-ce que Martinez vous a parfois parlé de l'OAS ?

Albouker et Mercier se regardèrent. Ils semblaient soudain sur leurs gardes.

— Je peux vous demander le sens de cette question ? rétorqua Albouker.

Sebag joua les innocents.

— Ma question n'a pas de sens particulier. Elle est plutôt claire même, je crois. Mais je peux encore la préciser : à votre avis, qu'est-ce que Martinez pensait de l'OAS ?

— Cette question a-t-elle vraiment un intérêt pour votre enquête ?

Albouker paraissait indigné. Sebag voulut le rassurer.

— Elle a un intérêt, oui. Et je ne comprends pas pourquoi cette question vous irrite…

— Elle m'irrite parce que depuis un demi-siècle trop de Français font l'amalgame pieds-noirs/OAS. Selon eux, lorsqu'on est né en Algérie, on est forcément favorable à l'OAS et à l'extrême droite. Et nous étions forcément de riches colons qui exploitions les Arabes. Pour des gens comme moi, issus, je vous le disais, d'une famille de gauche, je trouve cela insultant.

— Je comprends, monsieur Albouker, tenta de le calmer Sebag. Ma question n'était pas d'ordre général, elle était précise. Je ne peux rien vous dire pour l'instant mais j'ai besoin de savoir si Martinez, à votre connaissance, a pu avoir un lien avec l'OAS.

— Vous voulez dire qu'il pourrait y avoir un rapport entre cette organisation et la mort de Bernard ? s'inquiéta Mercier.

Sebag ne répondit pas, il se recula sur sa chaise. Molina comprit et reprit la main :

— Nous sommes tenus au secret de l'enquête. Tout ce qu'on peut dire, c'est que nous travaillons sur toutes les hypothèses. Je vous repose donc notre question : à votre connaissance, Bernard Martinez avait-il eu des liens avec l'OAS ?

— Je n'en sais foutre rien ! fit Albouker. On ne parle pas beaucoup de tout cela entre nous, vous savez.

— Et vous parlez de quoi, alors, lors de vos réunions ?

— Politiquement, nous avons nos revendications. Elles tournent beaucoup autour des indemnisations.

Certains d'entre nous ont tout abandonné là-bas. Même si nous n'étions pas tous de gros propriétaires terriens, nous avions tout de même quelques biens qui n'ont pas pu trouver place dans nos valises : un appartement, une maison, quelques meubles, un commerce parfois…

— Des tombes, également…, ajouta Mercier d'une voix sourde.

Comme il ne semblait pas vouloir en dire plus, Albouker entreprit d'expliquer :

— Nos aïeux sont enterrés là-bas, dans des cimetières à l'abandon. Nous aimerions pouvoir les entretenir : cela fait partie de nos revendications.

Le président du Cercle marqua une pause avant de reprendre :

— Mais le but de notre association n'est pas seulement d'obtenir satisfaction là-dessus, c'est aussi d'être un point de rencontre entre Français d'Algérie, un lieu de mémoire et de sauvegarde de notre culture. Lors de nos manifestations, nous parlons davantage de cuisine que de politique. Nous échangeons des souvenirs, nous évoquons des amis communs et bien d'autres choses encore. Nous parlons beaucoup, nous parlons fort, nous lâchons la bride à notre accent et laissons remonter de nous notre pataouète.

— La pata quoi ? s'étonna Molina.

— Le pataouète ! C'est notre patois à nous. Un mélange de diverses langues méditerranéennes et de patois des régions françaises. Né dans les faubourgs d'Alger et dans le bled. On ne le sait pas assez mais la majorité des pieds-noirs au départ n'étaient pas français. Certains venaient d'Espagne, d'Italie, de Suisse et même d'Allemagne. Et puis il y avait aussi beaucoup de Maltais. Le pataouète témoigne aujourd'hui encore de tous ces apports...

Sebag jugea la conversation aimable mais hors de propos. Il décida de recadrer. Il se tourna vers le trésorier.

— Nous n'avons fait encore qu'effleurer la question et j'aimerais avoir votre opinion à vous, monsieur Mercier, sur les sentiments de Bernard Martinez vis-à-vis de l'OAS...

Le trésorier grimaça. Apparemment, il avait cru échapper à la question et cela lui avait convenu.

— Vous voulez savoir si Bernard en était membre à l'époque, c'est cela ?

— Par exemple...

Mercier réfléchit. Visiblement, il souhaitait peser chacun de ses mots.

— Franchement, je ne peux pas certifier que Bernard ait appartenu à l'OAS... mais de ce que je me rappelle de son discours et de ses propos, je pense que cc n'est pas impossible.

— Quels propos, quel discours ?

Mercier souffla.

— Je n'ai pas de souvenir d'une discussion en particulier, mais mon sentiment général, c'est qu'il devait être assez proche autrefois de ces idées-là, oui.

Il fit un geste vague en direction de son président.

— Mais à l'exception de quelques familles minoritaires, la plupart des pieds-noirs se sentaient proches de l'OAS. Même si nous n'approuvions pas tous ses actes, nous la soutenions. C'était le seul mouvement qui portait nos idées. Mais comment dire... nous la soutenions surtout en paroles, autour d'une anisette et d'une kémia...

— Une kémia ? interrogea Molina.

— L'équivalent de vos tapas, traduisit Albouker.

Sebag eut peur que la conversation ne déviât à nouveau. Heureusement, Mercier poursuivit ses explications.

— Il y a toujours eu plus de tchatche que d'action chez nous, c'est sans doute pour cela que nous avons perdu le combat d'ailleurs. Mais Bernard, il en parlait différemment, de l'OAS, sans en rajouter, bien au contraire, comme sur la réserve. Et il était resté farouchement antigaulliste.

— Il vous a fait des confidences là-dessus ?

Sebag avait laissé Jacques reprendre la main.

— Son antigaullisme était tellement viscéral qu'il ressortait dans n'importe quelle discussion politique.

— Et sur l'OAS, pas de confidences ? insista Molina.

— Jamais, non.

Il y eut un long silence. Molina semblait à court de questions et se tourna à plusieurs reprises vers son collègue. Sebag réfléchissait. Il hésitait à révéler à ses interlocuteurs les raisons de leur intérêt pour l'OAS. Perpignan était une petite ville et tout finissait toujours par se savoir. Très vite. Alors pourquoi pas ?

Finalement, ne voyant pas ce que la divulgation de cette information apporterait à leur entretien, il décida de respecter les consignes de discrétion du commissaire. Il griffonna encore quelques mots sur son cahier puis releva la tête pour demander :

— Rien d'autre à ajouter ?

Ses deux interlocuteurs se consultèrent une dernière fois du regard avant de secouer négativement la tête.

— Bien.

Sebag referma son cahier et rangea son stylo dans la poche de son blouson. Molina se leva. Sebag et Albouker l'imitèrent. Jean-Pierre Mercier resta assis, songeur.

— Messieurs, je vous raccompagne, proposa le président.

Sur le pas de la porte, il leur serra la main. Sebag avait une dernière question à poser, une question qui le titillait depuis le départ mais qu'il n'avait pas abordée car elle n'avait aucun rapport avec leur enquête. Il se lança :

— Je peux me permettre de vous demander votre âge ?

— J'ai cinquante-six ans, soupira Albouker avant d'ajouter, anticipant la question suivante : J'avais six ans en 1962 quand mes parents ont quitté l'Algérie. J'ai très peu de vrais souvenirs de mon pays natal mais cela ne change rien à l'affaire. Dans notre association, vous trouverez aussi de nombreux pieds-noirs qui sont nés ici en métropole. Ce ne sont pas forcément les moins passionnés, vous savez, car l'Algérie, ce n'est pas seulement une patrie, le pays sublimé de nos racines familiales… L'Algérie, notre Algérie, c'est d'abord une maladie, un cancer, un fléau.

— Tu viens manger une graine au Carlit ?

Sebag venait de garer leur voiture de fonction sur le parking du commissariat. Il était à peine midi mais Molina avait déjà faim. Le Carlit, un restaurant proche du commissariat, leur faisait office de cantine. Sebag déclina l'offre de son collègue.

— Non, je te remercie mais j'ai un rendez-vous.

L'œil de Molina s'alluma d'espoir.

— Tiens, tiens, un rendez-vous galant ? Enfin !

Sebag ne se donna pas la peine de répondre. La plaisanterie n'était pas nouvelle. Jacques ne comprenait pas que Gilles reste fidèle à sa femme depuis plus de vingt ans.

— On se retrouve au bureau en début d'après-midi.

— Tu es sûr de ne pas avoir besoin de plus de temps ? continua Molina. Je peux te couvrir si tu veux...

— Je serai là vers 14 h-14 h 30.

Sebag lui lança les clés de leur voiture et partit chercher son véhicule personnel. En chemin, il referma son blouson jusqu'au col car la tramontane renforçait l'impression de fraîcheur. Pas de doute, cette fois-ci, l'automne s'installait en pays catalan.

Au volant de sa Picasso, Sebag prit place dans les embouteillages de la mi-journée. Il s'engagea sur les boulevards qui contournaient le centre-ville, longea le quartier du Moulin-à-Vent et, après avoir dû patienter dix bonnes minutes au rond-point du cinéma Multiplexe, opta pour la direction d'Argelès. Cinq kilomètres plus tard, il prit la sortie pour Villeneuve-de-la-Raho. Pascal Lucas, le chauffeur de la société Chevrier, habitait cette commune. Sebag avait pris rendez-vous avec lui le matin même avant d'arriver au boulot.

Le vieux village de Villeneuve-de-la-Raho s'accrochait autour d'un château d'eau sur une colline dominant un lac artificiel et une mer de pavillons modernes. Sebag arrêta sa voiture à l'entrée d'un lotissement. Pascal Lucas vivait dans une maisonnette de type méditerranéen qui cachait malheureusement une partie de sa jolie façade de crépi jaune genêt derrière une muraille de parpaings bruts. Il s'agissait là d'une

72

des principales plaies architecturales du Roussillon en ce début de troisième millénaire. Sur des lopins de plus en plus petits, les habitants tentaient de préserver un semblant d'intimité en construisant de véritables enceintes. Mais, faute d'argent ou de volonté, ils les laissaient souvent nues, ce qui donnait aux nombreux lotissements du département un éternel aspect inachevé et précaire.

Un homme massif attendait Sebag sur le pas de sa porte.

— Pascal Lucas ?

L'homme confirma. Ses yeux rougis devaient leur trouble tout autant au chagrin qu'à l'alcool. Lucas s'effaça pour laisser passer Sebag qui s'avança dans le salon et s'installa sans hésiter dans un large fauteuil. Son hôte prit place sur un bord du canapé.

— Je voulais revoir quelques détails avec vous mais je tiens d'abord à vous préciser une petite chose : ma démarche n'a rien d'officielle, je ne suis pas chargé de cette enquête.

Lucas s'agita et passa une grosse main dans sa tignasse brune et hirsute. Face à son étonnement, Sebag expliqua :

— Je suis un ami de la famille. Les parents de Mathieu veulent être sûrs que toute la lumière sera faite sur cet accident.

Le chauffeur se leva brusquement.

— Moi aussi, je veux que toute la lumière soit faite ! Mais vos collègues ne veulent pas croire ce que je leur dis !

Il se mit à tourner en rond dans le salon.

— Je leur répète depuis le début qu'une voiture a grillé un stop juste quand j'arrivais. C'est pour ça que j'ai donné un coup de volant sur ma gauche, bon sang ! Pourquoi je l'aurais fait sinon ?

— Parce que vous étiez ivre.

Lucas s'arrêta de tourner. Ses bras s'agitèrent, prenant le relais de ses jambes.

— Je le sais que j'avais bu, je ne l'ai pas nié. Mais je n'étais pas ivre mort non plus, je me souviens quand même de ce qui s'est passé.

— Un gramme vingt, ce n'est pas anodin.

— Je sais que c'est beaucoup trop quand on conduit mais je sais aussi ce que j'ai vu, quand même, non ? Pourquoi personne ne veut me croire ?

— Parce que aucun témoin ne confirme la présence de cette voiture. C'était quel type de véhicule, selon vous ?

— Pas selon moi, s'énerva le chauffeur qui se remit à tourner. Elle existe bien, cette voiture, c'était une Clio blanche.

— Je suppose que vous n'avez pas relevé le numéro d'immatriculation ?

— Comme si j'avais eu que ça à faire... Après avoir percuté le scooter, je me suis arrêté et je me suis précipité pour porter secours au gamin. Quand je l'ai vu se relever tout de suite, putain, j'étais soulagé, je vous le dis. Si j'avais su ce qui allait se passer après...

Sans cesser de s'agiter, Pascal Lucas raconta à Sebag ce qui figurait déjà dans le dossier. Le malaise soudain de Mathieu. Sa mort. Après le récit, Lucas se calma. Trois secondes. Pas plus.

— Vous avez vu la voiture repartir ? demanda Sebag tandis que Lucas se remettait à arpenter le salon.

— Non. Sur le coup, je n'y pensais plus, à cette voiture. Y a que le gamin qui m'importait. Quand j'ai cru qu'il allait bien, je suis retourné à la camionnette pour chercher les papiers pour le constat et c'est là que j'ai compris qu'il avait pris la fuite, le salaud. Y avait plus de Clio ! Pourtant, je vous jure qu'elle existe, cette bagnole, bordel de merde. Votre collègue, y veut rien savoir, y s'en fout. J'avais bu, je suis responsable, pour lui c'est clair.

Il immobilisa sa lourde silhouette devant Sebag. Ses mains se nouèrent et ses bras musclés se gonflèrent. Lucas avait un physique imposant mais il tremblait comme une feuille. Son regard se fit suppliant.

— Et vous, vous allez me croire, monsieur ?

— Asseyez-vous, s'il vous plaît, fit Sebag. Tout à l'heure vous me donniez le tournis, maintenant j'ai le vertige.

Docile, le chauffeur posa de nouveau ses fesses sur le bord du canapé. Il fixa la table basse devant lui et se lécha les lèvres. Sebag remarqua le sous-verre encore humide sur la table en hêtre. Lucas n'était pas à jeun.

— Vous buvez souvent ?

Le chauffeur se cacha un instant le visage dans ses mains puissantes. Puis il se donna une claque sur les deux joues en même temps.

— J'arrive pas à arrêter : j'essaye, mais j'arrive pas.

— Ça fait longtemps ?

— Une dizaine d'années environ, peut-être plus, c'est difficile à dire. Je ne me suis pas installé un jour à un bar en me disant : « Ça y est, c'est aujourd'hui que je deviens alcoolique. » C'est venu petit à petit, un verre après l'autre, tout doucement.

— Pour votre métier, c'était dangereux.

— La plupart du temps, j'arrive à ne pas boire quand je bosse, ou alors pas trop.

— Pas trop ? Ça veut dire quoi ?

— Un apéritif et un demi de rouge le midi en mangeant mais rien avant.

— Et rien après ?

— Ça dépend…

Lucas ne put s'empêcher de se remettre debout. Il fit un pas mais se ravisa et se rassit.

— Vous n'avez pas répondu à ma question : vous allez me croire, vous ?

Sebag l'observa quelques secondes avant de répondre. Le chauffeur plaça ses mains sur ses genoux, s'efforçant à une immobilité contre nature. Mais il ne pouvait contrôler le clignotement incessant de ses yeux. Parfois rapide, parfois long. Comme des SOS.

Sebag se leva. Le chauffeur bondit sur ses pieds.

— Vous me semblez sincère, monsieur Lucas, et le premier but de ma visite d'ailleurs était de m'assurer de cette sincérité. Seulement mon métier n'est pas de croire mais d'établir des faits. Je vais essayer de suivre cette histoire de Clio.

— Merci, lâcha-t-il dans un souffle.

— Je ne le fais pas pour vous mais pour la famille de Mathieu. Et puis, même si je retrouve cette voiture et le chauffeur qui va avec, cela n'atténuera pas complètement votre responsabilité. Vous étiez ivre, vous n'êtes pas resté maître de votre véhicule et Mathieu est mort. Vous ne récupérerez ni votre permis, ni votre métier.

— Je sais cela. Mais comme on le disait tout à l'heure, l'important, c'est que toute la lumière soit faite, non ?

Le chauffeur lui tendit une main moite que Sebag serra avec retenue.

— Vous allez faire comment pour retrouver cette voiture ?

— Ce ne sera pas facile. Disons que mon premier but sera de prouver son existence, il suffira d'un témoin pour cela. Mais de là à remonter jusqu'au chauffeur…

— Tout ce que vous ferez, ce sera déjà formidable.

Sebag lui sut gré de ne pas rêver l'impossible. Il se dit que Séverine aussi ne lui tiendrait pas rigueur d'un demi-succès. Mais lui en voulait plus. Il voulait que sa fille soit fière de son père. Pour cela, il n'y avait pas trente-six solutions : il devait retrouver l'autre chauffard.

CHAPITRE 7

Abadie, Abdelmalek, Achou, Aguilar…

Ses gros doigts tordus glissaient sur le marbre froid, déchiffrant un à un les noms des disparus. Des centaines de noms.

Babou, Bakti, Balaguer…

Des centaines de Français d'Algérie n'avaient pas eu le temps de rejoindre la métropole après la guerre. Ils avaient disparu sans laisser de traces. Juste un souvenir dans la mémoire des survivants. Et aujourd'hui un nom gravé dans le marbre sur un mur à Perpignan.

Berthelot, Bianchi, Bokhtache…

Ils étaient un père, une mère, un ami, un cousin ou peut-être un voisin.

Chouraqui, Claus, Delamare, Dominguez…

Les lèvres sèches du vieil homme articulaient silencieusement les syllabes. Dans sa tête, les noms chantaient leurs sonorités musicales, tour à tour françaises, espagnoles, italiennes, allemandes, arabes ou juives.

Elbaz, Escriva, Esteban…

Tiens donc ! Son doigt s'arrêta un bref instant. Le vieux sourit, amusé par la coïncidence.

Gaadoui, Garcia, Hebrard, Humbert…

Le vieil homme avait eu du mal à trouver l'ancien couvent situé pourtant en centre-ville. Il était passé plusieurs fois devant son toit avant de comprendre qu'il lui fallait descendre un escalier pour en atteindre l'entrée. Il avait poussé la haute grille et s'était approché du mur. Neuf plaques de marbre s'y accrochaient, dévoilant une liste interminable de victimes, mais aussi une silhouette d'homme au cœur manquant et une citation qu'il avait trouvée un peu pompeuse de Chateaubriand.

Inversini, Janowski, Juan…

Il fit un pas sur le côté pour passer à une autre plaque.

Lagrange, Lopez, Lorenzo, Maillard…

Son bras levé depuis trop longtemps le faisait souffrir. Il s'accorda une pause pour se malaxer l'épaule, le coude et le poignet. Il termina par le massage d'une forme compacte et bosselée aux crochets incertains qui lui servait encore de main. Il réajusta le col de son manteau pour se protéger du vent qui hantait la cour et le glaçait jusqu'aux os. Puis il reprit sa litanie.

Malleval, Mansouri, Maricchi, Martinaud…

Ses mains ressemblaient à celles de sa grand-mère. Elle aussi souffrait autrefois de polyarthrite rhumatoïde mais sans en avoir jamais connu le nom. À l'époque, aucun médecin n'avait posé de diagnostic sur son mal, son « martyre » comme elle disait elle-même les soirs de grande fatigue. Les seuls moments de sa vie où elle avait la faiblesse de se plaindre.

Melchior, Muller, Navarro, Oubata…

Il n'avait jamais soupçonné qu'ils aient pu être si nombreux. Qu'étaient-ils donc devenus, tous ces gens mystérieusement disparus ? Enlevés ? Assassinés par les Arabes ou par des amis jaloux profitant de la confusion des derniers jours de l'Algérie française ?

Étaient-ils morts de faim ou de maladie dans un camp d'internement ? Ou bien tout simplement de vieillesse, seuls dans un appartement d'Alger sans que personne ne vienne leur accorder un dernier adieu, une sépulture décente, un nom sur une tombe ?

Pacinotti, Palumbo, Pipitone, Pons…

Nom après nom, il approchait. Elle n'était plus très loin maintenant.

Poujade, Pradelle… Prietto…

Mon Dieu… Ils étaient si nombreux à la lettre P.

Prudhomme, Roland, Romero, Rovira…

Ses doigts caressaient les lettres. Ils bondissaient d'un nom à un autre, de plus en plus fébriles.

Ruiz, Saïd, Sanchez…

Il y était presque. Ses lèvres se fermèrent, les noms cessèrent de chanter dans sa tête, le monde devenait silencieux. Encore un peu. Voilà, elle était là. Mamie Henriette. Tout le monde ne l'avait pas oubliée. La gorge le serrait comme si une main puissante s'était posée dessus. Il avait du mal à respirer.

Il recula jusqu'à un banc et s'assit. Un filet d'air filtra enfin jusqu'à ses poumons douloureux. Il leva la tête vers les plaques de marbre. D'où il était, il ne pouvait plus lire le nom mais il savait maintenant qu'il y était. En relief et en lettres dorées. Il sentit ses épaules secouées par des sanglots et ses yeux secs depuis trop longtemps se remirent à couler. Deux grosses larmes glissèrent sur ses joues fripées. Elles rebondirent sur les versants de son menton avant de tomber en silence sur le carrelage de la petite cour.

Le vent soufflait toujours mais il ne le sentait plus.

CHAPITRE 8

Sebag avait passé l'après-midi au commissariat. D'abord à rédiger le compte-rendu de l'entretien du matin avec les responsables du Cercle pied-noir, puis à lire les rapports de ses collègues au fur et à mesure qu'ils arrivaient. Molina, lui, enquêtait auprès des vignerons de Terrats. Cette tâche avait été attribuée la veille à Raynaud et à Moreno mais le duo inséparable était finalement parti sur une autre affaire.

Lambert et Llach avaient rencontré Josette Vidal, l'amie de la victime rentrée précipitamment de Barcelone. Née à Prades il y avait soixante-douze ans, entrée à seize ans aux usines des poupées Bella où elle était restée jusqu'à la fermeture de l'entreprise pour cause de faillite en 1984, elle avait ensuite repris avec son mari un bureau de tabac au Moulin-à-Vent. C'est ainsi qu'elle avait rencontré Bernard Martinez, comme client d'abord. Après le décès de son mari en 2002, ils s'étaient naturellement rapprochés jusqu'à devenir intimes. « Intimes »... Le mot fit sourire Sebag. Le procès-verbal n'en disait pas plus. Le terme avait sans doute été employé par Josette Vidal elle-même. Face à un témoin plus jeune, les policiers n'auraient sans doute pas manqué de faire préciser la nature de leur relation. La question « Étiez-vous amants ? » aurait naturellement surgi. Mais Llach et Lambert étaient restés pudiques. Sebag ne leur en tenait pas rigueur : il n'aurait sans doute pas agi différemment.

Josette Vidal ne connaissait pas d'ennemi à son... « compagnon ». Elle n'avait relevé aucune inquiétude ces derniers temps et ne connaissait rien de son passé en Algérie, encore moins d'éventuels liens avec l'OAS. Les déclarations de la dame ne laissaient guère de doute sur son antipathie pour les pieds-noirs en général, « des gens qui sont toujours à ressasser leurs malheurs ». Seul Martinez trouvait grâce à ses yeux. Allez savoir pourquoi. L'amour a ses mystères et l'âge, sur ce plan-là, n'y changeait rien.

Llach et Lambert avaient emmené Josette dans l'appartement de Martinez mais la dame n'avait rien remarqué d'anormal. Aucun objet disparu. Elle était formelle.

Sebag relut le procès-verbal. Les mots convenus et les formules toutes faites des policiers laissaient transparaître malgré tout une forte personnalité mais ils ne disaient rien de l'atmosphère dans laquelle s'était déroulé l'entretien. Il prit le combiné de son téléphone de bureau et composa le numéro du portable de Llach.

— Tu l'as trouvée comment, la double veuve ?

— Sacré caractère, mamy. Elle ne mâche pas ses mots. Je l'ai crue insensible au début mais ce n'était qu'une carapace. Dès qu'on est arrivés dans l'appartement, elle a craqué. Surtout lorsqu'elle a vu la tache de sang dans le salon.

— Elle ne sait vraiment rien sur l'OAS ?

— Ah non, vraiment rien. Y a aucune raison de mettre en doute ce qu'elle dit. Elle porte tellement peu les pieds-noirs dans son cœur que le Martinez, avec elle, il devait faire comme s'il était né à Perpignan.

— Et ça vient d'où, ce ressentiment ?

— J'en sais rien, je ne lui ai pas demandé.

Llach s'interrompit et mit quelques secondes avant de reprendre.

— Tu sais, ils sont un peu spéciaux quand même, ces gens-là. Ça fait cinquante ans qu'ils ont quitté l'Algérie et ils ne s'en sont toujours pas remis !

— Comment tu l'aurais vécu si tu avais dû abandonner ton pays natal, toi, le Catalan ?

— Tu ne peux pas comparer, ça n'a rien à voir !

— Ah bon, pourquoi ?

— L'Algérie, c'était pas leur pays !

— Ils y étaient nés, leurs parents et leurs grands-parents aussi parfois.

— Peut-être mais ça n'y change rien : c'était pas leur pays. Ça ne pouvait pas durer. Les croisades autrefois, ça n'a pas duré non plus. Ils auraient dû le savoir.

Sebag ne sut que répondre, salua son collègue et raccrocha. Il se plongea ensuite dans le rapport de Ménard.

Ménard avait rencontré un professeur de l'université de Perpignan qui lui avait dressé un tableau de la guerre d'Algérie et plus particulièrement de l'Organisation armée secrète. Sa naissance en février 1961. Ses chefs historiques, Susini, Lagaillarde, Salan, Gardy. Ses soldats perdus, Degueldre, Sergent, Bastien-Thiry et quelques centaines d'autres. Ses assassinats ciblés de policiers français, de militants FLN et de pieds-noirs jugés trop modérés. Et puis surtout ses attentats aveugles : voitures piégées, plasticages et autres ratonnades. Jusqu'au bombardement au mortier d'un quartier musulman le 25 mars 1962 : il y avait eu ce jour-là une quarantaine de morts dont des femmes et des enfants.

L'OAS avait commis ses derniers attentats en juillet 1962 sur un territoire désormais algérien. Elle avait ensuite réalisé d'autres actions en métropole, visant quasi exclusivement son ennemi juré, le général de Gaulle. Ses principaux chefs avaient été arrêtés, condamnés à mort pour certains, à de lourdes peines de prison pour d'autres. Quelques-uns avaient réussi à prendre le chemin de l'exil, en général vers l'Espagne mais parfois jusqu'en Argentine. Enfin, en 1968, une première amnistie avait été promulguée, complétée par une seconde en 1974.

Le nom de Bernard Martinez n'avait rien évoqué au professeur d'université perpignanais. Mais le chercheur n'était pas un spécialiste de l'OAS et il avait conseillé de contacter l'un de ses confrères qui enseignait à Marseille. Ménard espérait donc en apprendre davantage le lendemain.

Vers 17 h 30, Sebag éprouva une vive fringale. Il n'avait avalé qu'une part de pizza et quelques fruits après son entretien avec Pascal Lucas mais il hésitait à sortir s'acheter une friandise. Depuis qu'il avait franchi le cap de la quarantaine, il trouvait qu'il avait tendance à « faire du gras ». Et malgré le footing, il devait se surveiller pour ne pas grossir.

La sonnerie de son portable lui apporta une heureuse diversion.

L'appel venait de Guy Albouker.

— Excusez-moi de vous déranger, mais il m'est venu une idée depuis notre conversation.

— Vous vous souvenez d'une information importante concernant M. Martinez ?

— Non, ce n'est pas cela. Je crois que je vous ai tout dit à propos de Bernard. Je ne le connaissais pas tant que ça.

— Alors ?

— C'est à propos de l'amalgame que l'on fait couramment entre les pieds-noirs et l'OAS, vous vous en souvenez, c'est moi qui en ai parlé...

— Oui, je me souviens.

Molina entra bruyamment, jeta un sachet en papier sur son bureau et s'avachit sur sa chaise. Un instant inattentif, Sebag fut obligé de faire répéter à Albouker ce qu'il venait de dire.

— Ce n'est pas grave, l'excusa le président du Cercle, je crois que ce n'était pas clair de toute façon. En fait, je ne sais pas comment vous expliquer... C'est sûrement une fausse piste que je vais vous proposer mais je me suis dit que puisque les gens mélangeaient toujours dans un même opprobre OAS et pied-noir, c'était peut-être aussi le cas du meurtrier.

Albouker s'interrompit. Sebag n'était toujours pas sûr d'avoir compris. Un mot l'avait encore distrait : il se demandait si opprobre était bien du genre masculin. Lui, spontanément, il aurait dit « une » opprobre.

— En effet, ce n'est pas très clair. Vous pouvez préciser... ?

— Eh bien, je me disais que l'assassin n'en voulait peut-être pas précisément à Martinez, ni même à l'OAS, mais aux pieds-noirs en général.

Cette fois-ci, Sebag comprenait et il commençait même à entrevoir les conséquences inquiétantes d'une telle hypothèse.

— Vous ne seriez pas un peu parano, monsieur Albouker ?

— Oui, je sais, c'est sans doute absurde. Mais la question m'obsédait et je voulais vous en faire part. Je crois que je n'aurais pas dû.

— Si, si, vous avez bien fait. Nous devons travailler sur toutes les hypothèses. Y aurait-il eu ces derniers temps des éléments pour vous conduire à une telle… inquiétude ? Des menaces, des lettres d'insultes ?

— Non, non, rien de tel. En tout cas pas chez nous. Mais nous ne sommes pas la seule association pied-noir sur le département, il faudrait voir avec les autres. Vous n'êtes pas sans savoir que le contexte est assez tendu depuis quelques années à Perpignan avec toutes les controverses plus ou moins violentes sur certains de nos monuments…

Sebag préféra ne pas poursuivre sur un terrain encore mal connu de lui. Castello avait évoqué le sujet la veille mais il n'avait pas donné de détails, comme si tout allait de soi pour tout le monde. Sebag se souvenait seulement de débats houleux sur la question d'une stèle ou d'un mur, il ne savait plus trop. Il lui faudrait travailler la question pour le lendemain.

— Ne vous inquiétez pas, monsieur Albouker. Nous ne négligerons rien. D'ailleurs, nous avons rendez-vous demain avec certains de vos opposants.

— Attention, je n'ai pas dit que c'était eux. Je n'ai accusé personne.

— Je sais, monsieur Albouker, je sais. J'ai pris note de votre préoccupation et de votre hypothèse. Et vous, de votre côté, si vous entendez parler de menaces récentes envers votre communauté, n'hésitez pas à m'en tenir informé.

— Merci bien, lieutenant Sebag, merci de votre compréhension. Excusez-moi de vous avoir dérangé. Mais nous soulevons tellement d'hostilité chaque fois que nous nous exprimons que j'ai toujours craint qu'un jour nous ne soyons victimes d'illuminés ou d'extrémistes.

— On ne peut jurer de rien pour l'avenir, mais pour l'instant, nous n'avons aucun élément qui puisse justifier une telle inquiétude.

— Vous avez raison, je dois être un peu parano. Tout de façon, on ne peut rien faire pour l'instant, alors comme on disait là-bas : *Inch'Allah !*

Le président du Cercle pied-noir s'excusa encore puis raccrocha.

Molina, entre-temps, avait allumé son ordinateur. Il leva la tête.

— Que se passe-t-il ?

Sebag le lui résuma en deux phrases.

— Pur fantasme, commenta Molina. Et heureusement pour nous. T'imagines, s'il avait raison…

— Même s'il a tort, cela pourrait être une source d'emmerdements si cette inquiétude se répandait. Il suffit que certaines personnes y croient.

Molina attrapa le sachet en papier sur son bureau et le tendit, ouvert, à Sebag.

— Une petite chouquette ?

— Est-ce bien raisonnable ?

— C'est d'être raisonnable qui n'est pas raisonnable. La vie est trop courte.

— On voit où ça mène, des maximes comme ça, dit-il en désignant son ventre.

— Moi, c'est Jacques, Jacques Molina. Pas Maxime.

Sebag rigola et plongea une main dans le sachet.

— J'avais prévu d'aller courir ce soir de toute

87

façon. Sinon, de ton côté, qu'est-ce que ça a donné cet après-midi ?

— Rien, ou en tout cas pas grand-chose. J'ai rencontré le maire et le président de la cave coopérative de Terrats et, comme on pouvait s'en douter, il n'y a rien d'intéressant dans cette direction. Martinez a acheté quatre hectares de vignes et un petit mas en rentrant d'Algérie. Il vendait son vin à la cave coopérative. Il travaillait seul, sauf évidemment à la période des vendanges. Il n'a jamais gagné beaucoup d'argent et a subi de plein fouet la crise de la viticulture. Lorsqu'il a fallu investir pour améliorer la qualité, il s'est endetté et les recettes n'ont pas suivi. Comme nous le savions déjà, il a tout vendu en 1997, le mas et le terrain. Les vignes, il a dû les arracher.

— Un crève-cœur pour lui probablement.

Molina haussa les épaules.

— Comme pour tous ceux qui l'ont fait. Tu sais, quand j'étais môme, il y avait des vignes partout dans le pays. En vingt ans, les surfaces ont été divisées par deux ou par trois. Et c'est reparti de plus belle, ces dernières années.

Sebag connaissait la situation. Ses chemins habituels de footing entre Saint-Estève et Baixas traversaient d'anciennes terres à vignes. Les herbes folles y régnaient et prospéraient autour des taupinières géantes de ceps déracinés.

— T'es sûr de toi, alors ? On laisse tomber la piste viticole ?

— Je n'ai pas la prétention d'avoir ton flair mais je pense qu'on peut la mettre au moins entre parenthèses. C'est quoi la suite ?

— On a rendez-vous demain avec des membres du

CCN, le Collectif contre la nostalgérie, ceux qui se sont mobilisés contre les monuments de la mémoire pied-noir.

— La nostalgérie, tiens, c'est bien trouvé, ça. Et c'était quoi d'ailleurs ces monuments, je ne me souviens pas trop…

— Moi non plus. Je vais me tuyauter ce soir avant de partir, je te ferai un topo demain en chemin.

— Voilà qui me convient parfaitement. Si tu n'y vois pas d'inconvénient, je vais regagner ma casa maintenant. Ce soir, j'ai rencard.

Divorcé depuis cinq ans, Jacques Molina rattrapait sur le tard un temps qu'il estimait avoir perdu.

— Tu n'arrêtes pas, toi. Brune ou blonde ?

— Blonde. Et toi ?

— Comment ça, moi ?

— Ton rendez-vous de ce midi !

— Ah oui, ce midi… Gros et chevelu !

Molina prit une mine dégoûtée.

— Beurk, fit-il avant de quitter le bureau.

Sebag lança sur l'ordinateur son moteur de recherche habituel. Mais avant de se pencher sur l'histoire récente des pieds-noirs à Perpignan, il voulut vérifier ce qui l'obsédait depuis sa conversation avec Albouker. Il trouva l'info sans difficulté. Albouker n'avait pas fait de faute : contrairement à ce que croyait Sebag, opprobre était bien du genre masculin.

Un sac plastique planait sous le vent, tentant en vain d'imiter le vol d'une tourterelle. Il s'éleva lentement dans le ciel sombre avant d'être violemment rabattu vers le sol. Son périple hasardeux s'acheva dans les bras dressés d'un cep noueux. À chaque coup de tramontane, le dernier carré de vigne du secteur se décorait ainsi d'affligeantes guirlandes.

Sebag raccourcit ses foulées. Le vent, pour lui, soufflait maintenant de face.

Après avoir embrassé Claire, il avait enfilé ses baskets et sa tenue de sport pour arpenter les sentiers caillouteux. Il avait filé sans se poser de questions, poussé par les bourrasques et ses préoccupations professionnelles. Maintenant il lui fallait rentrer, l'esprit vide et le pas lourd, face au vent qui se chargeait d'humidité. De gros nuages s'amoncelaient dans le ciel, annonçant les premières pluies d'automne. En revenant du boulot, Gilles avait écouté la météo sur son autoradio. Alerte orange. Il allait tomber durant les deux prochains jours autant d'eau que tout un hiver sur la Beauce. Pour autant, Gilles, qui avait travaillé plusieurs années à Chartres, n'aurait pas voulu troquer le climat du Roussillon contre celui de l'Eure-et-Loir. La pluie, c'était comme les emmerdes, il valait mieux qu'elle arrive d'un seul coup, pourvu qu'elle ne dure pas.

Les premières gouttes tombèrent alors qu'il atteignait les hauteurs de Saint-Estève. Il lui restait quelques friches à traverser avant de se laisser redescendre vers la maison. Sous le ciel chargé, les tas de ceps ne lui faisaient plus penser à des taupinières géantes mais à de minuscules et ridicules terrils.

Sebag ralentit le pas en arrivant dans sa rue. Il ramassa sa poubelle que les éboueurs avaient couchée au sol pour que le vent ne la transporte pas, vide, au milieu de la rue.

CHAPITRE 9

Les caveaux de famille bordaient les allées spacieuses du cimetière. On aurait dit les maisons minuscules d'un paisible village de marbre. Il avançait d'un pas lent et mesuré.

Il ressentait au plus profond de ses os l'humidité qui s'étendait sur Perpignan et il devait lutter pour ne pas grimacer chaque fois qu'il posait un pied devant l'autre. La polyarthrite rhumatoïde avait attaqué ses mains quinze ans plus tôt avant d'enflammer progressivement toutes ses articulations. Poignets, coudes, nuque, genoux et chevilles... Même les os minuscules de ses pieds le faisaient souffrir maintenant. Il savait qu'il lui faudrait bientôt se résoudre à user d'une canne. Son médecin le lui conseillait depuis des mois.

Un silence apaisant planait sur le cimetière. Il souffrait dans son corps mais se sentait l'esprit tranquille. L'endroit lui plaisait. Une évolution naturelle sans doute. L'homme en vieillissant prend plaisir à parcourir son futur jardin. Son prochain lieu de repos.

La mort ne lui faisait pas peur. Il l'avait souvent côtoyée. Risquée parfois, donnée souvent. Et il venait sur le tard de reprendre du service.

Il n'avait jamais éprouvé de plaisir à tuer. Il se voyait comme un soldat, pas comme un assassin. C'était sa mission, son combat. Il avait toujours agi par devoir. Et même si, aujourd'hui, il agissait pour des mobiles plus personnels, il avait malgré tout l'impression d'assumer une responsabilité collective. Il tuait pour le respect de l'histoire.

La mort viendrait un jour réclamer son dû. Il l'accueillerait sans haine et sans crainte. Comme un jugement auquel personne n'échappe. La naissance n'était rien d'autre qu'une condamnation à mort. Quoi que l'on fasse, quoi que l'on dise, quoi que l'on pense, la mort moissonnait pareillement les héros et les bourreaux, les saints et les maudits.

Devant lui, il aperçut une femme penchée sur l'entrée d'un caveau. Elle tenait à la main un petit arrosoir et inondait d'une main tremblante des pots de fleurs jaunes et rouges. Il songea à Maria. Il l'avait tant aimée. Sans elle, il n'aurait jamais eu la force de commencer une nouvelle vie après le drame de sa jeunesse. S'il était parti avant elle, nul doute que Maria serait venue régulièrement entretenir sa tombe. Lui, pourtant, n'était jamais retourné au cimetière depuis l'enterrement de sa femme trois années auparavant. Trois ans déjà. Il n'avait jamais éprouvé ni le besoin, ni l'envie de se recueillir sur sa tombe. Le souvenir de Maria ne le quittait pas et il lui suffisait de regarder les photos qui décoraient leur appartement sombre pour s'entretenir avec elle. De leur vie passée et de leurs retrouvailles prochaines. Il n'avait jamais aimé les cimetières.

Jusqu'à aujourd'hui.

Il se promit qu'une fois retourné au pays après l'accomplissement de sa mission, il irait s'asseoir sur la pierre froide de la tombe de Maria. Ce serait agréable, ce serait doux. Il apporterait des fleurs jaunes, le jaune allait si bien avec le marbre gris.

Agenouillée, la vieille entama une prière silencieuse. Ses lèvres racornies enchaînaient des ronds, des carrés et des traits, exécutant une gymnastique quotidienne et divine. Ses genoux cagneux s'appuyaient sur la dernière marche du caveau à côté d'une plaque gravée d'un classique mais tendre « À mon époux bien-aimé ». Il arriva lentement à la hauteur de la veuve et s'apprêtait à la saluer poliment mais elle ne leva pas la tête vers lui.

Il poursuivit son chemin du même pas douloureux. S'il ne s'était pas trompé, il lui restait à peine une vingtaine de mètres.

Il arriva à un large carrefour décoré au centre d'une étoile rose sur un rond de galet. Il s'arrêta, effectua un quart de tour sur sa droite et se retrouva devant une stèle de marbre sombre érigée sur un rectangle de graviers. Deux palmiers nains taillés au garde-à-vous, palmes dressées vers le ciel, gardaient le monument sur lequel quatre pots de fleurs s'épanouissaient.

C'était là ! La deuxième étape de son périple mémoriel. Il ne s'était pas trompé.

La stèle représentait un homme attaché les deux mains dans le dos à un piquet. Son corps se cabrait en arrière, fauché par les balles de ses ennemis. L'épitaphe gravée au bas de la plaque ne laissait aucun doute : « Aux fusillés, aux combattants tombés pour que vive l'Algérie française ».

Plus bas encore, sur le socle, quatre noms s'inscrivaient en gros dans le marbre. En les découvrant, le vieil homme ne put retenir sa colère.

CHAPITRE 10

Le ciel de Perpignan charriait des icebergs maussades dont les collisions violentes faisaient tomber sur la ville des cataractes d'eau qui nettoyaient les toits, les routes et les âmes. Toute la nuit, il avait plu. Les gouttières des maisons, fonctionnant comme des robinets ouverts, crachaient leur eau sale sur la chaussée. Des douches froides giclaient des balcons des immeubles, leur jet continu rebondissait avec furie sur les trottoirs heureusement désertés par les piétons. Les égouts de la ville ne pouvaient plus avaler toute cette flotte et dans les rues les flaques, rapidement, se transformaient en mares.

Sebag conduisait au ralenti. Le vieil essuie-glace poussif de leur voiture de fonction ne parvenait pas à dégager correctement le pare-brise et Gilles avait l'impression de conduire avec, sur les yeux, les lunettes d'un myope larmoyant. Tout en surveillant attentivement la route, il exposait à Molina une synthèse de ses recherches de la veille :

— En fait, il y a trois monuments pieds-noirs qui ont fait polémique ces dernières années sur Perpignan. En 2003, l'érection d'une stèle en faveur des combattants de l'OAS dans le cimetière du Haut-Vernet. Puis en 2007, l'installation d'un Mur des Disparus au couvent Sainte-Claire, trois mille noms y sont inscrits, des Français supposés disparus pendant la guerre d'Alg…

— Pourquoi « supposés » ? le coupa Molina.

— Au moins une personne dont le nom est inscrit est encore vivante.

— Ça fait désordre !

— C'est ce que cette personne a pensé aussi. Enfin, le troisième monument, ouvert récemment : il s'agit d'un musée de la présence française en Algérie.

Pour laisser de la place à un camion qui arrivait en face, Sebag se serra sur sa droite. La voiture roula dans une flaque profonde et fit jaillir sur le bas-côté une gerbe d'eau digne d'un tsunami japonais.

— Tu ne prends pas le pont ?

La question de Molina surprit Sebag.

— Pourquoi ? Bompas, c'est bien par là, non ?

— Et tu comptes franchir la Têt comment ?

— Par le passage à gué. Tu crois que… ?

— Avec ce qu'il est tombé cette nuit, il est sûrement fermé.

— T'as raison, j'suis con, je n'y pense jamais.

Sebag rebroussa chemin et emprunta le pont de la déchetterie. Effectivement, la Têt, la rivière qui traverse Perpignan avant d'aller se jeter dans la mer à Canet, avait gonflé en quelques heures. Le filet d'eau s'était changé en un torrent impétueux qui charriait dans ses flots des troncs d'arbres impressionnants. Malgré les huit années passées en Roussillon, Sebag n'avait pas encore réussi à se faire à ces changements brusques du niveau des eaux. Son enfance près de Versailles puis ses débuts professionnels dans le désert céréalier de la Beauce ne l'avaient pas préparé aux caprices des rivières méditerranéennes. Le principe du passage à gué, il l'avait découvert en s'installant sur Perpignan. Avant, il n'avait jamais connu que des ponts, surplombant des cours d'eau et plus fréquemment des voies de chemin de fer et des autoroutes.

— Et là, on va voir qui ?

— Je te l'ai dit hier : des représentants du Collectif contre la nostalgérie.

— Oui, ça, je m'en souviens, mais je veux dire : on voit le président, le trésorier… ?

— Le président, plus quelques autres militants, je crois. On a rendez-vous dans un bar de Bompas.

— Tu crois à cette piste ?

— J'en sais rien. En ce qui me concerne, c'est trop tôt pour croire quoi que ce soit. Castello nous a demandé d'enquêter dans cette direction, alors on le fait. Et puis au moins, ça rassurera les pieds-noirs que l'on s'intéresse à leurs opposants.

— Ouais… J'ai comme qui dirait l'impression qu'on va avoir intérêt à la jouer finement parce qu'ils ne vont pas apprécier beaucoup nos questions, les gars de la nostalgérie.

— Devons-nous comprendre que vous nous accusez ?

Sebag et Molina faisaient face à une dizaine d'individus indignés. Les rapports avaient été tendus dès le départ avec les membres du Collectif venus en force participer à l'entretien. Huit hommes et deux femmes assis en rang d'oignons sur la banquette d'un bistrot, des militants de gauche et d'extrême gauche qui ne portaient visiblement pas la police dans leur cœur.

Sebag estimait pourtant que Molina, pour une fois,

avait fait preuve de tact, voire de subtilité. Mais leurs interlocuteurs étaient sur leurs gardes et ne laissaient rien passer. Quand Jacques avait demandé si un de lcurs membres pouvait avoir des raisons particulières d'en vouloir à un ancien de l'OAS, la tension était encore montée d'un cran.

— Décidément, les méthodes de la police n'ont pas changé, cracha un vieux militant buriné en tirant sur sa queue de cheval blanchie.

— Vous ne pouvez pas vous empêcher d'accuser tout le monde sans preuve, renchérit un gros barbu qui portait un T-shirt barré d'un énorme « Yes, We Come ! » et décoré d'une belle tache de gras non prévue par le concepteur.

Sebag n'avait jamais compris les réticences voire l'hostilité qu'éprouvaient souvent les gens de gauche vis-à-vis de la police. Lui avait choisi ce métier pour défendre les victimes, c'est-à-dire les plus faibles, et il se sentait en parfaite harmonie avec les idées de générosité ct de solidarité que prétendait défendre cette même gauche. Bien sûr, il n'était pas naïf et savait qu'on trouvait autant de cons dans les bureaux d'un commissariat que sur les gradins d'un stade de football mais ce n'était pas là une raison suffisante pour rejeter en bloc toute une profession. Tous les racismes sont condamnables, pensait-il, y compris – n'en déplaise à cette gauche bien-pensante – le racisme anti-flics.

Sebag posa sa main sur le bras de Molina qui s'apprêtait à foncer, excité par les propos des militants comme un taureau par une muleta.

— Nous n'accusons personne, fit-il d'une voix posée mais ferme. Si nous devions le faire, cela ne se passerait pas ici mais au commissariat.

— Avec des coups d'annuaire sur la tête pour nous faire avouer, railla une femme sans maquillage, sans charme et sans âge, sorte de mère Teresa de la gauche laïque.

Sebag planta ses yeux dans les siens.

— Vous en avez reçu beaucoup, madame, des coups d'annuaire ?

— Euh… non, moi non, mais ça ne m'empêche pas de connaître vos méthodes.

— Mieux que moi, apparemment, soupira Sebag avant d'ajouter en souriant : Je n'ai pas d'annuaire dans mon bureau. Quand je cherche un numéro de téléphone, je consulte les Pages jaunes sur Internet.

— Wouah, notre police est moderne, ricana une jolie jeune femme en faisant danser des sourcils en accent circonflexe qui lui donnaient un air perpétuellement étonné.

— On vous fait confiance, vous avez dû trouver autre chose, reprit le vieux militant d'une voix acerbe. Un bon vieux dictionnaire, par exemple.

— Les dictionnaires ont des couvertures solides, ça blesse et ça laisse des marques, fit remarquer Sebag. Et puis, l'administration n'a pas jugé utile de nous en doter, les fautes d'orthographe sur un PV n'ayant jamais été considérées par la justice comme des vices de procédure.

Sebag observa un à un les militants qui lui faisaient face. Il les sentait interloqués. D'ordinaire, leurs provocations maladroites déclenchaient la colère des policiers. Ils n'avaient pas l'habitude de frapper un édredon. Gilles s'attarda sur le visage émacié d'un homme d'une cinquantaine d'années. Ses cheveux noirs et frisés tombaient drus sur son front plissé.

L'homme se tenait un peu à l'écart, il n'avait encore rien dit et ne semblait pas avoir l'intention de prendre la parole. Il se contentait de fixer les policiers de son regard sombre et perçant.

La dernière remarque de Sebag avait fait fleurir quelques sourires çà et là. La voix du vieux militant à queue de cheval les fit faner aussitôt.

— Vous, c'est le flic gentil, c'est ça ? Et votre collègue, le grand méchant ?

— Vous regardez trop la télévision, monsieur, répliqua Sebag. C'est quoi, votre série préférée ?

— Je ne regarde pas la télé, protesta énergiquement le vieux.

Sebag l'aurait accusé de tripoter les petits garçons qu'il n'aurait pas été plus offusqué.

— C'est une enquête de routine que nous effectuons, jugea-t-il utile d'expliquer à nouveau. Un petit vieux a été assassiné au Moulin-à-Vent et, comme il semble que le meurtre soit lié à son passé – c'est peut-être un ancien membre de l'OAS –, nous prenons des renseignements parmi les associations qui se sont mobilisées récemment contre certains monuments perpignanais de la mémoire pied-noir...

— De la falsification de l'histoire plutôt, corrigea un trentenaire à l'allure sportive.

— C'est votre façon de voir les choses, les pieds-noirs en ont une autre...

— Et la vôtre, c'est laquelle ? questionna brutalement la miss aux accents circonflexes.

— La mienne n'a aucune importance, je ne suis pas payé pour choisir un camp mais pour enquêter sans *a priori* sur un meurtre. Je ne dois négliger aucune piste.

— Et donc vous avez pensé à nous, comme c'est

gentil, persifla le vieux militant en se lissant à nouveau la queue de cheval.

— On ne peut pas demander aux flics de faire preuve d'imagination, ajouta le gros barbu.

Sebag comprit qu'il ne tirerait rien de ces gens qui s'exaltaient puérilement à rejouer pour la millième fois le jeu des « Résistants face à la Gestapo ». Il réalisait qu'il avait fait une erreur en acceptant une rencontre collective. Individuellement, tous ces militants étaient sans aucun doute des gens charmants et intelligents, mais, regroupés, ils n'offraient qu'une caricature d'eux-mêmes. Il n'était ni surpris, ni contrarié, juste un peu agacé. Il avait organisé cet entretien parce qu'il faisait partie de l'enquête mais n'en avait rien espéré. Molina non plus qui trépignait sur sa chaise, impatient d'être autorisé à en découdre. Il était temps d'arrêter les frais.

Sebag se leva brusquement.

— Il me reste à vous remercier pour votre aide précieuse. Un meurtrier est en liberté, il pourrait récidiver. Si cela devait se produire, je me ferais un devoir de vous en informer.

— Si ce type ne tue que des anciens fachos, personnellement ça ne me dérange pas, se moqua le doyen au catogan sans rencontrer toutefois chez ses compagnons l'approbation qu'il espérait.

Sebag ne laissa pas passer cette maladresse.

— Je croyais que vous étiez contre la peine de mort, je ne savais pas que vous envisagiez des exceptions.

La pique les moucha et les inspecteurs profitèrent de ce léger trouble pour prendre congé. De retour à la voiture, Molina laissa libre cours à son exaspération :

— Ils me font marrer, tous ces connards. Ils se prennent pour des héros parce qu'ils n'ont pas répondu à nos questions. Mais tu verras que si un jour ils se font agresser par un voyou, ils viendront pleurer comme les autres à la maison poulaga. Et ils râleront plus fort que les autres si on ne retrouve pas assez vite leurs agresseurs. Mais comment peut-on bosser correctement si trop de gens refusent de répondre aux questions les plus banales, bordel de merde ?

Il démarra sur les chapeaux de roue, façon *Starsky et Hutch*. Les pneus crissèrent sur la chaussée trempée.

Sur le fond, Sebag ne lui donnait pas tort. Les Français n'ont jamais aimé les flics, mais, autrefois au moins, s'efforçaient-ils de s'en passer. Aujourd'hui, à la moindre peccadille, une dispute conjugale, un différend de voisinage ou encore la fugue d'un adolescent turbulent, ils faisaient appel à la police.

— De toutes les manières, je les connais tous, ces gauchistes, fulminait encore Molina. J'ai un pote aux RG, il va me filer leurs fiches. J'te promets que je vais éplucher leur passé et celui de leurs familles, et si je trouve un lien quelconque entre l'un d'eux et l'OAS, j'te le convoque vite fait, bien fait. Et il aura intérêt à avoir un bon avocat. *Em cago en les mares que els va parir*[1] !

Sebag préféra ne rien dire. Molina avait juré en catalan, c'était très mauvais signe. Il ne fallait surtout pas en rajouter.

La pluie tombait toujours avec la même intensité et les voitures roulaient au pas sur tous les grands axes de la ville. Molina calma ses nerfs en jouant les Fangio dans les petites rues de Perpignan qu'il connaissait par cœur, comme si un GPS lui avait été, à la naissance,

---

1. Je chie sur les mères qui leur ont donné le jour.

greffé dans le cerveau. Ces circonvolutions urbaines se conclurent pour Sebag par un début de mal de tête.

— Papa, t'as un SMS.

La voix de Séverine avait retenti dans la poche de l'imperméable de Sebag. Il sortit son portable, il y avait effectivement un message. Claire lui écrivait que la répétition du soir de sa chorale était annulée pour cause de mauvais temps. Gilles ne put retenir un sourire de contentement. Bénie soit cette pluie qui retenait son épouse adorée au domicile conjugal. Depuis l'été, il souffrait chaque fois que Claire sortait sans lui. Un mari jaloux, voilà ce qu'il était devenu, et il ne s'aimait pas dans ce rôle car il savait que la jalousie se nourrissait moins d'amour que d'amour-propre. Il ne voulait pas laisser le monstre prospérer dans son ventre. Claire l'aimait, il en était sûr. C'était cela l'important, mais il lui était parfois difficile d'en rester convaincu.

C'était une chose de le décider avec sa tête, une autre de le vivre avec ses tripes.

Sebag tapa un « OK, merci la pluie » d'un doigt malhabile avant de ranger son portable.

— Elle est nulle, ta sonnerie, commenta Molina sans quitter la route des yeux.

Il avait allumé les phares et leur lumière transformait les gouttes en guirlandes de Noël.

— Tu trouves ?

— C'est un peu niais, ouais.

— Et toi, c'est quoi ta sonnerie ?

— *Els hi fotrem* de Jordi Barre.

— Connais pas !

— Tu connais pas Jordi ?

— Si, évidemment.

Un chanteur perpignanais récemment décédé à l'âge très honorable de quatre-vingt-dix ans. Une voix de cristal à la Tino Rossi, les mélodies légèrement surannées mais qui touchaient au cœur et à l'âme des habitants du département. Tout le monde ici connaissait Jordi et Jordi connaissait tout le monde. À sa mort, les Catalans avaient eu le sentiment d'avoir perdu leur grand-père autant que leur poète.

— Je connais Jordi Barre mais pas cette chanson.

— C'est celle que l'on reprend en chœur au stade Aimé-Giral chaque fois que l'USAP marque un essai. Ça veut dire en bon français « On va leur mettre ».

— Ce n'est certainement pas sa chanson la plus poétique, à Jordi...

— Pas faux...

— Et tu crois vraiment que d'avoir mis ce refrain sur ton portable t'autorise à te poser en expert ?

— C'est pas niais !

— C'est peut-être pas niais mais c'est assez crétin quand même !

Au lieu de se vexer, Molina entonna la rengaine à tue-tête, transformant en migraine le début de mal de tête de Sebag.

CHAPITRE 11

Alger, le 7 décembre 1961

La respiration de la ville se calme peu à peu. Son pouls bat moins vite. La nuit tombe doucement.

Dans la rue, les lampadaires s'allument les uns après les autres. Des fenêtres entrouvertes descendent sur le trottoir les voix nasillardes des speakers de Radio Alger. C'est l'heure du journal sur la principale radio du pays.

Sigma et Babelo, cachés dans l'ombre d'un réverbère, patientent à un bout de la rue, Omega et Bizerte tout aussi discrètement à l'autre extrémité. Entre les deux groupes armés, un commissariat. Le commando guette la sortie de l'inspecteur Michel.

Babelo propose une nouvelle cigarette à Sigma. Une blonde américaine. Le jeune combattant profite de l'aubaine et les deux hommes se mettent à fumer en silence, répandant autour d'eux une brume mentholée. Babelo ne quitte pas des yeux une fenêtre du commissariat. Il attend un signe. L'inspecteur Michel ne compte pas que des amis parmi ses collègues. Débarqué de métropole il y a quatre ans, il poursuit sans faiblir ses enquêtes sur les actions de l'OAS, croyant que, malgré la confusion grandissante, son travail garde un sens. Il a récemment permis l'arrestation de deux activistes de l'organisation clandestine, responsables d'un attentat contre un café arabe. Les deux hommes ont séjourné quarante-huit heures en prison avant de s'évader grâce à la complicité de leurs gardiens.

Babelo tire une bouffée de sa cigarette avant de la jeter dans le caniveau. La clope n'est qu'à moitié consumée mais le chef vient d'apercevoir une chemise rouge à la fenêtre.

Babelo sort son pistolet, l'arme d'un coup sec et avance d'un pas dans la lumière pour faire comprendre qu'il a reçu le signal. Puis il se réfugie à nouveau dans l'ombre. À l'autre bout de la rue, Bizerte et Omega ont suivi son mouvement. Ils préparent leurs armes. Le chemin habituel du flic ne passe pas là, mais au cas où, ils sont prêts.

Une silhouette sombre ne tarde pas à apparaître sur le seuil du commissariat. L'inspecteur Michel semble hésiter un instant. À gauche ? À droite ? La routine peut être un ennemi redoutable lorsqu'on risque sa peau à chaque coin de rue. Mais changer de routine tous les jours devient une autre routine.

— De toute façon, t'es cuit, marmonne Babelo entre ses lèvres serrées.

Le flic finit par choisir et s'avance à grands pas vers Sigma et son chef. Le jeune homme sent un calme froid l'envahir. Les capacités de ses sens décuplent. Sur la paume de sa main il sent le métal froid de l'arme, dans sa gorge les dernières notes douces et âcres du tabac américain. Ses paupières se plissent et derrière leurs meurtrières deux pupilles tranquilles épient la cible qui s'approche au ralenti. Dans ses oreilles résonne avec force le bruit des chaussures ferrées martelant le pavé. Quand il discerne au creux de ses narines une odeur de sueur rance mêlée à une eau de toilette à base de lavande, il sait qu'il est temps de lever son arme.

L'inspecteur s'arrête brusquement. Il se retourne et voit Bizerte et Omega qui le suivent, revolver au poing. Michel sort sa main de la poche de sa veste. Lui aussi est armé, lui aussi est prêt au combat.

Mais il ne sait pas que le principal danger maintenant est derrière lui.

Sigma croise le regard de Babelo. Son chef fait une moue suivie d'un petit mouvement du menton, lui offrant l'honneur de tirer le premier.

Le jeune homme s'avance de trois pas silencieux puis hésite. Sa cible lui tourne le dos, il n'aime pas cela. Sa main se crispe sur l'arme. Il entend dans son dos Babelo s'approcher.

— Inspecteur…

Sigma a parlé d'une voix paisible. Sans peur et sans impatience. Le policier sursaute puis se retourne. Leurs regards se croisent et se comprennent. Ils savent tous deux avant le premier coup de feu qui est le tueur et qui est la victime. Sigma tire à deux reprises. Une balle au ventre, une autre au cœur.

Deux autres coups de feu éclatent aussitôt derrière Sigma. Babelo a visé la tête. Une balle pénètre dans l'œil droit, l'autre fait gicler sur le trottoir un morceau de cervelle. Le corps du policier s'écroule dans le caniveau.

— Purée de ta mère, qu'est-ce qui t'a pris ? fulmine Babelo tandis que Bizerte et Omega les rejoignent en courant. Tu m'as fait peur ! Ça veut dire quoi de l'interpeller avant de tirer ? T'as vu jouer ça où ? T'es pas au cinéma ici, mon pote, mais dans la vraie vie…

Les quatre membres du commando restent quelques

secondes fascinés devant le corps de leur victime. Rien ne les presse. La rue est à eux.

— Un salaud de moins, éructe Omega avant de jeter un crachat gélatineux sur le pavé.

Le tintement d'une cuillère frappant une casserole s'échappe d'une fenêtre, suivi bientôt d'un autre, puis d'un troisième. Et c'est un concert. Métallique et assourdissant. Alger l'Européenne salue ses héros.

Babelo offre à ses hommes une tournée de cigarettes américaines. Bizerte tend à chacun la flamme jaune d'un briquet à essence. Les quatre membres du commando tirent une longue bouffée avant de quitter les lieux en marchant. Aucun policier n'a encore souhaité ou osé sortir du commissariat.

— On récupère la voiture et on file au Vox, propose Babelo. *La Vengeance aux deux visages*, un film avec Marlon Brando aux premières loges. Comme acteur et comme réalisateur.

Babelo donne une bourrade dans le dos de Sigma.

— Je me demande quand même si je ne fais pas une connerie en vous emmenant chaque fois au cinéma. Il y en a à qui les westerns montent un peu trop à la tête. Voilà qu'ils se prennent pour John Wayne en pleine opération. Un jour, ça te jouera des tours, Sigma. Fais attention.

CHAPITRE 12

Les couloirs du commissariat débordaient de flics en civil et en tenue. Ça sentait la sueur et le chien mouillé. Une buée épaisse collait aux fenêtres et aux verres de lunettes. Quand la pluie s'abattait ainsi sur le pays catalan – une ou deux fois à l'automne, une autre au printemps –, la vie suspendait son cours dans tout le département. Taux de délinquance zéro, les voyous, petits et grands, restant prudemment cloîtrés chez eux. Instants de rêve pour les policiers, à l'exception des agents les plus malchanceux ou les plus mal notés qui partaient sous le déluge assister les pompiers dans leurs interventions.

Sebag et Molina croisèrent Ménard dans l'escalier.

— Du nouveau ? leur demanda-t-il.

— Pas trop, non, répondit Sebag avec une grimace. Et toi ?

— Une confirmation : Martinez a bien fait partie de l'OAS.

— Wouah, raconte ! fit Sebag, impatient.

Molina intervint.

— On va pas causer comme ça dans l'escalier, les gars, il est presque midi, on s'tape une graine au Carlit ?

— C'est un peu tôt, non ? protesta Ménard.

— Et alors ? On sera de retour plus tôt pour bosser.

108

L'argument fit mouche sur le consciencieux Ménard et les trois lieutenants traversèrent en courant l'avenue de Grande-Bretagne pour se réfugier au restaurant.

— *Hola, com vas ?* leur fit avec un franc sourire Rafel, le patron du Carlit. Heureusement qu'il y a des flics les jours de tempête, sinon j'aurais plus qu'à fermer la porte. Qu'est-ce que je vous sers en apéritif ? Je viens de recevoir un petit Rivesaltes ambré qui va ravir vos palais.

— Tu nous en mets trois, s'il te plaît, approuva Molina tout en sachant pertinemment que Ménard allait décliner l'offre.

— Euh, pas pour moi, merci, dit effectivement leur collègue.

— C'est ma tournée, insista Molina.

— Alors, un Coca-Cola.

— *Cap de cony[1] !* éructa Rafcl. Je fais pas dans le chimique, moi.

— Tu n'as pas de Coca ?

— J'ai du Cat Cola.

— Ce n'est pas chimique, ça, peut-être ?

— Si ! Mais c'est de la chimie de chez nous. C'est moins mauvais !

Rafel, qui à ses heures perdues militait dans un petit parti identitaire, sortit de son réfrigérateur une bouteille dont l'étiquette reprenait les couleurs rouge et blanc de la marque célèbre en y juxtaposant le sang et or du drapeau catalan.

— *És un refresc elaborat amb aigua de deu natural gasificada i extractes naturals vegetals[2]...*

1. Tête de con !
2. C'est une boisson élaborée avec une eau de source gazéifiée et des extraits naturels de végétaux.

— Tu n'es pas obligé de me lire l'étiquette, marmonna Ménard. Il y a des choses que je peux comprendre, même en catalan.

Les trois inspecteurs accrochèrent leurs impers humides au portemanteau avant d'aller s'asseoir à une petite table près de la baie vitrée. Rafel arriva peu après avec un plateau pour déposer trois verres pleins, deux petits et un grand.

— C'est quoi ton plat du jour ce midi ? questionna Molina.

— Ouillade.

Ménard ouvrit des yeux ronds et perplexes. Picard d'origine, il ne s'était pas encore fait, malgré plusieurs années déjà dans le département, à tous les us, coutumes et plats typiquement catalans.

— Une sorte de potée avec du lard, du boudin, des choux, des pommes de terre et des haricots blancs, expliqua Sebag. Menu minceur, quoi !

— Ah oui, c'est vrai, j'en ai déjà mangé. Ici même d'ailleurs, je crois. C'était très bon.

— Alors trois, conclut Sebag qui connaissait les goûts de Molina.

Il trempa ses lèvres dans son verre de muscat ambré, en apprécia le velouté les yeux fermés avant de se tourner vers Ménard.

— Alors, Martinez et l'OAS ?

— J'ai contacté ce matin un autre historien, Michel Sonate. Il est basé à Marseille et travaille spécialement sur l'OAS. Il a entrepris une étude sur les anciens militants : les raisons de leur engagement, leurs actions, ce qu'ils en pensent aujourd'hui, etc. Il avait rencontré Martinez il y a quelques semaines.

— Génial ! s'exclama Sebag. Et qu'est-ce qu'il lui avait raconté ?

— Pas grand-chose de concret, malheureusement. Il a parlé de ses motivations. En fait, il n'a jamais vraiment cru à la réussite du combat clandestin, prétend-il, mais il n'a pas pu se résoudre à l'époque à voir liquider l'Algérie française tout en restant les bras croisés. Il voulait faire absolument quelque chose, n'importe quoi, mais agir.

— Les actions de l'OAS, c'était effectivement n'importe quoi, commenta Molina.

— Et précisément, quelles actions a-t-il menées ? interrogea Sebag.

— Il n'a rien voulu dire là-dessus : il s'est contenté de revendiquer des piratages de la radio d'Alger. L'historien reconnaît qu'il a beaucoup de mal à faire parler les anciens de l'OAS de leurs actions. Les mecs restent tous très discrets.

— Tu parles ! Ils ont honte…, lâcha Molina.

— Je crois que c'est un peu plus complexe que cela, rectifia Ménard. Ils assument toujours leur engagement de l'époque et manifestent encore beaucoup d'hostilité et de rancœur envers la France en général et envers de Gaulle en particulier. Pour eux, il n'y avait pas d'autre choix possible que le maintien de l'Algérie dans la France.

— Bon, à part la confirmation que Martinez faisait bien partie de l'OAS, on n'a pas grand-chose d'autre, constata Sebag sans parvenir à dissimuler sa déception.

Il vit le visage de Ménard s'allonger et comprit qu'il l'avait vexé. Il tenta de se rattraper.

— Enfin… c'est déjà capital. On s'en doutait mais il fallait en avoir la certitude. C'est ce que nous avait demandé Castello en priorité. Maintenant, il faudrait trouver d'autres anciens de l'OAS du département. Il a pu te fournir des noms, ton historien ?

— Non, pas encore. Il a interrogé un nombre incroyable de types pour le bouquin qu'il prépare mais les fiches d'entretien ne sont pas classées par villes de résidence. Apparemment, c'est un vieux de la vieille, rien n'est informatisé chez lui.

Sebag n'écouta pas la suite de la réponse. Par la baie vitrée, il venait d'apercevoir le lieutenant Cardona qui traversait prudemment la chaussée glissante dans leur direction et il avait croisé un regard qui ne lui annonçait rien de bon.

Le responsable de la section Accidents du commissariat de Perpignan poussa violemment la porte du restaurant. Sans saluer le patron, il vint se planter devant les trois inspecteurs.

— À quoi vous jouez, les gars ?

Molina se redressa sur sa chaise, fâché d'avoir été interrompu.

— Bonjour.

Cardona le toisa et reposa sa question.

— À quoi vous jouez ?

— De quoi tu veux parler, Estève ?

Cardona étudia Molina puis Sebag, et comprit. Il désigna Sebag d'une main tremblante de colère.

— Il sait de quoi je parle, lui.

Tous les regards convergèrent vers Gilles qui s'efforça de sourire.

— C'est quoi cette embrouille ? demanda Molina.

La voix glacée de Cardona l'ignora pour s'adresser à Sebag.

— J'ai eu Me Grangier ce matin au téléphone. L'avocat de Pascal Lucas, tu connais ?

— L'avocat ? Non.

— Mais son client, oui.

Ce n'était pas une question. Sebag confirma néanmoins.

— Je l'ai vu hier.

— Et ça ne te pose pas de problème ? Tu piétines mes plates-bandes sans rien dire et tu trouves ça normal ?

— La famille de Mathieu m'a demandé de jeter un coup d'œil sur le dossier, histoire de m'assurer que rien n'avait été négligé.

— Et rencontrer le responsable de l'accident, tu appelles cela « jeter un coup d'œil sur le dossier » ?

Les yeux de Ménard et de Molina sautaient de Sebag à Cardona et de Cardona à Sebag. On se serait cru un après-midi de mai à Roland-Garros.

— J'ai commencé par consulter les PV et puis j'ai voulu éclaircir certains points qui me semblaient un peu obscurs.

— Et t'aurais pas pu m'en parler ?

— Qu'est-ce que tu m'aurais dit ? Que c'était ton affaire et que ça ne me regardait pas !

— Probable…

— Alors, tu vois… ça n'aurait pas servi à grand-chose.

— C'est mon enquête, s'enflamma Cardona. Tu n'as pas à venir foutre ta merde dedans.

Son teint virait au cramoisi, accentuant la flamboyance de ses cheveux blonds et gras tirés en arrière.

— La famille voulait s'assurer que les enquê… que l'enquête ne négligeait pas certains aspects.

— Et qui tu es, toi, pour te croire autorisé à surveiller mon travail ? Je ne néglige rien.

— Je voudrais juste être sûr pour cette histoire de Clio blanche.

— Elle n'existe pas, cette bagnole, putain. Y a que Lucas qui l'a vue. Aucun des témoins ne le confirme ! Le gars cherche à se protéger, c'est tout, faut pas être naïf. J'ai pas de temps à perdre avec ces conneries…

— C'est pas grave, moi je vais en trouver, du temps. Je te tiendrai au courant.

Un ange passa. Molina et Ménard retenaient leur souffle. Sebag fixa son adversaire et dit d'une voix égale et calme pour éviter la surenchère :

— Ma fille était très proche du jeune Mathieu. Je lui ai promis de vérifier toutes les pistes. Je le ferai.

Cardona tapa brusquement du poing sur la table, renversant le verre de Cat Cola. Dans le restaurant, toutes les conversations s'étaient arrêtées.

— Si tu continues comme ça, ça va vraiment mal se passer. D'où tu viens, toi, pour me donner des leçons et me dire ce que je dois faire ? Je te préviens, je vais pas me laisser chier dans les bottes par une espèce de Parigot de mes deux. C'est parce que je suis catalan que tu crois que je peux pas boucler convenablement une affaire sans toi ?

— Je n'ai pas dit ça, c'est n'importe quoi !

Molina se mit lentement debout et fit rouler ses épaules d'ancien deuxième ligne de l'USAP.

— Tu commences à passer les bornes, Cardo. Et c'est un Catalan qui te dit maintenant de la fermer.

— C'est pas à toi que je parle, Molina…

— Oui mais c'est moi qui t'entends et c'est à moi que tu fais mal aux oreilles.

Le ton de Cardona se radoucit un peu. Lui aussi avait joué au rugby mais comme demi de mêlée. Un poste clé sur le terrain, beaucoup moins précieux dans les embrouilles.

— Tu trouves ça normal, toi, ce qu'il a fait ?

— Si c'est une promesse faite à une *nina*, on peut rien dire, c'est sacré.

— Tu crois qu'ils en diraient autant, nos chefs, s'ils savaient ?

— Tu veux faire ta rapporteuse ?

Sebag se leva à son tour. Il était temps de calmer le jeu.

— Je vais te faire une promesse à toi aussi, Cardona. Si je trouve quelque chose, tu en auras la primeur. Et tu pourras t'en attribuer tout le mérite.

Il laissa passer quelques secondes. Cardona ne semblait pas encore convaincu mais ne disait plus rien.

— Réfléchis bien parce que si, en revanche, tu décides de porter le pet, moi, quoi qu'il arrive, je vais continuer, et là, si je trouve quelque chose, c'est toi qui auras l'air con.

Cardona se taisait toujours, il pesait le pour et le contre. Mais Sebag avait confiance. Le coup de la carotte et du bâton, c'était vieux comme le monde et ça marchait toujours.

— L'offre me semble correcte, estima Molina. T'as rien à perdre, finalement, et tout à gagner. Parce que le Gilles, c'est peut-être un Parigot, comme tu dis si bien, mais c'est aussi un cador. Et si y a un os dans cette affaire, tu peux être sûr qu'il va le trouver.

— Y a pas d'os, renâcla encore Cardona avant de les dévisager tour à tour, y compris Ménard qui s'était pourtant tenu à l'écart de la discussion.

Rafel vint éponger et remplacer le cola renversé. Les conversations dans la salle reprirent une à une.

— Tu bois quelque chose, Estève ? proposa Rafel.

— Non, j'ai pas le temps, moi.

Sebag et Molina s'assirent et burent une bonne gorgée de leur muscat ambré. Cardona hocha la tête et son visage se détendit progressivement.

— OK, ça passe pour cette fois, on va faire comme vous avez dit. Mais pas d'entourloupe, hein ?

Sebag leva ses deux mains devant lui.

— T'as rien à craindre. Je ne fais pas ça pour la gloire, seulement pour ma fille.

Cardona ricana.

— Ouais, c'est dommage pour elle et dommage pour toi parce que tu trouveras rien.

— S'il n'y a rien à trouver, je ne trouverai rien, on est d'accord.

— Je t'aurai prévenu. Faudra pas venir pleurnicher.

— Ça risque pas, coupa Molina. C'est pas le genre de la maison.

— Alors, *tot va be*, conclut Cardona. *Adéu*.

Il tourna les talons et s'éloigna rapidement.

— *Adéu*, pauvre con, lâcha Molina à voix basse.

Cardona quitta le restaurant et repartit vers le commissariat. La pluie ne s'était pas encore atténuée : elle tombait toujours aussi drue et sombre que le jet d'urine d'un buveur de bière brune. Les trois inspecteurs finirent leur apéritif en contemplant sans parler le triste spectacle.

Rafel leur apporta trois assiettes creuses remplies d'une ouillade fumante et odorante à souhait. Ce n'est qu'après la troisième bouchée que Molina rompit le silence.

— Tout de même, c'est un tour de con que tu lui as joué.

Sebag haussa les épaules.

— Je n'aurais pas aimé que tu me fasses la même chose, ajouta Ménard.

— Sauf qu'à toi, je ne l'aurais pas fait, le rassura Sebag. Je n'aurais pas douté de ton enquête.

— Alors c'était ça, le gros chauve, ton rencard d'hier midi ? demanda Molina.

Sebag l'admit d'un clignement d'yeux.

— Tu aurais pu me mettre dans la confidence.

— Je ne voulais pas t'entraîner dans une histoire scabreuse.

— C'est réussi. On a failli se payer une double ouillade aujourd'hui.

Sebag lui sourit mais Ménard resta de marbre. Il n'avait pas compris le jeu de mots. Molina consentit à décrypter.

— Une ouillade sur un terrain de rugby, c'est une autre sorte de collation. Avec des marrons et des châtaignes comme légumes, si tu vois ce que je veux dire.

— Je crois deviner, oui.

Molina contempla soudain son verre vide.

— Il aurait pas oublié un truc, le Rafel ?

Il apostropha à haute voix le patron :

— Hé Rafel, apporte-nous donc un Canon du Maréchal pour décorer la table. Ça manque de couleur ici avec ce temps pourri.

— Je suis désolé de t'avoir embrouillé avec Cardona, s'excusa Sebag.

— Pas moi. Ça fait des années qu'il me gonfle, celui-là. On a joué ensemble en juniors à l'USAP et il ne m'a jamais pardonné d'être retenu dans l'équipe première alors que lui s'est retrouvé en Fédérale.

Il enfourna une grande fourchetée de lard et de choux mêlés et reprit :

— En tout cas, j'espère que tu ne t'es pas embarqué dans cette affaire sans biscuits parce que sinon il ne va pas te louper. C'est un teigneux.

Sebag se contenta de lui renvoyer un sourire qu'il espérait énigmatique mais Molina ne fut pas dupe.

— Putain, t'es pas plus sûr de toi que ça ? Alors, t'as plus qu'à prier qu'il ait foiré son enquête. Remarque, c'est possible. Il est aussi crétin que teigneux, ce Cardona. Et puis tu veux que je te dise ? C'est même pas un vrai Catalan, ce gars. Son père, il venait d'Andalousie !

— Messieurs, je vous ai fait venir dans mon bureau pour aller plus vite. Je dois prendre l'avion de 18 heures pour Paris, je n'ai pas beaucoup de temps. Je serai concis et je vous demanderai de l'être également.

Le commissaire Castello était d'une humeur massacrante. Il avait rendez-vous au ministère de l'Intérieur pour la grande réunion annuelle des Directeurs départementaux de la Sécurité publique. Ils devaient tous comparer leurs statistiques de délinquance et celles du commissariat de Perpignan n'étaient pas bonnes. Castello allait se faire rappeler à l'ordre devant tous ses collègues et cela le mettait dans une rage folle. D'autant qu'il se vantait d'être le seul à ne pas trafiquer ses chiffres.

— Je viens de recevoir les derniers résultats qui nous manquaient. L'autopsie d'abord. Rien de nouveau de ce côté-là si ce n'est qu'elle confirme nos premières conclusions : Bernard Martinez a bien été abattu d'une balle à bout portant et sa mort remonterait à mercredi dernier, dans l'après-midi probablement. Je vous épargne le trajet de la balle et les dégâts occasionnés sur les fonctions vitales du cerveau, vous les trouverez, si le cœur vous en dit, dans les copies du rapport du légiste que je vous transmettrai.

Il reprit sa respiration avant d'enchaîner.

— L'expert balistique confirme également que l'assassin de Martinez se tenait debout derrière sa victime lorsqu'il a tiré. D'après l'angle de tir, nos experts en déduisent que le meurtrier est d'une taille… moyenne, entre un mètre soixante-quinze et un mètre quatre-vingts. Vous apprécierez cette avancée fondamentale dans l'enquête ! Sinon, l'arme utilisée est un Beretta 34, 9 mm court, une arme sortie dans les années trente et qui a surtout équipé l'armée et la police italienne jusqu'au début des années quatre-vingt. Mais elle a beaucoup circulé en Europe, notamment à la suite de la Seconde Guerre mondiale car elle fut aussi utilisée par la Wehrmacht. Voilà, c'est à peu près tout ce que j'avais à vous dire.

— Et le cheveu blanc ramassé par Pagès ? interrogea Ménard, provoquant un sourire chez Molina.

— Les analyses ADN sont encore en cours. Cela risque d'être un peu long car elles n'ont pas été jugées prioritaires. C'est surtout notre responsable de la police scientifique qui semblait s'y intéresser et notre ami est en RTT pour quelques jours. À défaut d'avoir pris sa retraite comme prévu, il écluse ses congés !

— Son adjointe le remplacera avantageusement, ironisa Molina.

— Merci, monsieur, pour cette brillante intervention qui fait avancer notre travail. Vous n'avez pas plutôt quelques informations nouvelles à nous donner sur l'enquête ?

Molina relata avec une aigreur persistante l'entrevue du matin avec les militants du Collectif contre la nostalgérie. Castello donna ensuite la parole à Lambert et Llach qui avaient rencontré presque tous les locataires de l'immeuble de Martinez sans glaner d'informations intéressantes. En fait, seul Ménard avait apporté un élément nouveau. Castello se mit à arpenter la pièce en tournant autour de son équipe.

— Plus que jamais c'est donc la piste d'un vieux règlement de comptes politique qui s'impose. Pas d'objection ?

Personne ne répondit. Les inspecteurs étaient tous figés, pas loin du garde-à-vous. Sebag repensa au coup de téléphone d'Albouker la veille et à sa parano mais ne jugea pas utile d'en faire état.

Castello s'arrêta brusquement de marcher.

— Messieurs, passez-moi l'expression, nous sommes dans la mouise !

Le commissaire les dévisagea tour à tour. Ménard, Molina, Sebag, Lambert et Llach. Raynaud et Moreno comme d'habitude étaient « retenus » par une autre affaire.

— Nous sommes dans la mouise parce que cette première réponse nous conduit immédiatement à nous poser une autre question : le règlement de comptes politique est-il terminé ou doit-on redouter d'autres victimes ? Messieurs, votre avis ?

Les visages se chargèrent de grimaces. Pour compenser son inefficacité de la matinée, Sebag décida, pour une fois, de prendre le premier la parole :

— On peut le penser et même le redouter mais sans

trop se prendre la tête pour autant, car il n'y a aucun élément dans l'enquête qui nous permette de répondre de manière catégorique à cette question.

— C'est également mon sentiment, reprit Castello sans attendre l'avis des autres. Quoi qu'il se passe dans les jours à venir, nous aurons besoin d'une sorte de cartographie du milieu pied-noir : je veux savoir qui, ici à Perpignan, a fait partie autrefois de l'OAS. Ménard, vous reprenez contact avec votre historien et vous lui faites cracher toutes ces infos.

— Ce ne sera pas facile…

— Pourquoi ? Encore un qui ne veut pas collaborer avec la police ? Tiens, d'ailleurs, il faudrait trouver un autre terme que collaborer, c'est forcément péjoratif, ça, collaborer.

— Coopérer ? proposa Ménard.

— Voilà, parfait, ça, coopérer. Alors, votre historien, François, il ne veut pas… coopérer ?

— La question n'est pas là, c'est juste un problème pratique : il est en poste à Marseille.

— Et alors ?

Ménard fut pris au dépourvu et bredouilla :

— Eh bien… c'est que… moi… je suis à Perpignan.

— Vous avez quelque chose contre le train ?

— Euh… non. Absolument pas.

— Alors vous en trouvez un dès demain matin et en milieu de journée vous êtes sur place. D'autres objections ? Vous voulez que je vous aide à chercher les horaires ?

Ménard rougit et se renfrogna.

— Non, ça ira. Merci, commissaire.

— Parfait.

Castello se tourna vers Sebag.

— Gilles, vous allez vous plonger complètement dans la communauté pied-noir du département, je veux que vous rencontriez chacun de ses membres. Vous aussi, vous devez découvrir qui a fait partie autrefois de l'OAS et qui connaissait le passé de Martinez. Vous restez en contact permanent avec Ménard et, dès qu'il vous donne un nom, vous le rencontrez. Mais n'attendez pas ses informations, partez à la pêche d'abord de votre côté.

Sebag, en bon petit soldat, approuva d'un signe de tête. Castello s'adressa ensuite à Jacques.

— Molina, vous me passerez au crible ce milieu de gauchistes anti-pieds-noirs. En douceur d'abord. Vous vous renseignez sur chacun d'eux mais je veux une liste prête dès demain soir. L'affaire ne va pas tarder à s'ébruiter, il faut que nous soyons prêts à réagir. Lambert vous aidera.

Sebag vit le visage de son collègue se fermer. La première partie de sa mission lui convenait, la seconde beaucoup moins. Le commissaire acheva la répartition des tâches avec Llach.

— Joan, jusqu'ici nous sommes partis du principe que notre affaire a commencé il y a quelques jours ici à Perpignan mais nous ne pouvons pas écarter l'hypothèse que nous ne soyons qu'une étape, géographique et chronologique, d'un autre dossier. Alors vous allez faire une recherche nationale : je veux savoir où et quand un autre pied-noir a été assassiné, disons… ces trois dernières années.

— C'est un boulot énorme, protesta l'intéressé, d'autant que les victimes ne sont jamais classées par

122

communautés ! « Pied-noir », ça ne veut rien dire : je ne vais jamais trouver ça comme ça…

Castello balaya l'argument d'un geste.

— Vous procéderez avec la date et le lieu de naissance, ce n'est pas si difficile. Une victime née en Algérie avant 1962 est un pied-noir. Point final. Ce n'est pas compliqué.

— Tout de même…

Molina fit un clin d'œil à Sebag. Il n'allait pas rater l'occasion.

— Moi, je peux me débrouiller tout seul. Si Joan a besoin d'aide, il peut prendre Lambert avec lui.

— C'est une bonne idée, avalisa Castello.

Llach ne put retenir une grimace pendant que Molina jubilait. Lambert, lui, souriait aux anges de se sentir indispensable.

Castello retourna à son bureau et s'assit pour mettre un terme à la réunion.

— Cette affaire, c'est une sorte de quitte ou double. Elle va faire parler de nous et ça vaut toutes les statistiques du monde. À condition bien sûr qu'on parvienne à l'élucider. Sinon…

Castello se frotta vigoureusement le bout du nez.

— Sinon, comme je le disais : c'est la mouise ! Messieurs, vous pouvez disposer.

CHAPITRE 13

Il marchait doucement dans les rues du vieux village espagnol de La Jonquère. Il avait jugé plus prudent de mettre une frontière entre lui et l'enquête policière qui se menait à Perpignan. De ce côté des Pyrénées, la pluie avait cessé en fin d'après-midi et il pouvait se livrer à sa promenade quotidienne. Le médecin l'avait prévenu mille fois : le pire dans son état serait l'inactivité. Malgré la douleur, il lui fallait bouger.

Il s'approcha d'une petite boutique dont la vitrine se décorait d'affichettes aux couleurs criardes. Elles vantaient des tarifs d'appels défiant toute concurrence et égrenaient une série de destinations lointaines et exotiques. Caracas, Manilla, Lima, Mexico, Buenos Aires... Exotiques pour un Catalan du Sud mais pas pour lui.

Il poussa la porte du magasin, faisant retentir une sonnette discrète. Derrière un comptoir, un jeune homme lui adressa un sourire engageant.

— *Bon dia*, lança-t-il en catalan.

— *Bon dia*, répondit le vieux.

Ce fut sa seule concession à la seconde langue officielle de la Catalogne-Sud. Il ne retrouvait pas l'Espagne où il avait vécu autrefois, quelques mois. Franco avait achevé l'unité du pays, quelle sotte idée que de

124

vouloir revenir en arrière. Et puis l'espagnol – le castillan, comme certains préféraient dire perfidement – était une si belle langue. À quelle époque avait-il supplanté le français dans son cœur et sur ses lèvres ? Il ne s'en souvenait plus. Dès les années soixante-dix peut-être. À coup sûr après la naissance de sa fille, trente-trois ans auparavant. Il n'avait jamais prononcé un seul mot de français devant Consuela et elle ne connaissait pas un traître mot de la langue de Voltaire.

Elle ne savait même pas qui était ce Voltaire.

Il avait trouvé décevant le retour à sa langue natale. Après tant d'années, il avait craint d'éprouver une terrible nostalgie. Et puis rien. Absolument rien. Le français qu'on parlait aujourd'hui dans les rues et dans les médias n'avait rien de commun avec celui qu'il avait pratiqué autrefois. Et l'accent de Perpignan ne possédait pas à ses oreilles le charme de celui de son enfance. Question de musique et de tempo. De passion également.

Il donna le numéro de téléphone de sa fille au jeune homme qui en retour lui indiqua une cabine. Il était 22 heures à La Jonquère, 17 heures chez les siens. Gabriella venait de rentrer de l'école. Il se réjouissait de l'entendre à nouveau. C'était difficile de passer plusieurs jours sans parler à sa petite-fille. Il n'avait pas connu cela autrefois pour Consuela. Là se trouvait peut-être une des raisons de leur différend.

Un tintement de marimba glissa de longues secondes sur la ligne. Puis vint la sonnerie. Si proche et pourtant si lointaine.

— *Hola.*

La voix de Consuela paraissait joyeuse.

— *Hola*, c'est papa.

— …

— Tu vas bien ?

— …

— Moi ça va. Je poursuis mon voyage au pays mais je pense souvent à toi et à Gabriella. Elle va bien ?

La ligne était bonne mais le combiné du téléphone lui renvoyait désespérément les échos d'un silence hostile. La communication ne fonctionnait plus avec sa fille depuis dix ans et cela n'avait rien à voir avec les caprices de la technologie moderne.

— Tu peux me passer Gabriella, s'il te plaît ?

Le bruit désagréable d'un téléphone que l'on pose brutalement sur une table déchira le silence et agressa le tympan de son oreille gauche. La douleur cessa très vite sous la caresse d'une voix douce et chantante.

— Bonjour, papy.

L'espagnol était vraiment la plus belle des langues dans la bouche de sa petite-fille.

— Bonsoir, ma petite Gabriella.

— Bonsoir ?

— Oui, ici il est tard, tu sais. C'est déjà la nuit. Tu vas bien ?

— Oui, très bien. Aujourd'hui, j'ai eu un 18 en mathématiques. Aurelia, elle, elle n'a eu que 15. Et toi, tu vas bien ?

À ce type de questions, il constatait que sa petite-fille grandissait. Il y avait quelques mois encore, elle ne se serait jamais inquiétée de sa santé à lui.

— Oui, je vais bien.

— Tes mains de croquemitaine ne te font pas trop mal ?

— De temps en temps si, mais c'est supportable. Ce qui est difficile, c'est d'être si loin de toi.

— Il ne fallait pas partir, alors, papy. À moi aussi, tu me manques.

— Et ta mère, elle va bien ?

— Oui. Elle dit souvent qu'elle est fatiguée par son travail mais je crois que ça va bien.

— Tu penses que je lui manque à elle aussi ?

Gabriella hésita à répondre et le tendre papy s'en voulut aussitôt de la mêler à leurs disputes d'adultes.

— Je ne sais pas, elle ne le dit jamais. Pourquoi vous êtes fâchés ?

— C'est compliqué. C'est toujours compliqué, tu sais, les histoires des grands.

— Alors moi je veux pas être grande. Jamais. Je veux pas me fâcher avec toi.

Il rassura Gabriella et orienta leur conversation sur les sujets futiles qui constituent le quotidien d'une fillette de huit ans. Les copines, les jeux, les repas, l'école.

Puis, à regret, il lui dit au revoir et raccrocha.

Sur le chemin du retour, il repensa à la suite de sa mission. La première partie s'était déroulée comme prévu. Il avait atteint sa cible, localisé les autres. Il lui fallait juste un peu de patience. Mais cette qualité ne lui avait jamais fait défaut.

La seconde cible serait prochainement de retour. À sa portée bientôt. Il y avait eu un petit contretemps. Sans importance. Il pensait même que ce retard imprévu lui faciliterait finalement la tâche. Mais il ne perdait pas son temps puisqu'il avait commencé à préparer la troisième partie de la mission.

La plus délicate.

Il rentra à l'hôtel et se fit monter un encas. Deux tranches de pain frottées d'ail et de tomates. *Pa amb tomàquet*. Délicieux et largement suffisant. Depuis la mort de Maria, il avait perdu l'habitude de manger le soir.

Après ce dîner frugal, il prit son somnifère puis ses médicaments pour la tension et les rhumatismes. Il aimait bien se coucher de bonne heure et il n'avait pas l'habitude de veiller si tard. Le décalage horaire lui avait imposé cette exception mais il ne la regrettait pas. La voix de sa petite Gabriella chantait encore dans sa tête. Pour une fois, le sommeil ne le fit pas attendre.

CHAPITRE 14

Sebag avait fini de se raser et contemplait son visage dans la glace. Il passa doucement le doigt sur la ride verticale qui s'épanouissait depuis quelques années entre ses sourcils. Il la tenait de son père.

Cela ne lui plaisait pas.

Il détestait tout ce qui lui venait de cet homme qui les avait trahis, qui les avait quittés, lui et sa mère.

— À quoi penses-tu ?

Claire s'était collée à son dos nu. Il ne l'avait pas entendue venir.

— À rien.

— Menteur...

Elle lui pinça la joue.

— Je la connais ?

Gilles ne put retenir une moue. Claire, qui l'observait dans la glace, s'en aperçut. Gilles se retourna et prit sa femme dans ses bras.

— Nous sommes ensemble depuis bientôt vingt ans et il n'y a jamais eu personne d'autre que toi, lâcha-t-il en plongeant ses yeux dans les siens.

— Et... tu commences à trouver le temps long ? éluda Claire en souriant.

— Quand on aime, on a toujours vingt ans.

— C'est joli, ça...

— Et toi, tu trouves le temps long ?

Elle posa ses lèvres sur les siennes. Leurs bouches s'entrouvrirent et leurs langues se mêlèrent. Quelques secondes d'éternité. Malgré le goût de dentifrice à la menthe qu'ils échangèrent.

— Ma réponse te convient ?

— C'est joli aussi.

Ils se séparèrent à regret.

— Je vais être en retard, fit-elle.

Gilles la contempla se maquiller. Ses rides naissantes ne lui venaient de personne. Ou alors de son âme rieuse et de sa bonne nature. Il admirait sa femme et surtout il l'enviait. Il appréciait son humeur égale, son insouciance et sa joie de vivre. Elle savait prendre les choses comme elles venaient sans se laisser envahir par de vaines angoisses et des soucis inutiles. Lui se trouvait souvent mélancolique et inquiet. Il avait toujours été ainsi. Ce caractère s'était toutefois accentué depuis qu'il avait glissé sur l'autre versant de la quarantaine. Et plus encore depuis ses soupçons de l'été précédent.

Dans la cuisine, Gilles s'accorda un second café. Les enfants lui avaient offert pour son anniversaire une cafetière de compétition, de celles qui vous servaient des cafés à faire pâlir un Italien de jalousie. Il opta pour un moka qu'il sirota en fermant les yeux.

Le sac à main de Claire se mit à vibrer. Elle l'avait posé ouvert sur un coin de la table. Gilles s'approcha comme s'il avait affaire à un animal sauvage. Il aperçut le téléphone coincé entre porte-cartes et porte-monnaie. La tentation était forte. Les portables constituent aujourd'hui les meilleurs confidents mais aussi les pires traîtres. Dans les mémoires d'appels, les SMS et les mails se cachent bien souvent tous les secrets, les infimes et les intimes, les graves et les plus douloureux. Il était bien placé pour savoir que les gens ne faisaient preuve d'aucune prudence avec ce nouveau complice, aussi étourdi qu'indifférent. Combien d'affaires résolues simplement parce que le criminel avait manqué de rigueur dans le nettoyage d'une mémoire électronique ? Et combien d'adultères dévoilés par une simple manipulation indiscrète ?

Ce serait si facile. Appuyer sur une touche et consulter son téléphone.

Si Claire avait eu un amant, elle n'aurait sans doute pas fait disparaître tous les SMS. Elle en aurait au moins gardé un, pour le ravissement du souvenir. Si Claire avait eu un amant, elle n'aurait jamais pensé à effacer la trace de tous les appels. Si Claire avait eu un amant, elle l'évoquait sans doute quelque part dans ses messages à ses copines.

Le téléphone se tut enfin. La tentation demeurait.

Toutes les questions qu'il se posait sans cesse depuis des semaines avaient leurs réponses dans les circuits de ce bon Dieu de putain de téléphone ! Il n'avait qu'un geste à faire. Un simple geste.

Il recula rapidement devant cette bête féroce qui le narguait.

Dehors, le ciel continuait de pleurer à chaudes larmes. Son chagrin n'avait connu que de courtes pauses dans la nuit et la terre n'en pouvait plus d'éponger toute cette tristesse.

Perdu dans ses pensées, Sebag ne regarda pas où il marchait et posa le pied dans une flaque de boue avant de monter en voiture.

— Et merde !

Il usa du bas de caisse de la voiture pour racler du mieux qu'il put la terre sur et autour de sa semelle. Puis, passablement énervé, il démarra.

La radio l'aida à se calmer. Il l'avait allumée sur une station d'information continue. Le même ton toujours, le même rythme souvent, les mêmes mots parfois. Des voix semblables, des intonations identiques. Il n'écoutait plus. Quels que soient les sujets, la logorrhée journalistique le berçait mieux que la plus douce des mélodies.

Le pont Arago pour rejoindre le centre de Perpignan frôlait déjà la saturation. Pourquoi fallait-il que, plus le débit de l'eau s'accélérait sous un pont, plus celui de l'auto se ralentissait au-dessus ? La formule lui plut – une espèce de théorème d'Archi-merde –, il la nota dans un coin de sa tête. Il voulut se concentrer sur l'enquête, mais n'y parvint qu'en partie. Des éléments du dossier traversaient son esprit sans s'y fixer vraiment.

Il venait de virer sur la droite après la traversée du pont lorsque son portable sonna.

— C'est Castello. Vous êtes où ?

— J'arrive au commissariat. J'y serai dans deux minutes.

— Pas la peine d'aller plus loin. J'ai besoin que vous vous rendiez tout de suite au cimetière du Haut-Vernet. Nos gars vous y attendent.

— Qu'est-ce qu'il se passe là-bas, commissaire ?

— Vous comprendrez sur place. Je n'ai pas le temps de vous en dire plus. Je suis à Paris et je rentre en réunion. Et puis raccrochez vite : on ne téléphone pas au volant, c'est dangereux !

Surpris du ton facétieux de son chef juste avant une réunion importante au cours de laquelle il était

132

censé se faire remonter les bretelles, Sebag fit demi-tour devant le commissariat et reprit dans l'autre sens le pont Arago. Il constata avec plaisir qu'il était plus aisé de remonter le courant de la circulation que celui d'une rivière en crue.

— Tiens, moi aussi je deviens facétieux, se dit-il à mi-voix, étonné de son changement d'humeur en quelques minutes à peine.

Il se souvint d'une citation célèbre dont il ignorait l'auteur : « L'humour est la politesse du désespoir. » Il tourna et retourna la phrase dans sa tête avant de décider finalement de la rejeter. Elle ne pouvait convenir à sa réalité, c'était exagéré. Et puis sa situation conjugale n'avait rien de désespéré. Elle était seulement d'une effroyable banalité.

Quant à son humour...

Il en était là de ses réflexions lorsqu'il arriva devant l'entrée du cimetière du Haut-Vernet. Un jeune agent en uniforme l'attendait sous le porche. Il s'approcha de la vitre côté conducteur. D'une pression de l'index, Sebag l'abaissa.

— Vous pouvez entrer en voiture, lui proposa le policier. Par ce temps, ce sera plus commode. Mes collègues sont sur place. Vous ne pouvez pas vous tromper.

Il se tourna pour montrer le chemin.

— Vous voyez la fourche, là ? Vous prenez l'allée de droite, après c'est tout droit.

Sebag le remercia, referma la vitre et passa la première. Il roula au pas sur une petite centaine de mètres pour atteindre un large rond-point où stationnait déjà une voiture de police. Il attrapa son imperméable posé sur le siège passager. Il l'enfila avant de sortir sous la pluie.

La porte de l'autre voiture s'ouvrit en même temps que la sienne. Elle laissa passer un parapluie d'abord, puis une silhouette trapue. Sebag vit ensuite s'avancer vers lui une trogne de raisin rabougri. L'agent André Ripoll. Sa tête de Turc. La seule. Sa préférée !

Ripoll lui fit un salut rapide et vint se coller à lui dans la louable intention de lui faire profiter de son parapluie. Les narines de Sebag perçurent aussitôt une odeur aigre de moût fermenté. Instinctivement, le lieutenant se recula d'un pas. Il se retrouva sous la pluie et sortit une vieille casquette de jogging. De sa main libre, Ripoll lui désigna une stèle de marbre couleur gris nuit.

— C'est la stèle des Fusillés, expliqua-t-il en avançant d'un pas pour replacer son supérieur sous la protection de son dérisoire bout de toile. On l'appelle aussi la stèle de l'OAS.

Suivi par le parapluie de Ripoll, Sebag s'approcha du monument endommagé. Les vandales s'étaient acharnés sur le visage de l'homme, qui avait complètement disparu sous les coups d'un marteau probablement. Malgré d'autres marques ici et là, le reste du dessin était reconnaissable : il s'agissait d'un homme attaché les mains dans le dos à un poteau. Sur le socle devaient figurer les noms d'anciens combattants de l'Algérie française mais le marteau furieux les avait rendus illisibles. De part et d'autre du monument, les vandales avaient éclaté des pots de fleurs.

— Vous n'avez pas protégé la zone, remarqua Sebag.

— On restait là, c'était pas vraiment utile, se justifia Ripoll. Et puis, personne n'est entré dans le cimetière depuis qu'on est sur les lieux : qui aurait envie de venir ici par ce temps ?

— Ce serait mieux quand même, insista Sebag.

Le raisin rabougri devint rouge. Ripoll retenait difficilement son agacement. Il souffla bruyamment avant de céder à l'autorité :

— Comme vous voudrez.

Pendant qu'il retournait à sa voiture, Sebag joignit Elsa Moulin sur son portable.

— Castello m'a déjà prévenue, je suis en route. J'arriverai d'ici cinq minutes.

— À tout de suite. J'espère que tu as prévu le ciré.

— Le ciré, les bottes et la capuche. J'ai passé mes dernières vacances en Bretagne, je suis équipée.

Il raccrocha avant de ranger son portable au sec dans le blouson qu'il portait sous l'imper. L'eau ruisselait sur les tombes et Sebag se dit que même les moins entretenues brilleraient cette année pour la Toussaint. La stèle, en revanche, était foutue et cet acte de vandalisme risquait de mettre le feu à la cité.

La stèle avait toujours suscité beaucoup d'opposition. Depuis son érection en 2003, tous les 7 juin, une association extrémiste de pieds-noirs tentait d'y organiser un hommage aux anciens combattants de l'OAS, provoquant immanquablement l'appel à une contre-manifestation. Pour éviter tout incident, le préfet promulguait chaque fois un arrêté interdisant tant la cérémonie que la manifestation. Sebag croyait également se souvenir que la stèle avait déjà été l'objet de vandalisme. Mais cet acte, à l'époque, n'avait pas été précédé du meurtre d'un homme.

Pouvait-on en déduire pour autant que cette nouvelle dégradation avait un lien avec l'assassinat de Martinez ?

Sebag repensa aux propos récents d'Albouker. Le président du Cercle pied-noir s'était demandé si au travers du meurtre ce n'était pas la communauté des anciens Français d'Algérie qui était visée. Gilles avait rejeté tout de suite cette idée. Peut-être un peu trop vite, se disait-il maintenant.

L'agent André Ripoll, les mains chargées de piquets, se figea devant lui.

— On les plante où ?

— Vous délimitez un espace d'une trentaine de mètres carrés autour de la stèle et ce sera très bien.

— Ouais, ouais, fit Ripoll en se grattant les cheveux sous sa casquette.

Sebag précisa sur un ton ironique :

— Disons un espace de six mètres sur cinq environ.

Ripoll s'éloigna en mâchonnant quelques mots moitié en français moitié en catalan. Sebag l'avait vexé, il en avait conscience et il en était pleinement satisfait. Dieu seul savait pourquoi, le vieil agent l'agaçait et il prenait un malin plaisir à l'asticoter chaque fois qu'ils se croisaient. C'était les seuls moments de sa vie où il abusait ainsi de sa position hiérarchique mais ça le soulageait toujours.

Aidé d'un autre policier, Ripoll planta rapidement quelques piquets puis accrocha le traditionnel ruban jaune en s'appuyant sur quelques tombes voisines. Il revint vers Sebag.

— C'que j'voulais surtout vous dire tout à l'heure, c'est que ça va pas servir à grand-chose, votre truc. Avec tout ce qu'il est tombé cette nuit et tout c'qui tombe encore, les gars de la scientifique risquent pas de trouver beaucoup d'indices ici.

— C'est possible mais c'est notre boulot. Maintenant vous pouvez retourner vous mettre au sec dans votre voiture.

Ripoll contempla son uniforme trempé avant de marmonner :

— Au sec, au sec, c'est un peu tard...

Une nouvelle voiture s'avançait dans l'allée et vint se garer auprès des autres. Malgré la buée qui s'accrochait aux vitres, Sebag reconnut le visage enjoué d'Elsa Moulin.

La jeune femme descendit de la voiture affublée d'un ciré jaune banane fermé sous le menton et de bottes en plastique rouge fraise. À peine sortie, elle plaça sur sa chevelure frisée un chapeau cloche vert pomme. Elle avait l'air d'une gamine espiègle.

— Salut, lui lança-t-elle joyeusement.

Il trouvait Elsa resplendissante et le lui dit :

— Je ne croyais pas que je verrais le soleil aujourd'hui.

Elsa eut l'air surprise. D'habitude, Sebag se montrait plus réservé avec les femmes. Elle sourit et son regard traîna quelques instants. Puis elle s'approcha de la stèle.

— Tu ne mets pas l'équipement habituel ? demanda Sebag.

Elle répondit tout en observant le monument.

— Ce serait mieux mais je ne suis pas sûre qu'il soit étanche.

— Au fait, Pagès est encore absent ?

— Jusqu'à la fin de la semaine, oui.

Elle retourna à son véhicule et ouvrit son coffre. Elle en sortit d'abord un parapluie qu'elle déplia et posa en équilibre sur son épaule. Puis elle mit autour de son cou la bandoulière de son appareil photo.

— Quelques clichés d'abord…, dit-elle une fois revenue près de Sebag. Tu peux me tenir le parapluie, s'il te plaît ? C'est surtout pour l'appareil.

Il s'exécuta avec plaisir. Ensemble, ils commencèrent par se reculer pour prendre des plans généraux du rond-point. Ils se rapprochèrent ensuite peu à peu. Plans moyens puis gros plans. Elsa alla même jusqu'à se coller pratiquement à la stèle pour photographier en détail les impacts de coups. Sebag maintenait consciencieusement le parapluie au-dessus de la jeune femme et de l'appareil photo. L'eau ruisselait sur la toile plastique avant de rebondir sur sa casquette détrempée. Quelques gouttes glissaient parfois dans son cou.

Quand Elsa eut fini ses clichés, ils retournèrent à sa voiture. Abritée par le parapluie et par le coffre ouvert, la jeune femme rangea soigneusement son matériel dans un sac. Elle sortit ensuite une lourde valise.

— Tu peux m'aider, s'il te plaît ? Ce sont mes gestes toujours qu'il faut protéger. Ma frimousse, on s'en fout.

Il l'accompagna dans son fastidieux travail de prélèvement d'indices. Très vite, son esprit s'évada. Si Castello les avait envoyés si rapidement sur ce site, c'est qu'il ne voulait pas croire à une coïncidence. Mais comment relier cet acte de pur vandalisme à un meurtre accompli de sang-froid ? Pour Sebag, ça ne collait pas. En même temps, une telle proximité entre les deux faits ne pouvait être complètement fortuite.

Le travail d'Elsa leur prit une bonne heure. À un moment, elle lui mit sous les yeux sa pince à épiler. Elle venait de trouver un cheveu blanc sur les graviers. Ils grimacèrent en même temps.

— Ce n'est pas à toi ? plaisanta Elsa.

— Pas encore.

Elle rangea le cheveu dans un sac plastique qu'elle étiqueta à l'abri du parapluie. Malgré son imperméable, Sebag se sentait trempé jusqu'à la moelle des os. Ses chaussures n'étaient plus étanches depuis longtemps et chacun de ses pas s'accompagnait d'un ridicule bruit de succion. Après le départ d'Elsa, il retourna vers la voiture des policiers. À son approche, Ripoll baissa sa vitre, dévoilant sa mine ratatinée et soucieuse.

— Je crois que vous pouvez y aller maintenant, le rassura Sebag. Vous laissez la zone en place ici au moins jusqu'à demain et vous gardez un homme à l'entrée du cimetière pour repérer tout déplacement suspect.

Ripoll hocha la tête, satisfait. C'était lui, le chef de leur groupe, et il avait déjà décidé de refiler la corvée au plus jeune tandis que lui irait faire sécher son uniforme sur les radiateurs du commissariat.

— J'aimerais mieux que ce soit un homme d'expérience qui reste ici, précisa Sebag avec perfidie. Je veux que ce soit vous, Ripoll.

Le visage du vieux policier se rabougrit encore. Sa bouche et son nez se rapprochèrent comme pour se replier à l'intérieur et ses yeux se fermèrent à demi. Ripoll effectua un salut militaire lourd de froideur et d'hostilité. Sebag s'éloigna un sourire aux lèvres. Vraiment, il ne comprenait pas le plaisir malsain qu'il éprouvait à tourmenter ce pauvre flic. Mais il s'en foutait. Il n'avait pas de remords. Il se sentait subitement bien. Détendu. Et il ne ressentit même pas d'énervement lorsqu'il posa à nouveau son pied dans un trou d'eau glacée avant de monter dans sa voiture.

Il démarra et brancha la soufflerie au maximum

pour éliminer la buée. Il roula doucement jusqu'à la sortie du cimetière mais s'arrêta à l'entrée pour parler avec le gardien. L'homme avait dormi comme un loir, bercé par le tambourinement de la pluie sur le toit de sa loge. Il n'avait découvert les dégâts qu'au petit matin lorsqu'il avait profité d'une brève accalmie pour faire son petit tour quotidien entre les tombes. Sebag comprit qu'il n'apprendrait rien de lui et ne s'attarda pas.

Avant de s'engager sur l'avenue de l'hôpital, il sortit son téléphone portable et composa un numéro. Sa journée allait être entièrement prise par ce nouvel événement et il devait annuler le rendez-vous qu'il avait prévu pour l'après-midi dans le cadre de l'enquête sur l'accident de Mathieu. Tant pis. Séverine devrait encore patienter. Il laissa un message sur le portable du témoin qu'il aurait dû rencontrer et lui proposa de remettre leur entretien au lendemain matin.

Sur le chemin du commissariat, il fit un crochet pour repasser à son domicile. Il changea de vêtements. En revanche, côté chaussures, il ne trouva que des baskets de footing. Avec un pantalon de ville et un imperméable, ce n'était pas le look qu'il aurait choisi. En se contemplant dans la glace, il se trouva tout près du ridicule. « Une fois n'est pas costume », tenta-t-il de philosopher.

Pascal Lucas, le chauffeur de la camionnette, le joignit sur son portable pendant qu'il rédigeait, seul dans son bureau, le rapport sur la destruction de la stèle.

— Bonjour, inspecteur. Je viens de me souvenir d'un détail important. La voiture, la Clio, elle était immatriculée en Espagne !

Sa voix vibrait d'excitation mais son débit pâteux laissait peu de doute sur le degré d'imprégnation alcoolique du chauffeur.

— Ce pourrait être une précision intéressante, tempéra Sebag. À condition que je puisse réellement m'appuyer dessus. Dites-moi sincèrement, monsieur Lucas, vous avez beaucoup bu aujourd'hui ?

— Pas plus que d'habitude, se renfrogna le chauffeur.

— Mais pas moins non plus.

À l'autre bout du fil, Pascal Lucas lâcha un « non » à peine audible.

— Elle vous est venue comment, cette... révélation ?

— Je regardais un feuilleton à la télé, il y avait une voiture avec une plaque d'immatriculation espagnole, ça a fait tilt !

— Bien, bien, j'en prends note, monsieur Lucas. Je vais voir ce que je peux faire avec ça.

Sebag raccrocha, perplexe. L'alcool pouvait-il avoir le même effet sur la mémoire que l'hypnose ? Pouvait-il lui aussi faire ressurgir du gouffre noir de nos cerveaux des pensées qu'on supposait effacées ? Il restait sceptique mais n'avait guère le choix que de faire semblant d'y croire.

Il réalisa que son témoin ne l'avait pas encore rappelé. Il composa son numéro et cette fois-ci tomba tout de suite sur lui. Le type pouvait se libérer le lendemain matin et ils convinrent ensemble de se rencontrer sur les lieux de l'accident.

— Mais attention, lieutenant, prévint-il aimablement, si vous me faites faux bond cette fois-ci, ça reportera de plusieurs jours. Je dois partir en Espagne pour mon travail.

Sebag croisa les doigts en raccrochant. Il espérait qu'il n'y aurait pas de nouvel imprévu. Trop de jours déjà s'étaient écoulés depuis le drame, et plus le temps passait, plus les souvenirs risquaient de s'effilocher.

Il repensa à la rage du lieutenant Cardona et entrevit un instant la joie mauvaise que son collègue éprouverait s'il ne parvenait pas à trouver une nouvelle piste. Il imagina surtout la déception de Séverine. Gilles pouvait tout affronter mais pas cela.

Il fallait que cette Clio blanche existe.

Il fallait qu'il le prouve.

Il fallait qu'il en identifie le chauffeur.

— Eh bien, messieurs, nous n'avions pas besoin de cela.

Le ton de Castello n'avait plus rien de facétieux. Il avait quitté précipitamment son sommet parisien des commissaires pour attraper le premier avion de l'après-midi.

— Déjà que le ministère ne nous avait pas à la bonne, je peux vous dire que là ils vont nous surveiller de près. D'ailleurs, j'attends d'une seconde à l'autre l'arrivée de la directrice de cabinet du préfet.

Dans la salle de réunion, Sebag, Molina, Llach et Lambert étaient physiquement présents ; Ménard, lui, intervenait en audioconférence depuis Marseille.

— Où sont Raynaud et Moreno ? s'inquiéta Castello.

Sans attendre de réponse, il décrocha le téléphone qu'il avait devant lui et demanda à sa secrétaire d'appeler les deux retardataires.

— Dites-leur que s'ils ne sont pas là dans les cinq minutes, je leur sucre toutes les heures supplémentaires du mois dernier.

Il raccrocha avec humeur.

— D'habitude, j'aime bien commencer nos réunions par l'exposé des faits et des premiers éléments recueillis par l'enquête mais exceptionnellement j'aimerais que nous commencions par des conclusions. Avant l'arrivée de la dir-cab', je veux en effet que nous abordions tout de suite la question qui me semble essentielle : devons-nous relier l'acte de vandalisme contre la stèle de l'OAS au meurtre de Martinez ? Gilles ?

Sebag s'attendait à ce que Castello s'adresse à lui en premier. Il y avait réfléchi tout l'après-midi.

— La coïncidence est troublante, je dois l'admettre, mais j'ai du mal à imaginer un même individu derrière ces deux actes. Un meurtre et un acte de vandalisme, ça n'a rien de commun. Et puis, le timing ne fonctionne pas non plus. Si tout était planifié par un même individu, les actes, à mon avis, iraient crescendo. Là, on commence d'emblée par un meurtre...

Sebag regarda son chef puis ses collègues : ses arguments n'avaient pas percuté. Tous restaient perplexes. Il n'était pas étonné. Lui-même n'aurait sans doute pas été convaincu. Il avait toujours du mal à exprimer avec des mots ce qu'il ressentait sur certaines enquêtes.

Joan Llach intervint :

— Tout de même, l'inscription OAS sur une scène de crime et, quelques jours plus tard, la destruction d'une stèle érigée en l'honneur de cette organisation, c'est pour le moins troublant.

— En effet, mais on pourrait très bien expliquer cette coïncidence par le fait que le meurtre de Martinez a pu réveiller les hostilités entre les pieds-noirs et leurs opposants.

— On pourrait… si nous avions fait état de l'inscription « OAS » trouvée chez Martinez. Mais je te rappelle que cette info, nous l'avons gardée pour nous. On ne l'a pas donnée aux médias.

Sebag rejeta l'argument de Llach.

— Oui mais nous avons tous évoqué l'OAS lors de nos entretiens avec les proches de Martinez. Et aussi avec les militants de gauche que nous avons rencontrés. Dans une petite ville comme Perpignan, les informations circulent vite.

— Les gauchistes se sont montrés bien chatouilleux hier, fit remarquer Molina. D'ailleurs, à ce sujet…

La porte de la salle de réunion s'entrouvrit, interrompant Molina. Raynaud-Moreno, le duo des frères amis, fit une entrée qu'il aurait souhaitée plus discrète.

— Bonsoir, fit Moreno de sa voix d'outre-tombe à peine audible, Raynaud se contentant, lui, d'un vague signe de la main.

— Ah quand même ! fulmina le commissaire. Je peux savoir sur quoi vous étiez aujourd'hui et ce qui nous vaut ce retard ?

Les deux inspecteurs s'assirent en évitant de faire couiner les chaises. Ils se regardèrent et, comme d'habitude, ce fut Moreno qui répondit pour les deux.

— Nous travaillons toujours sur le braquage du PMU de la rue Foch.

Trois semaines auparavant, deux individus armés et cagoulés avaient attaqué un bar, blessant grièvement le gérant. Les mêmes, probablement, avaient ensuite sévi à plusieurs reprises dans le département voisin de l'Aude.

— Et vous avez avancé ?

Les deux acolytes de la « brigade du rire » – ainsi

que les surnommaient parfois les autres inspecteurs – échangèrent à nouveau un regard.

— Pas trop, reconnut Moreno.

— Alors pour l'instant, vous mettez ce dossier entre parenthèses et, pour une fois, vous bossez en équipe. J'entends « équipe » au sens large et pas seulement en duo.

Les deux hommes acquiescèrent à contrecœur. Castello se tourna vers Sebag.

— À propos de ce que nous disions, autre chose ?

— Pour ma part, non.

— Quelqu'un d'autre veut s'exprimer ?

Une voix métallique s'éleva dans la pièce. Tous les regards convergèrent vers la soucoupe volante posée sur la table. Ménard prenait la parole depuis Marseille.

— On écarte complètement l'idée que les deux délits soient liés ?

— Nous n'écartons jamais rien, vous le savez bien, expliqua le commissaire. Et malheureusement, je ne crois pas que nous aurons le choix cette fois-ci. Tout le monde va nous pousser dans ce sens. La communauté pied-noir va s'indigner, s'inquiéter même, et plus que jamais nous allons marcher sur des œufs. Nous avons intérêt à progresser rapidement.

— Justement…, commença Molina.

Deux coups fermes frappés sur la porte l'interrompirent. Castello se leva aussitôt. Il ouvrit la porte et s'écarta pour laisser passer une femme aussi jeune qu'austère. Sebag, qui l'avait déjà croisée, savait qu'elle n'avait que vingt-cinq ans et qu'elle sortait tout juste de l'ENA. La direction du cabinet de la préfecture des P-O était son premier poste et, à défaut d'humour et de souplesse, elle y avait déjà montré beaucoup d'efficacité. Elle lissa sa jupe droite avant de s'asseoir.

Castello la présenta à ses hommes davantage par politesse que par nécessité :

— Mlle Sabine Henri qui représente ici le préfet.

La jeune femme prit le temps de dévisager tous les inspecteurs. Elle portait des lunettes aux verres rectangulaires supportés par une monture noire.

— Bonsoir, messieurs. Je ne vous cache pas que le préfet est très préoccupé par la tournure des événements. Il craint que la situation ne dégénère très vite et il exige des résultats rapides.

Les inspecteurs opinèrent en silence. Ils se montraient sages et dociles mais aucun n'était dupe : ils savaient qu'une enquête de police nécessitait du travail, de la rigueur, parfois de la chance, mais toujours de la patience. Les résultats ne pouvaient découler d'un simple mouvement de menton.

Castello reprit la parole :

— Avant que vous n'arriviez, nous évoquions le vandalisme de la stèle du Haut-Vernet. Le lieutenant Sebag était sur place ce matin. Lieutenant ?

Sebag fit circuler les photos prises par Elsa Moulin.

— Les agents de la police scientifique n'ont pas relevé grand-chose autour de la stèle. Pas d'empreintes, ni de doigts, ni de pas. Il faut dire que le revêtement du cimetière, goudron en grande partie et graviers par endroits, ne s'y prêtait pas. Les conditions météo n'ont pas non plus facilité leur tâche. Malgré tout, ils ont prélevé un cheveu blanc sur les graviers.

Pendant qu'il livrait cette dernière information, il avait donné un petit coup de pied sous la table à Molina pour prévenir toute plaisanterie inopportune. Son collègue comprit le message et se contenta d'étouffer un gémissement de douleur. Sebag poursuivit :

— D'après les premières constatations, l'instrument utilisé contre la stèle est un maillet de taille normale, un modèle que l'on peut trouver dans tous les magasins de bricolage de l'agglomération.

La directrice de cabinet l'écoutait en l'observant d'un œil neutre.

— Le portail du cimetière est fermé la nuit mais le mur d'enceinte n'atteint pas les deux mètres, précisa encore Sebag. Il est donc facilement franchissable. Côté ouest, il est abrité par une rangée d'arbres, on peut l'escalader en toute discrétion.

Sebag s'arrêta brusquement. Il ne voyait pas quoi ajouter. Le visage ovale et lisse de la jeune femme s'anima. Ses lèvres fines s'entrouvrirent.

— Un cheveu blanc dans un cimetière, ce ne doit pas être très rare. Bref, vous n'avez rien qui puisse nous permettre d'identifier le ou les auteurs ?

Les mots avaient été lâchés sans agressivité. Comme un simple constat. Sebag eut pourtant le sentiment de recevoir une gifle.

— Une analyse ADN sera faite malgré tout sur le cheveu car nous en avions déjà trouvé un dans l'appartement de la victime qui ne semblait pas appartenir à cette dernière. Sinon, vu la facilité d'accès du cimetière et la légèreté des outils employés, on peut penser qu'un homme a pu agir seul. Même un homme relativement âgé.

— Vous croyez vraiment que nous avons affaire à un papy vandale ?

Sebag pesa ses mots.

— Je ne crois rien, j'enquête. Je cherche des indices

ou des preuves et, parfois, il m'arrive d'en trouver et d'élucider quelques affaires.

Sabine Henri ne réagit pas mais Sebag vit son menton rond trembler. Il sentit que la jeune femme tentait par sa froideur de compenser son manque d'expérience. Ce n'était là qu'une posture adoptée pour s'imposer malgré son âge et son sexe dans l'univers très masculin de la préfecture. La directrice de cabinet réussit à poser sur ses lèvres un sourire discret.

— J'ai entendu parler de vous, effectivement, lieutenant Sebag.

Elle se tourna lentement vers le commissaire.

— Et dans l'autre affaire, celle du meurtre, vos hommes ont-ils avancé ?

Castello toussota.

— Euh… je l'ignore encore, nous n'avons pas eu le temps d'aborder la question. J'ai envoyé un de mes hommes à Marseille auprès d'un historien spécialiste de l'OAS. C'est lui qui nous a confirmé que la victime faisait bien partie de l'organisation. Allô, Ménard, vous êtes toujours là ?

La soucoupe volante se mit à émettre quelques phrases hachées.

— Michel Sonate… a donc rencontré… Bernard Martinez en janvier… 2011 à Perpignan pour un en… tretien en vue de la rédaction d'un livre sur… anciens de l'OAS. J'ai… pu écouter l'intégralité de… entretien mais Martinez n'évoque… ses motivations. À aucun moment…

La phrase se perdit dans un crachotement épouvantable. Castello secoua la soucoupe.

— On ne vous a pas bien entendu, François. Vous pouvez répéter la fin ?

— Martinez n'a rien... dire sur les actions qu'il avait menées en Algérie.

— Et votre historien n'a aucune idée de ce que Martinez aurait pu accomplir à l'époque ? Et donc sur l'identité de certaines de ses victimes ?

— Pour l'instant... non. Mais il fait des recherches, il... coupe ses données. Le plus difficile, c'est que... membres de l'OAS... utilisaient... pseudos entre eux.

Sabine Henri eut l'air étonnée.

— Vous voulez dire, commissaire, que vous pensez que le mobile du crime peut remonter aux dernières années de la guerre d'Algérie ?

— C'est une des hypothèses, oui. Je dois même dire que c'est la seule.

— Mais c'est si loin... S'il s'agit d'une vengeance, pourquoi si longtemps après ? Cela fait cinquante ans cette année !

Sebag se prit à sourire. Évidemment, pour une jeune femme de vingt-cinq ans, les années soixante, c'était un peu la préhistoire.

— Certaines haines ne connaissent pas la prescription, expliqua Castello.

— Mais pourquoi avoir attendu si longtemps ?

Sebag trouva cette question pertinente. Le nez dans le guidon, il ne se l'était pas encore posée. Dans la réponse à cette interrogation pouvait résider une des clés du mystère. Il nota cette idée sur son cahier et n'entendit pas la réponse de Castello. Le commissaire était déjà passé à un autre aspect de leur enquête.

— Comme le meurtre paraissait lié à l'appartenance de la victime à l'OAS et donc à la communauté des anciens Français d'Algérie, nous nous sommes demandé s'il n'y avait pas eu d'autres meurtres de pieds-noirs ailleurs en France, d'autres règlements de comptes. J'ai chargé Joan Llach et Thierry Lambert de chercher dans cette direction. Messieurs…

Lambert se mit très légèrement en retrait afin d'abandonner l'initiative à son collègue. Llach ne se fit pas prier.

— Nous avons épluché les banques de données nationales de la police et de la gendarmerie et, pour l'instant, nous avons trouvé trois meurtres de Français nés en Algérie du temps de l'occupation française : un pharmacien de Cannes, un retraité parisien et un restaurateur nantais.

Au ton employé par Llach, tout le monde avait déjà compris qu'il n'y avait pas de révélation à attendre. Mais tout travail policier méritant un compte-rendu détaillé, on le laissa poursuivre :

— Le pharmacien de Cannes a été tué lors du braquage de son officine il y a un an et demi, le retraité a été assassiné par sa femme d'une dizaine de coups de couteau et le restaurateur nantais, vraisemblablement lié à la mafia, a été abattu par des hommes de main que la police locale n'est pas encore parvenue à identifier. Dans ces trois affaires, aucune mention de l'OAS n'a été découverte sur les lieux des crimes.

— Vous pensez avoir fait le tour de cette question ou vous devez continuer ? l'interrogea Castello.

— Il me manque quelques données mais je dois pouvoir poursuivre et terminer seul demain. Euh… je n'aurai plus besoin de Thierry.

— Très bien, très bien. On a fait le tour, je crois… Ah non, tiens, Molina… D'habitude, vous l'ouvrez systématiquement pour ne rien dire et là je ne vous ai pratiquement pas entendu. Dois-je espérer que lorsque vous vous taisez, c'est que vous avez des éléments nouveaux à nous apporter ?

— Peut-être bien...

Molina arborait une mine satisfaite qui intrigua Sebag.

— J'ai fait ma petite enquête sur les militants du Collectif contre la nostalgérie et j'ai trouvé un type dont le profil est particulièrement intéressant : Émile Abbas est né il y a cinquante-quatre ans en Algérie de père arabe et de mère française.

Pour ménager ses effets, il prit le temps de faire le tour de son auditoire. En temps normal, Castello se serait agacé mais la présence de la dir-cab' l'incita à montrer de la patience.

— Vous nous faites languir, monsieur Molina.

— Le père d'Émile Abbas a été assassiné à Alger en février 1962 par un commando de l'OAS, lâcha enfin l'inspecteur.

— Tiens, tiens, c'est intéressant en effet, concéda le commissaire. Vous l'avez convoqué ?

— Oui, pour demain matin au commissariat, mais je ne sais pas s'il acceptera de venir. Pour l'instant, lui et ses amis ne se sont pas montrés très coopératifs.

— Il aura intérêt à se montrer plus souple. Sinon, de simple témoin, il pourrait devenir suspect. S'il ne vient pas, Molina, vous irez le chercher à son domicile ou sur son lieu de travail.

La directrice de cabinet acquiesça en mettant un bémol toutefois :

— Attention aux excès. Évitons les menottes par exemple. Cela risque de faire mauvais genre si ce n'est pas le bon client.

Sur cette incitation à la prudence, elle se leva brusquement.

— Je vous prie de m'excuser mais je dois vous quitter. Je ne peux pas m'attarder davantage. Tout le département, vous le savez, est encore en vigilance orange à cause de la pluie jusqu'à 22 heures aujourd'hui et j'ai une conférence de presse prévue à la cellule de crise de la préfecture. Ne faisons pas attendre nos amis journalistes. Ils ne se sont pas encore excités sur cette affaire de stèle et c'est tant mieux.

La jeune femme fit un petit signe de la main et sortit. Il ne restait plus à Castello qu'à conclure la réunion. Il le fit en distribuant les tâches du lendemain pour chacun. Il termina par Sebag :

— Gilles, vous serez avec Molina demain pour recevoir Abbas.

Sebag dissimula une grimace. Merde ! Molina avait parlé de 9 heures, c'était justement l'heure à laquelle il avait rendez-vous avec Clément Ollier, le fameux témoin de l'accident. Le ton de Castello était catégorique, il n'y avait pas de discussion possible. Tant pis ! Il n'avait pas le choix. Une fois de plus, il serait obligé de faire la police buissonnière. Ce n'était pas la première, certainement pas la dernière. Molina comprendrait très bien, Sebag n'avait aucun doute là-dessus. Depuis le temps qu'ils bossaient ensemble et qu'ils arrangeaient les corvées à leur convenance, ils avaient perdu le compte : impossible de savoir lequel des deux était en dette par rapport à l'autre.

CHAPITRE 15

Alger, le 12 décembre 1961

Le jour se lève lentement sur Alger. La veille, une pluie fine a coulé sur la ville blanche mais ce matin elle cède enfin la place au soleil. Les rayons timides lèchent le bitume et font remonter l'humidité du sol. Les jardins des villas de la rue Séverine exhalent sans retenue leurs parfums sauvages de thuyas, de buis et de sapins.

Le commandement de l'OAS a placé une des villas sous haute surveillance car elle abrite une dizaine d'individus suspects. Flics, militaires ou simples civils – on ne sait pas trop encore –, ils ont débarqué de la métropole une quinzaine de jours auparavant et mènent depuis des actions clandestines contre les partisans de l'Algérie française. Deux cafés sympathisants viennent d'être détruits par des attentats qui ne doivent, cette fois-ci, rien au FLN. Degueldre, le chef des commandos, a été clair : pas question de laisser cette racaille agir à sa guise dans Alger.

Sigma frissonne. Il a passé la nuit dans la Dauphine en compagnie de Bizerte et d'Omega, dormant par intermittence. Il sent son corps ankylosé de froid malgré la couverture qu'il a passée sur ses épaules. À l'aube, Babelo les a rejoints, apportant du café et du pain frais. Ainsi que ses fameuses cigarettes blondes américaines. Il en a distribué généreusement à ses comparses et un épais brouillard stagne dans l'habitacle.

Peu après 9 heures, ils aperçoivent une silhouette se faufiler à travers la jungle du jardin de la villa qu'ils surveillent. Un homme d'une trentaine d'années ouvre la grille et sort prudemment. Un coup d'œil à droite, un coup d'œil à gauche. Il repère sans mal la Dauphine et ses quatre fantômes. Il passe sa main sous sa veste pour vérifier son arme.

Un autre homme le rejoint bientôt, une espèce de gorille d'un mètre quatre-vingt-dix qui flirte avec le quintal. Les deux hommes échangent une paire de mots en lorgnant de leur côté. Puis le colosse s'éloigne pour monter dans une grosse Mercedes.

Une camionnette de livraison dépasse les deux voitures et s'immobilise une cinquantaine de mètres plus haut. Le chauffeur descend pour disparaître aussitôt dans une maison voisine. Après avoir laissé chauffer le moteur, le conducteur de la Mercedes démarre. Il recule lentement pour venir chercher le deuxième homme. Maintenant, ils hésitent. La camionnette bloque toujours la circulation et la rue Séverine est trop étroite pour un demi-tour. Ils choisissent de reculer jusqu'à la rue Mangin.

Tout se déroule comme prévu.

La Mercedes descend la rue en marche arrière. En passant au niveau de la Dauphine, ses deux occupants n'ont aucun regard pour les hommes de l'OAS. La voiture atteint le carrefour où elle peut enfin manœuvrer.

Omega essuie la condensation sur le pare-brise et démarre. Babelo, Bizerte et Sigma arment leurs mitraillettes. Ils sont prêts. Omega conduit doucement et s'arrête à dix mètres de la rue Mangin.

Au milieu du carrefour, la Mercedes ne bouge plus. Ils savent pourquoi. Une autre voiture la bloque. Babelo et Bizerte baissent leur vitre tandis que Sigma descend de la voiture pour s'allonger sur la chaussée.

Le mitraillage commence.

À leurs tirs nourris font écho ceux de l'autre commando planqué rue Mangin. Malgré le feu croisé, les occupants de la Mercedes ripostent. Le plus jeune plonge dans la rue et tire dans leur direction. Sigma se réfugie dans la voiture. Babelo lance une grenade défensive mais son jet est trop court et l'engin explose sur la chaussée sans avoir atteint la Mercedes. Avant que la fumée n'envahisse la rue, Sigma a le temps de voir s'affaisser la silhouette massive du conducteur derrière son volant.

Omega fait reculer la voiture à vive allure dans la rue Séverine. La camionnette, comme par enchantement, a disparu. Omega profite d'un élargissement de la rue au niveau d'une luxueuse villa pour effectuer une rapide manœuvre et la Dauphine repart en marche avant. Elle retrouve bientôt une allure normale dans les rues d'Alger.

Peu après, Omega déniche une place rue Michelet pour garer la voiture. Les quatre hommes dissimulent leurs mitraillettes dans le coffre et se rendent à pied jusqu'à l'Otomatic. Repaire des étudiants activistes, le bar déploie sa terrasse sur le trottoir à l'ombre de platanes adolescents. Ils s'assoient à une table libre et malgré l'heure matinale commandent quatre anisettes bien tassées.

Ils restent longtemps silencieux, chacun revivant les

émois de la bataille. Après un deuxième verre, les langues se délient et les premiers rires fusent.

— Un film avec James Stewart et Richard Widmark cet après-midi, ça vous dit ? suggère Babelo. Ils passent *Les Deux Cavaliers* au Modern Cinéma.

— C'est bien, ça ? s'inquiète Omega qui commence à se lasser des westerns.

— Si c'est bien ? La vérité... C'est de John Ford, le plus grand de tous !

— Alors... si c'est de John Ford !

Ils se retrouvent à 16 heures au Modern Cinéma. En sortant, ils apprennent que leur action du matin, malgré les risques pris, n'a connu qu'un maigre succès. Blessé au bras gauche et au ventre, le chauffeur de la Mercedes a été transporté à l'hôpital Maillot mais ses jours ne sont plus en danger. L'autre homme, un des chefs du groupe, s'en tire avec quelques égratignures seulement. La villa de la rue Séverine a été déménagée dans l'après-midi.

— Pas de souci, les rassure Babelo. Ils vont s'installer ailleurs mais nous aurons vite fait de les localiser. Le combat ne fait que commencer.

CHAPITRE 16

Sebag buvait un mauvais café dans un petit bistrot du Moulin-à-Vent. Il était en avance à son rendez-vous et en profitait pour lire la presse. Le journal local faisait son gros titre de une avec le mauvais temps. En plus des passages à gué, de nombreuses routes étaient coupées, notamment sur le littoral entre Collioure et Cerbère. À Canet, une trentaine de maisons d'un lotissement avaient été évacuées, leurs habitants hébergés pour la nuit dans la salle des fêtes. La destruction de la stèle occupait tout de même une belle demi-page à l'intérieur. Photos à l'appui, l'article décrivait les dégâts occasionnés au monument avant de donner la parole à l'association qui l'avait érigé, puis à ses opposants et enfin au maire. Le procureur de la République avait, lui, refusé de s'exprimer. En dessous de l'article, un encadré rappelait la polémique qui avait éclaté lors de l'érection du monument et les tensions qui persistaient chaque fois qu'un hommage y était programmé.

Les journalistes, heureusement, n'avaient pas encore fait le rapprochement avec le meurtre de Martinez. Et pour cause : l'information sur l'inscription « OAS » découverte sur les lieux n'avait pas encore été divulguée. Mais ce n'était qu'une question de jours, voire d'heures.

Sebag termina son café trop amer, paya sans laisser de pourboire et sortit. Dehors, les nuages finissaient de s'égoutter et, sous l'impulsion d'une tramontane vigoureuse, des lopins bleus commençaient à coloniser le ciel. Sebag choisit de rejoindre à pied le lieu de son rendez-vous. Il aimait bien marcher dans ce quartier du Moulin-à-Vent. Les larges ramblas possédaient d'agréables allées centrales plantées d'immenses palmiers. Recrépis régulièrement, les immeubles vieillissaient bien et leurs murs blancs s'harmonisaient naturellement avec les pelouses vertes sur lesquelles prospéraient non seulement les palmiers mais aussi de majestueux pins parasols.

Sebag arriva d'un pas rapide devant l'église Saint-Paul, un triangle de béton recouvert d'un crépi blanc et coiffé d'une mèche de tuiles rouges. Construit à la fin des années soixante, le bâtiment religieux aurait pu se confondre avec une quelconque salle des fêtes si son fronton n'avait été décoré d'une grande croix et son parvis pourvu d'un campanile surmonté de deux cloches.

Un petit homme chauve attendait debout face à l'église. Le témoin.

— Monsieur Clément Ollier, je suppose ?

— Oui, c'est moi.

— Lieutenant Sebag. Merci d'avoir accepté de me rencontrer malgré tous ces contretemps et surtout d'avoir bien voulu venir ici.

Le témoin haussa les épaules.

— J'habite à côté en fait. J'irai travailler après. Ce ne sera pas long ?

— Non, je ne pense pas. Vous faites quoi dans la vie ? J'ai lu dans le dossier que vous étiez agent commercial dans une entreprise d'import-export. Ça veut tout dire et rien dire.

— C'est vrai, reconnut Ollier. En fait, je travaille pour une entreprise du marché Saint-Charles qui importe des fruits et légumes d'Espagne. Je pars cet après-midi pour l'Andalousie.

— Un vendredi ? On ne connaît donc pas les week-ends dans votre métier ?

— Mais si, justement, répondit Ollier avec un éclair malicieux dans les yeux. Je dois y être lundi et j'en profite pour m'offrir un week-end sur place avec ma femme.

— Quand on peut joindre le futile à l'agréable…

— Je vois que l'on a de l'humour dans la police…

— Oui, je sais, beaucoup trop de gens pensent que ce n'est pas compatible avec la fonction.

Clément Ollier s'abstint de commenter. Il n'était sans doute pas loin de partager l'opinion générale. Et puis il devait considérer que les politesses avaient assez duré et qu'il était grand temps de rentrer dans le vif du sujet.

— Racontez-moi ce qui s'est passé, s'il vous plaît, demanda Sebag.

— Je ne travaillais pas, le mercredi de l'accident, et j'étais sorti pour acheter des cigarettes. J'ai vu une camionnette qui remontait la rue à une allure assez rapide. Elle m'a dépassé et puis, soudain, elle a fait une embardée sur sa gauche. C'est là qu'elle a percuté le scooter qui arrivait en sens inverse. Bing ! Le gamin est allé valdinguer trois mètres plus loin. J'entends encore le bruit. C'était un choc, je vous garantis.

Dans tous les sens du terme. J'en ai encore des frissons derrière les genoux quand j'en parle. Pauvre gamin...

Clément Ollier s'exprimait avec un accent d'un autre Sud que celui du pays catalan, Sebag aurait parié pour les environs de Toulouse. Son crâne chauve le vieillissait mais il n'avait probablement pas plus d'une petite quarantaine.

— Pourquoi, selon vous, la camionnette a-t-elle fait cet écart ?

— J'ai appris par les infos de France Bleu Roussillon que le chauffeur prétendait qu'une voiture lui avait grillé la priorité.

Ollier n'ajouta rien. Sebag fut obligé de lui faire préciser.

— Vous l'avez vue, vous, cette voiture ?

— Moi ? Ah non, je n'ai rien vu. Juste la camionnette et le scooter. Rien d'autre.

Sebag fit une moue désappointée. Clément Ollier était en fait le seul témoin direct de l'accident, toutes les autres personnes figurant dans le dossier s'étant précipitées sur les lieux après le choc seulement. C'était là le principal point faible qu'il avait relevé dans l'enquête de Cardona, le seul os qu'il avait trouvé à ronger pour espérer apporter du nouveau. Mais ce maigre espoir venait de s'effondrer. L'accident s'était produit près de l'église devant laquelle ils se trouvaient, juste de l'autre côté de la chaussée, une quinzaine de mètres plus bas dans la rue. Rien n'avait donc pu échapper à Clément Ollier.

— Vous étiez ici même au moment du choc ?

— Pas loin, ouais.

Sebag retrouva un petit espoir.

— Où ?

Ollier fit un signe vague.

— À quelques mètres.

— Vous pouvez me montrer précisément ?

Ollier descendit le boulevard du Foment-de-la-Sardane, suivi par Sebag. Au grand étonnement du policier, il dépassa le lieu de l'accident puis parcourut une bonne vingtaine de mètres supplémentaire.

— Je crois que j'étais là, cria-t-il.

Il fit encore deux pas avant de marteler le sol.

— Précisément, là !

Sebag contempla les lieux depuis leur nouvelle position. La perspective avait radicalement changé : ils étaient maintenant sur l'arrière gauche de la camionnette.

— J'étais aux premières loges, si je puis dire. Le gamin n'a rien pu faire, tout s'est passé si vite !

L'inspecteur ferma les yeux, essayant d'imaginer la scène et surtout d'estimer l'angle de vue. Quand il rouvrit les yeux, il était sûr de lui : au moment du choc, la vue devant Clément Ollier était masquée par la camionnette. Il pouvait très bien ne pas avoir vu la fameuse Clio blanche arriver sur le côté avant droit. En revanche, il aurait pu la distinguer lorsqu'elle avait continué sa route et pris la fuite.

— Et ensuite... après l'accident, qu'est-ce que vous avez fait ?

— Je me suis précipité vers le gosse. J'ai été pompier volontaire pendant dix ans, alors j'ai voulu me rendre utile. Au début, on a cru qu'il n'y avait que des dégâts matériels, le môme était tout pâle mais il ne semblait pas touché. Si on avait pu deviner...

Sebag ne l'entendait plus. En courant au secours de Mathieu, Clément Ollier avait cessé de regarder la rue.

Son attention avait dû être entièrement consacrée à la victime. Il était possible qu'il n'ait pas vu la voiture. La thèse de Pascal Lucas devenait crédible.

— Remarquez, même si on avait deviné avant, on n'aurait rien pu faire. Hémorragie interne... C'est pas de chance tout de même.

Sebag se demandait ce qu'il allait pouvoir faire de ce nouvel élément. De crédible à prouvé, le chemin restait important et ce n'était pas Cardona qui l'aiderait à le parcourir. Il lui fallait un autre témoin. Il leva les yeux vers les immeubles qui l'entouraient. Les façades blanches se décoraient de loggias aux rambardes de bois et de claustras en tuiles rondes. Après l'épisode pluvieux des jours derniers, la douceur revenait et Sebag apercevait ici et là des silhouettes à travers les fenêtres ouvertes. Si cette bon Dieu de bagnole existait, quelqu'un devait l'avoir vue. Forcément.

— Papa, je sais que tu as beaucoup de travail. Si tu ne peux pas t'occuper de l'accident de Mathieu, ce n'est pas grave. Je ne t'en voudrai pas.

Gilles était rentré tard la veille au soir. Séverine l'avait observé du coin de l'œil et les préoccupations de son père ne lui avaient pas échappé. Elle l'avait rejoint sur la terrasse lorsqu'il était sorti siroter un café. Il pouvait en boire à n'importe quelle heure, cela ne l'avait jamais empêché de dormir. Séverine s'était approchée doucement par-derrière, avait entouré sa taille de ses bras fins et posé la tête sur son dos.

— J'ai treize ans, je suis grande, je peux comprendre...

Il n'avait pas su répondre. De toute façon, sa gorge s'était nouée, il n'aurait pas pu parler. Il avait savouré son café jusqu'à la dernière goutte avant de se retourner vers Séverine et de la prendre dans ses bras.

Sa voix et ses mots lui étaient revenus alors.

— Merci, ma fille, mais ne t'inquiète pas : je vais réussir à me dégager un peu de temps. Et comme je te l'ai dit dès le début, s'il y a quelque chose à trouver, je le trouverai.

Au propre comme au figuré, il était maintenant au pied du mur. Face à lui, deux rangées d'immeubles de cinq étages chacune. Il allait devoir faire du porte-à-porte. C'était, dans son métier, la tâche qu'il exécrait le plus.

Décidément, son boulot n'avait vraiment rien à voir avec les fictions télévisées !

Il prit congé de Clément Ollier en le remerciant chaleureusement. Puis il composa sur son portable le numéro de Molina.

— Alors, il est là ?

— Une seconde, ne quitte pas.

Il regarda son témoin monter dans sa voiture garée devant l'église. Clément Ollier démarra et lui fit un signe de la main en passant devant lui. La voix de Molina retentit de nouveau à son oreille.

— Excuse-moi, j'étais avec Abbas.

— Il est venu sans problème, alors ?

— Oui, il était à l'heure. C'est moi qui l'ai fait poireauter une demi-heure avant de le recevoir. Llach m'a prêté son bureau.

— Qu'est-ce qu'il a dit ?

— Rien pour l'instant. On vient de commencer. On n'en est encore qu'à son état-civil.

— T'as besoin de moi ?

— Tu crois que je peux pas m'en sortir tout seul ?

— C'est pas ça. C'est juste que Castello voulait qu'on bosse tous les deux là-dessus.

— Tu me rejoindras plus tard. Quoi qu'il se passe, je vais pas le relâcher tout de suite, mon gaillard. Je vais lui apprendre les bonnes manières, non mais ! T'auras qu'à passer pour le dessert. Tu avances, toi ?

— J'ai du nouveau, oui.

— Suffisant pour faire chier Cardona ?

— Pas encore. Mais assez pour espérer y parvenir.

— Alors, vas-y, fonce, je compte sur toi, champion ! Allez, je te laisse, j'ai un client sur le feu.

Durant les deux heures qui suivirent, Sebag frappa à cinquante-deux portes. Trente-sept s'ouvrirent. Plus ou moins spontanément. Chaque fois, il voulut interroger tous les membres de la famille. Il obtint au total cent douze avis négatifs : soixante-quinze personnes étaient absentes au moment des faits, trente-quatre ne s'étaient penchées à leur fenêtre qu'après avoir entendu soit le bruit de l'accident soit les sirènes des pompiers, enfin les trois dernières personnes, bien que présentes, n'avaient absolument rien entendu.

Restaient donc quinze appartements, quinze portes closes qu'il faudrait tenter de faire ouvrir une autre fois. La chance était avec lui. L'accident de Mathieu s'étant déroulé à moins de trois cents mètres de l'appartement de Martinez, il pourrait toujours prétendre enquêter sur une affaire pendant qu'il travaillait sur l'autre.

Il était temps toutefois de rejoindre le commissariat pour assister Molina. En descendant les boulevards vers le centre-ville, il aperçut le Canigou au loin dans une trouée de ciel bleu. Pour la première fois de la saison, une fine poudre blanche en recouvrait les sommets et, après deux jours de déluge, le pic ressemblait au bout du nez d'un noctambule maladroit.

Sebag trouva Molina seul dans leur bureau, jouant sur son ordinateur.

— Alors, comment ça se passe avec Abbas ?

— Ça se passe…

Silence. Jacques ne décollait pas les yeux de son écran.

— Mais encore insista Sebag.

— M. Abbas n'est pas un grand bavard.

Nouveau silence. Molina restait absorbé par son jeu.

— Ça fait deux, alors…, commenta Sebag.

Molina grimaça. Il devait traverser une phase particulièrement délicate de la partie.

— Deux quoi ?

Ses doigts se crispèrent sur la souris. Il cliqua dix fois de suite nerveusement avant de la repousser et de pousser un juron. Il avait perdu.

— Deux quoi ? redemanda-t-il cette fois-ci en levant les yeux sur Sebag.

— Deux grands bavards. Il faut t'accoucher les mots au forceps à toi aussi.

— L'ordinateur, ça me détend et j'en avais besoin, s'excusa Molina. Abbas a accepté tout de suite de décliner son identité, mais depuis, rien ! Il ne fait que répéter qu'il ne parlera qu'en présence de son avocat.

— Il n'a vraiment rien dit du tout ?

— J'exagère un peu. Il a déclaré – je résume – que l'OAS, ce n'était rien que des salauds de fascistes et de racistes et qu'il était content qu'un mec courageux ait enfin décidé de massacrer la stèle.

— Et pour le meurtre ?

165

— Là, il a été plus modéré. Il a dit que la guerre d'Algérie, c'était bien loin et qu'il ne comprenait pas qu'on puisse vouloir se venger si tardivement.

— Tu lui as parlé de son père ?

— Évidemment. C'est là qu'il s'est fermé. Heureusement que j'avais eu quelques détails grâce à un coup de fil de Ménard en début de matinée. C'est vraiment un bosseur, celui-là. Apparemment il est resté toute la nuit dans les archives de son historien. Remarque, il a que ça à foutre à Marseille.

— Et donc ?

— Et donc le père d'Émile Abbas, Mouloud de son petit nom, était médecin dans un hôpital d'Alger. Il travaillait aux urgences et il aurait soigné clandestinement plusieurs militants du FLN. C'est en tout cas ce que lui reprochait l'OAS, mais je crois surtout qu'il était médecin et arabe et que c'est avant tout cela qui gênait ces salauds. Bref un commando a fait irruption dans l'hôpital en pleine journée – c'était début janvier 1962, je crois – et l'a froidement abattu d'une dizaine de balles dans le corps devant les patients et les infirmières avant de repartir tranquillement.

— Abbas avait quel âge ?

— Quatre ans.

— Et quand tu l'as interrogé, il n'a vraiment rien voulu dire sur l'assassinat de son père ?

— Non. Juste un truc du genre que c'était bien la manière de faire de la police que de confondre victimes et coupables.

— Et tu as réagi comment ?

— Je suis resté zen. Si, si... Tu m'aurais vu, tu aurais été fier. J'ai posé mes questions, il n'a pas répondu. Je les ai reposées calmement, et comme il ne répondait toujours pas, je suis sorti.

— Toujours calmement ?

— Oui. J'ai refermé doucement la porte du bureau de Joan et je suis descendu me prendre un petit noir à la cafétéria.

— Bien ! fit Sebag, ironique.

— J'ai quand même foutu un grand coup de savate dans le distributeur de café. Faut pas déconner non plus.

— Ah, tu me rassures…

— T'étais inquiet ?

— Pas vraiment. On n'a jamais vu un ancien deuxième ligne de rugby devenir du jour au lendemain aussi zen qu'un religieux tibétain. Et depuis, tu laisses Abbas mariner ?

— Exactement.

— Ça fait combien de temps ?

Molina regarda sa montre.

— Ça va faire une heure et demie.

— Pas mal. Et après ?

— Je vais devoir y retourner.

— Pour dire quoi ?

— Je reposerai mes questions. Toujours calmement.

— Et comme il continuera de ne rien répondre, qu'est-ce que tu vas faire ?

— J'en sais rien, s'agaça Molina. Comme dirait l'autre, « c'est là que les Athéniens s'atteignirent »… Maintenant, ou nous le plaçons en garde à vue ou nous le relâchons.

Sebag remarqua l'emploi soudain du « nous » au moment d'une décision importante à prendre. Molina le replaçait dans le jeu.

— Je suppose qu'il n'a pas voulu que tu prennes ses empreintes ?

— Tu parles…

— Et il n'a rien dit sur son emploi du temps la nuit de la stèle ou le jour du meurtre ?

Molina se contenta d'un haussement d'épaules.

— Donc on n'a rien ! Ni contre lui, ni pour lui d'ailleurs… Et dans ce cas pas la peine d'espérer une seule seconde que le procureur nous autorise à perquisitionner chez lui.

Sebag s'assit lourdement sur son fauteuil et alluma son poste.

— On a mis la charrue avant les bœufs. Il aurait mieux valu enquêter d'abord sur ce gars avant de le convoquer. Soit on ne trouvait rien et on laissait tomber, soit on avait des biscuits et on pouvait l'interroger plus précisément. Et là, même s'il ne répondait pas, c'était garde à vue et tout le toutim.

— C'est un peu tard pour s'en apercevoir !

— Oui, je sais. Mais on ne pouvait pas imaginer qu'il ne lâcherait rien du tout. Et puis hier j'étais obnubilé par le rendez-vous avec le témoin de l'accident.

— Alors, au fait ?

Sebag lui résuma ce qu'il avait découvert, l'absence de réels témoins, et lui fit part de son échec à en trouver d'autres.

— C'est pas encore gagné, alors ?

— Pas encore.

— Bon ! Et pour Abbas ?

— Pour Abbas, je vais prendre mon tour et faire un brin de causette avec lui.

— Bonne chance ! Et moi, je fais quoi pendant ce temps ?

— Une autre partie ?

Molina ne se fit pas prier. Sa main était restée posée sur la souris, ses yeux replongèrent aussitôt vers l'écran. Devant le bureau de Joan Llach, Sebag respira un grand coup avant d'entrer. Puis il poussa la porte.

— Bonjour.

Émile Abbas ne répondit pas à son salut et le suivit d'un œil indifférent tandis qu'il s'installait au poste de travail de Llach. Sebag secoua la souris pour réveiller l'écran. Il reprit la session laissée ouverte par Molina.

— Alors… Vous vous appelez Émile Abbas. Vous êtes né le 28 novembre 1957 à Alger. Votre père, Mouloud Abbas, était médecin et votre mère, Geneviève Fontaine, infirmière. Dans le même hôpital ?

Émile Abbas soupira.

— C'est important ?

Les deux hommes se dévisagèrent quelques secondes. Abbas avait un visage sec aux joues creuses. Son nez long et pointu plongeait vers une bouche grande et mince. Sa lèvre supérieure fine et ourlée s'appuyait sur une grande sœur plus généreuse. Sous des sourcils droits et noirs, ses yeux brillaient d'un éclat sombre.

Sebag lui rendit son soupir.

— Non, ce n'est pas important. Mais nous avons des cases à remplir, vous savez. Et puis comme vous ne voulez pas parler d'autre chose, il faut bien s'occuper.

— Je n'ai rien fait, je n'ai donc rien à dire, rien à justifier.

— Et je suis censé vous croire sur votre bonne mine ?

— Ça, c'est votre affaire.

— Non, c'est aussi la vôtre.

Sebag regarda sa montre.

— Vous pourriez être dehors depuis longtemps si vous coopériez. Surtout si, comme vous dites, vous n'avez rien fait.

— Je ne sais même pas ce que vous me reprochez. Votre collègue a évoqué la destruction de la stèle de l'OAS et le meurtre d'un pied-noir. Celui pour lequel vous êtes déjà venus nous voir au Collectif, c'est cela ?

— Vous nous aviez d'ailleurs déjà grandement aidés ce jour-là…

— Nous n'aimons pas trop « collaborer » avec la police.

— Nous avons changé, vous savez, depuis la Seconde Guerre mondiale. La Résistance, la Gestapo, c'est fini. Même les gamins à la récré ne jouent plus à ça. Il ne reste plus pour ce jeu de rôle que quelques militants attardés.

— La police ne peut pas changer, c'est génétique.

Sebag ne voulut pas prolonger un débat qui n'apporterait rien à personne. Il hocha plusieurs fois la tête tout en soutenant le regard d'Abbas. Puis il baissa les yeux vers son écran.

— Vous êtes professeur de technologie au lycée Pablo-Picasso. Vous êtes marié avec Chantal Abbas, née Vila, et vous avez deux enfants, Samira et Didier. Ils sont majeurs tous les deux et ont quitté le domicile familial.

Abbas soupira à nouveau. Plus bruyamment.

— Dès que vous le souhaitez, nous parlons de choses plus sérieuses, proposa Sebag.

Abbas ne répondit pas.

— Nous aimerions simplement que vous nous disiez où vous étiez dans la nuit du saccage de la stèle et le jour du meurtre. Si vous avez un alibi, nous en cher-cherons la confirmation et, si nous l'obtenons, nous vous relâcherons. Ce n'est pas plus compliqué que cela.

— Et si je n'ai pas d'alibi ? Je passe directement par la case prison ? Et tout cela parce que mon père a été assassiné par l'OAS il y a cinquante ans ? Cela vous suffit pour harceler les gens honnêtes et vous osez prétendre que la police a changé ?

— Nous ne sommes que des hommes, reconnut Sebag. Nous avons nos limites, au premier rang des-quelles un cruel manque d'imagination. Nous fonction-nons de manière basique. Pour un crime ou un délit, nous cherchons d'abord le mobile. Ici, ce n'est pas l'argent, pas la femme, mais la politique. Nous avons des raisons de penser que Bernard Martinez, la vic-time, a été assassiné parce qu'il avait appartenu autre-fois à l'OAS. Alors, oui, l'assassinat de votre père et le fait que vous soyez aujourd'hui militant actif contre les anciens partisans de l'Algérie française font de vous…

— Le suspect idéal !

— Je dirais plutôt une personne que nous devons absolument entendre, une piste que nous ne pouvons pas ignorer. Si vous étiez un suspect, vous seriez en garde à vue, vous auriez les menottes et nous serions en train de fouiller votre domicile. Tout cela avec l'ac-cord du procureur de la République. Nous sommes dans un état de droit.

— Mon père a été assassiné et, à l'époque, la police n'a même pas commencé l'ombre du début d'une enquête. Vous appelez ça un état de droit ?

— Vous avez justement dit « à l'époque ». Aujourd'hui, la guerre est finie. La guerre d'Algérie tout comme la Seconde Guerre mondiale. Et puis, au cas où vous ne le sauriez pas, des policiers français ont été abattus par l'OAS pour avoir voulu faire leur travail.

— Ils étaient minoritaires !

— Je vous l'accorde mais ils sont morts quand même. Ils méritent votre respect.

Abbas serra les lèvres et se tut. Sebag eut l'impression d'avoir marqué un point.

— Vous n'avez jamais su qui avait tué votre père ?

— C'est l'OAS. Les hommes, derrière, importent peu.

— Pourtant vous venez de dire que vous auriez aimé qu'il y ait une enquête.

— C'est déjà dur de perdre son père. Mais de s'apercevoir que tout le monde s'en fout, c'est encore pire.

— Je comprends.

— Non, vous ne pouvez pas comprendre, répliqua Abbas avec mépris.

Il se tenait droit sur sa chaise, les mains posées sur ses cuisses. Sebag ne voyait pas de haine en lui, rien que de la rage. Une rage furieuse capable de pourrir une vie mais pas de donner la mort. Surtout pas avec cinquante ans de retard.

— Vous n'avez jamais cherché à savoir qui avait tué votre père ?

Le mépris dans ses yeux noirs s'accentua.

— Si vous croyez que je ne vous vois pas venir avec vos gros sabots ! Je ne connaissais pas ce Martinez et je ne l'ai pas tué.

— Pourquoi militez-vous au Collectif contre la nostalgérie si ce n'est pas pour régler des comptes ?

— Je ne veux régler de comptes qu'avec l'Histoire.

172

Pas question de laisser des assassins se poser en martyrs. Cette stèle en l'honneur de l'OAS est déjà une honte. Qu'on ait pu l'ériger dans un lieu public est un scandale. Ces gens dont les noms sont inscrits, vous connaissez leur histoire ?

— Les principaux noms ont été écrasés à coups de marteau.

— Bastien-Thiry, Degueldre, Dovecar et Piegts, les voilà, ces noms ! Quatre tueurs condamnés à mort par la République française et fusillés, certains pour avoir tenté d'assassiner le général de Gaulle, d'autres – tiens justement ! – pour avoir tué des flics. Vous trouvez ça normal, vous, qu'aujourd'hui on leur dresse des monuments avec la complicité des pouvoirs publics ?

— Non.

Cette réponse directe dérouta Abbas. Sebag enchaîna en soufflant le froid après le chaud.

— Mais briser cette stèle est malgré tout un délit. Si vous n'êtes pas l'auteur de cette dégradation, où étiez-vous la nuit où elle s'est produite ?

— Service-service, n'est-ce pas ? Je vous avais dit que la police ne changerait jamais. Vous vous prétendez hostile à cette stèle mais vous êtes prêt à arrêter et mettre en prison celui qui l'a détruite. C'est avec cette logique que vos prédécesseurs ont participé à la déportation des Juifs en 1940. En trente ans de militantisme, j'ai appris à me méfier de la police. Je sais qu'il vaut mieux ne rien dire. Vous réclamez d'abord un alibi, puis ce sera mes empreintes – votre collègue me les a déjà réclamées d'ailleurs – et enfin un prélèvement de mon ADN. Et une fois qu'on est fiché chez vous, tout peut arriver. Fiché, fichu, fichier, fais chier.

Sebag écouta patiemment s'écouler la diatribe

anti-flics. Pour quelqu'un de peu bavard, Abbas commençait à parler beaucoup. Les mots entraînant les mots, il valait mieux les laisser sortir.

Quand Abbas s'arrêta enfin, Sebag glissa aimablement :

— C'est sûr que vos empreintes nous faciliteraient la tâche. Le meurtrier de Martinez nous en a offert de beaux échantillons. Il suffirait de comparer pour vous innocenter.

— Et sur la stèle, vous en avez trouvé ?

Sebag dut reconnaître que non.

— Vous voyez, triompha Abbas. Ça ne suffirait pas à me disculper de tout ce que vous voulez me coller sur le dos. Si vous avez envie de m'emmerder, rien ne vous empêchera de continuer.

— Sauf l'alibi…

— Vous ne trouvez pas qu'on tourne en rond ? rétorqua Abbas.

Sebag se frotta les yeux puis se détendit brusquement.

— OK, vous avez raison ! On va en terminer. Vous voulez boire quelque chose ? Un verre d'eau, ça vous irait ?

Abbas hésita avant de décliner l'offre d'un geste.

— Si ça ne vous gêne pas, moi j'ai soif, fit Sebag en se levant.

Le lieutenant quitta la pièce et alla se servir un verre à la fontaine à eau au milieu du couloir. Il croisa une jeune flic en uniforme et resta quelques secondes tellement subjugué par l'éclat de ses yeux bleus en amande qu'il en oublia de répondre à son salut. Il but son verre, jeta le gobelet et en remplit un autre. De retour dans le bureau, il posa ce verre devant Abbas.

— Au cas où…

174

Il repartit vers la sortie.

— Je vais chercher mon collègue pour le PV d'audition.

Molina était encore en plein jeu. Sebag patienta dans l'ouverture de la porte.

— Tu n'as rien pu en tirer non plus ? questionna Molina tout en restant concentré sur sa partie.

— Non, c'est inutile de perdre davantage notre temps.

Molina consentit à mettre sa partie sur pause.

— Tu penses qu'il n'y est pour rien dans nos deux affaires ?

— Objectivement, nous n'avons aucun élément pour le mettre en cause ou pour le disculper...

— Et subjectivement ?

— Je peux me tromper mais je ne le vois pas en tueur et surtout pas en tueur de sang-froid. Et puis il est marié, il a des enfants, il est socialement intégré... Non, vraiment, je ne le sens pas. Évidemment, si l'enquête sur le passé de Martinez nous révèle que le petit vieux a eu une responsabilité dans le meurtre du père Abbas, je reconsidérerai ce jugement.

— Et pour la stèle ?

— Il a choisi l'action collective au grand jour, je trouverais ça étrange qu'il se mette soudain une nuit à casser le monument à coups de marteau.

— Quelqu'un l'a fait pourtant ! Quelqu'un qui ne portait pas l'OAS dans son cœur !

— Tu la portes dans ton cœur, toi, cette OAS ?

— Non, mais je ne vois pas le rapport...

— Je veux dire que tant qu'on n'est pas sûrs que la destruction est liée au meurtre ou réciproquement, moi je me contrefous de savoir qui a bien pu bousiller cette stèle. Elle était moche en plus…

— Je ne suis pas sûr qu'on pense comme toi à la préfecture.

— C'est vrai que pour la paix des communautés il vaudrait mieux que des actes comme celui-là ne se reproduisent pas. J'avais oublié cet aspect-là des choses.

Molina se leva et rejoignit Sebag dans le couloir.

— Pour résumer, Abbas est blanc comme neige selon toi ?

— Je le sens comme ça, oui.

— Si Mme Irma le dit…

Molina faisait confiance aux intuitions de son collègue mais ne ratait jamais une occasion de s'en moquer. En entrant dans le bureau de Llach, Sebag constata avec satisfaction que le verre d'eau était vide. Il laissa Molina s'installer devant l'ordinateur. Jacques relut le PV à haute voix, relevant la tête de temps en temps pour guetter un assentiment de la part d'Abbas. Mais celui-ci resta de marbre, droit sur sa chaise, les doigts de ses mains tambourinant sur ses cuisses. À la fin de la lecture, Molina lança l'impression.

Il récupéra les feuilles pour les présenter à Abbas. Il lui tendit également un stylo.

— Je ne souhaite pas le signer.

Molina reprit le PV avec agacement.

— Pour ce que vous avez dit, ça n'engageait à rien, mais bon ! C'est votre droit. Vous pouvez y aller, nous n'avons plus rien à nous dire.

Il ajouta, se voulant menaçant :

— Jusqu'à nouvel ordre…

— J'avais bien compris.

Pour la première fois, il avait souri. Sebag lui ouvrit la porte.

— Vous avez l'escalier au bout du couloir. En bas, vous n'aurez qu'à appuyer sur le bouton à votre droite pour ouvrir la porte.

Il s'écarta pour le laisser passer. Abbas amorça un geste pour lui tendre la main avant de se reprendre. Il sortit du bureau, mais, une fois dans le couloir, ne se décida pas à partir.

— Je... Si... vous...

Abbas regardait ses pieds.

— Si, par hasard, au cours de votre enquête, vous...

Il releva les yeux vers Sebag. Son regard n'était plus sombre.

— Si vous découvrez que ce Martinez ou l'un de ses comparses a joué un rôle dans l'assassinat de mon père, vous me le direz ?

Sebag n'avait plus devant lui un militant farouche et aguerri mais un gamin privé trop tôt de son père.

— Évidemment ! (Il sourit sans retenue.) Vous seriez alors notre premier suspect.

— Évidemment, suis-je bête...

Il tourna les talons et s'éloigna dans le couloir.

— Vas-y, fais-lui des mamours pendant que t'y es !

Molina, debout, était furieux.

— Ce type vient de se foutre de notre gueule pendant quatre heures, et toi, tu lui fais des politesses ? Ça fait pas trop mal, tu veux un peu de vaseline ? Et en plus, tu lui offres un verre d'eau. Et pourquoi pas un café, non plus ? Ah oui, c'est vrai, tu le trouves trop dégueu, le café d'ici !

Molina allait s'emparer du gobelet pour le jeter à la poubelle. Sebag cria :

— Stop !

Jacques se figea avant d'avoir mis la main sur le verre. Sebag désigna le bureau.

— Le dernier tiroir sur la gauche : Llach y range toujours des sacs plastique.

Molina, interloqué, obéit sans un mot. Sebag prit le sac et y glissa le verre en carton dans lequel Abbas avait bu. Molina émit un long sifflement : il venait de comprendre. Sebag lui rendit le plastique.

— Tiens, tu as ses empreintes et, si tu veux, un peu de son ADN également.

— Tu aurais pu en profiter pour lui arracher un cheveu, tant que t'y étais, ricana Molina, redevenu aimable.

— De ce côté-là, pas besoin d'analyse. Le bougre a encore les cheveux bruns malgré ses cinquante-quatre ans.

Molina inscrivit un faux nom sur une étiquette autocollante.

— Ce n'est pas très légal tout cela, lieutenant Sebag.

— Et alors ? Si c'est pour écarter définitivement Abbas de la liste des suspects, il ne nous en voudra pas. Et puis, surtout, il n'en saura jamais rien.

— Et si on s'aperçoit que ce sont les empreintes de l'assassin ?

— Alors, on ne pourra pas utiliser ce prélèvement comme preuve mais on aura beau jeu d'en trouver d'autres. Mais franchement, je n'y crois pas. Et toi non plus d'ailleurs.

— Malheureusement, non.

Molina colla l'étiquette sur le sac plastique.

— Je m'en occupe tout de suite. C'est vendredi. Si on veut avoir le résultat avant lundi…

Sebag retourna dans son bureau. Il s'installa devant l'ordinateur de Molina et termina la partie. Il trouva le jeu plaisant et recommença.

L'analyse des empreintes tomba rapidement et confirma leurs impressions. Abbas n'avait pas tué Martinez. Sebag en informa aussitôt Castello. Puis il commença à songer sérieusement à son week-end. La météo annonçait un très agréable samedi – soleil, douceur et vent modéré – mais le retour d'une forte perturbation pour le dimanche.

CHAPITRE 17

— *Yalla*, René, c'est pas pour te vexer, ni dire du mal des Oranais, j'en avais plein de copains, moi, à Oran, mais, la vérité… la calentita, y a qu'à Alger qu'elle était bonne. Normal, c'était la capitale quand même !

— Ferme un peu la bouche, Roger, le vrai nom, c'est pas la calentita mais la calentica !

Une longue table occupait toute la pièce principale au siège du Cercle pied-noir. Elle alignait de part et d'autre une trentaine de personnes parmi lesquelles Gilles et Claire. Les membres de l'association recréaient une fois par mois le temps d'un couscous l'atmosphère qu'ils avaient connue. Jadis. Là-bas. Les Sebag, qui ne connaissaient rien de l'Alger d'avant l'indépendance, se sentaient comme plongés dans un film d'Alexandre Arcady. La scène était haute en couleur, l'ambiance infiniment sympathique, les acteurs excellents quoiqu'un peu cabotins.

Les voisins de Claire poursuivaient leur chicane culinaire. Assise en face de Gilles, la femme de Guy Albouker leur fit une rapide explication de texte :

— La calentita – à Oran, on dit la calentica – est une sorte de flan à base de farine de pois chiche et d'huile d'olive. On la déguste fumante, en général glissée entre deux tranches de pain.

Elle se tourna vers son voisin de gauche, le dénommé Roger.

— J'ai mis des années avant de réussir une calentita qui ressemblait à peu près à celle que l'on mangeait à l'époque.

T'y as réussi ? Ma parole, c'est toi que j'aurais dû épouser, tiens ; ma Josiane, la pôvre, elle a jamais réussi, elle.

— Et tu sais pourquoi ?

— Non, mais tu vas me le dire, pardi.

— Je ne sais pas…

— *Yalla*, ne me fais pas languir…

— Bon, c'est bien parce que c'est toi. Le secret, en fait, c'est le pois chiche. Avant je l'achetais en grande surface mais c'était pas pareil. Une fois que j'ai mangé de la calentita chez ma belle-sœur à Montpellier, j'en ai eu les larmes aux yeux tellement c'était bon. Et tu sais pourquoi ?

— Eh non, je le sais pas ! Tu ne me l'as pas encore dit, ma parole.

— Ma belle-sœur, elle achète son pois chiche chez un petit Arabe qui le fait venir directement d'Algérie. Depuis, chaque fois que je vais à Montpellier, j'en reviens avec plusieurs kilos.

— Tu donneras l'adresse à Josiane, je veux pas mourir avant d'avoir connu ça à nouveau !

— Et qui te parle de mourir ? lui cria un autre convive assis trois places plus loin. C'est toi qui parles toujours le plus fort, tu nous enterreras tous.

Guy Albouker avait invité Sebag à se joindre à la couscous-party de ce samedi soir. Le lieutenant aurait aimé décliner cette invitation mais il avait craint que son refus ne froisse les responsables de cette influente association. Dans le contexte actuel, cela n'aurait pas été très habile. Et puis Claire, elle, avait été tout de suite enthousiaste.

Un nouveau saladier rempli de couscous arriva sur la table. Gilles accepta une seconde assiette. Il n'en avait jamais mangé d'aussi bon. Claire refusa d'en reprendre mais ne se priva pas de picorer dans l'assiette de son mari. Guy Albouker les rejoignit. Il avait passé la moitié du repas à changer de place pour discuter avec tout un chacun. Il donna un petit coup de coude à son épouse.

— Marie, tu manques à tous tes devoirs : les verres de nos invités, ils sont vides.

D'autorité, il les remplit à nouveau d'un sidi-brahim noir comme le sang.

— Vous n'aimez pas ? s'inquiéta-t-il en constatant que l'assiette de Claire était vide.

— Si, c'était délicieux mais je n'ai plus faim.

Elle ajouta en chipant un pois chiche dans l'assiette de Gilles :

— Mais vous voyez, par gourmandise, je continue encore un peu.

— Ma fille, elle, elle n'aime pas le couscous, déplora René l'Oranais, un sanglot aviné dans la voix. Les légumes, ça va encore, mais la graine, elle ne veut pas y toucher. La calentica non plus, elle n'aime pas, ma fille.

— Oh ça, ça ressemble à un blocage psychologique, fit remarquer Marie Albouker.

— Va va va, je sais bien que c'est psychologique… Justement c'est ça qui est triste. Pour ma fille, notre Algérie, c'est comme le château de la Belle au bois dormant, elle a cessé d'y croire en grandissant.

— Elle peut changer, tu sais, voulut le rassurer Albouker. J'étais pareil il y a quelques années encore. Je ne voulais pas entendre parler de l'Algérie. Combien de fois j'ai pu me disputer avec mes parents et leur dire qu'il fallait savoir tourner la page. Et puis du jour où mon père est mort, j'ai repris le flambeau. Sans l'avoir prémédité. C'est venu d'un seul coup d'un seul. Après l'enterrement, j'ai raccompagné ma mère à leur maison, y avait quelques revues d'associations pieds-noirs qui traînaient par là, je les ai toutes emportées chez moi et quelques jours plus tard je faisais mettre l'abonnement à mon nom. Et tu vois, aujourd'hui, je suis là avec vous.

— Ouais mais toi, c'est pas pareil… Toi, tu l'as connue, l'Algérie…

— Si peu. J'avais six ans.

— Quand même, ça compte. Moi, ma fille, elle est née en 1971, elle a toujours vécu ici. Elle se sent plus catalane que pied-noir.

— C'est ce qu'elle te dit pour te faire enrager. Si ça se trouve, elle tient un tout autre discours à ses propres enfants.

René contempla un instant en silence le reste de vin dans son verre. Il le fit tourner avec un petit mouvement de poignet. Puis il reprit :

— C'est vrai que mes petits-fils, ils connaissent drôlement bien notre histoire. Souvent, ils m'ont étonné. Vous pensez que leur mère, elle leur parle de l'Algérie ?

— C'est certain, l'encouragea Marie.

René termina son verre et le tendit à Albouker.

— Po po po, vas-y, mon fils, redonne-moi un peu de soleil et de vie.

Albouker ne se fit pas prier. La discussion culinaire reprit aussitôt. Il était question cette fois-ci de créponnet. Un genre de sorbet, crut comprendre Sebag.

— Les meilleurs de tous, on les trouvait à Bab-El-Oued, j'te dis, affirmait Roger l'Algérois. Je ne suis pas sûr du nom du glacier mais je crois que c'était quelque chose comme Grosoli, le nom.

Comme Albouker restait à l'écart de ce débat, Claire lui demanda :

— C'est étonnant ce déni que vous avez eu de l'Algérie pendant des années. Comment expliquez-vous ce revirement aussi tardif que soudain ?

— Je pense d'abord que la douleur était trop forte et que, pour ne pas souffrir, je l'ai niée autant que j'ai pu. Et puis j'avais aussi l'envie de m'intégrer, je refusais d'être pied-noir, je voulais devenir un Français comme les autres. Mais c'était peine perdue : les rapatriés d'Algérie ne peuvent pas être des Français comme les autres.

— Pourquoi ?

— La plupart de mes amis ici présents vous diront que c'est parce que nous avons trop aimé la France et qu'elle nous a trahis mais moi je crois que c'est un peu simpliste. En fait, nous avons aimé une France qui n'était pas la vraie. Nous vivions loin de la métropole et nous l'avons fantasmée, cette France. Mes parents sont nés tous les deux à Alger et, la première fois qu'ils ont posé les pieds dans l'Hexagone, c'était en 1962. Ils ne connaissaient rien finalement de ce pays.

Il se resservit du vin. Il oublia le verre de Gilles mais pas celui de Claire.

— Notre France, c'était la France éternelle de nos cours d'histoire de l'école primaire, loin de nos yeux mais tout près de notre cœur. Notre France, c'était celle du centenaire de la conquête de l'Algérie en 1930. À cette époque, la colonisation constituait la gloire de la France et l'image du colon était celle d'un homme courageux et travailleur, un héros, un véritable cow-boy dans une sorte de Far South. Nous, en Algérie, on en était restés là, à l'automne 54, lorsque les événements ont commencé. Et on en était toujours là, en 1962, lorsque la guerre s'est achevée. Nous n'avons pas compris les changements qui s'étaient opérés très vite dans l'autre France, la vraie, la vôtre. Pour les métropolitains, nous n'étions plus des héros mais de riches exploiteurs, injustes et racistes.

« La gloire de la France était devenue sa honte. Et cette vision partiale est devenue une vérité historique. Nous aimerions un peu plus de nuances : c'est pour cela que nous sommes tellement attachés aux monuments qui célèbrent cette mémoire.

Claire, que les propos trop généraux et politiques ennuyaient, replaça la discussion sur un plan plus personnel.

— Et pour vous, le retour en France a dû être un véritable déchirement ?

Albouker lui fit un petit sourire triste. Les poches sous ses yeux se gonflèrent comme des poumons.

— Vous voyez, vous venez d'illustrer sans le vouloir la difficulté pour nous d'expliquer notre malheur aux métropolitains. Vous avez dit « le retour en France »... Mais pour nous, il ne pouvait s'agir d'un retour puisque nous n'y étions jamais venus ! Beaucoup d'anciens Français d'Algérie, pour la même raison, rejettent ce terme de « rapatriés » que l'on nous colle souvent, car pour eux leur patrie c'était l'Algérie, pas la France. En tout cas, pas cette France...

Il posa sa main sur celle de Claire et la tapota doucement.

— Mais pour répondre plus précisément à votre question, ce fut plus qu'un déchirement pour moi, plus qu'une rupture même, un véritable deuil.

Gilles écoutait leur conversation mais s'efforçait de regarder ailleurs. Il sentait qu'Albouker parlerait plus librement avec une femme.

— Pour moi, il y aura toujours un avant et un après. J'ai le sentiment de ne plus jamais avoir été le même après... après notre départ. Oh bien sûr, j'ai été heureux ici. J'ai pu faire les études que je voulais et que je n'aurais sans doute pas pu faire là-bas. J'ai rencontré une femme que j'aime, j'ai eu des enfants, une belle maison. Rien à dire. Oui, j'ai été heureux mais...

Il prit le temps de trouver le mot juste pour exprimer le sentiment diffus qui l'habitait.

— Oui, j'ai été heureux mais je crois que je n'ai plus jamais été... joyeux. Oui, c'est cela, joyeux. Joyeux et insouciant. En fait, j'ai cessé à six ans d'être un enfant.

Il avait parlé en regardant la table, comme s'il cherchait ses mots et ses sentiments parmi les miettes du repas qui maculaient la nappe. Il releva la tête et fixa Claire.

— Vous n'êtes pas catalane ? lui demanda-t-il à brûle-pourpoint.

— Non, je suis née dans les Yvelines.

— Vous êtes attachée à votre région d'origine ?

— Pas vraiment, non.

— Alors ce sera impossible pour vous de comprendre notre passion de l'Algérie. Je crois que seuls les Catalans de souche, ils peuvent nous comprendre. Parce que eux aussi aiment leur pays, leur culture, leur langue…

— Expliquez-moi.

— Justement, c'est inexplicable, c'est indicible. On ressent ces choses au plus profond de soi. Elles sont intraduisibles par des mots. Les mots, ils ne sont pas assez forts. Ils ne font pas assez de sentiment, les mots. Je pourrais vous raconter Bab-El-Oued, les rassemblements, les bals, les fêtes – dès qu'on pouvait, on faisait la fête –, mais je ne crois pas que j'arriverais à vous faire partager quoi que ce soit avec mes mots. La seule façon de transmettre quelque chose, c'est par l'émotion. Mais nous, les pieds-noirs, lorsqu'on se laisse aller à l'émotion, oh là là, on ne maîtrise plus rien, c'est tout de suite trop et ça devient risible.

— Ah, ce merveilleux pays de cocagne que nous avons perdu, intervint ironiquement Marie Alboukcr.

Son mari essuya discrètement une larme qui stagnait au coin de son œil. Il soupira aussi car il savait ce qui allait suivre, ils avaient eu cette conversation mille fois déjà.

— Tous les pieds-noirs n'ont pas été malheureux de quitter l'Algérie, vous savez. Pour ma mère, par exemple, ce fut plutôt une délivrance.

Claire ne dissimula pas sa surprise.

— Vous n'imaginez pas l'archaïsme et le machisme de la société pied-noir de l'époque, expliqua Marie Albouker. De ce côté-là, nos familles n'avaient rien à envier aux Arabes. Ma mère voulait travailler, avoir un métier, mais elle n'a pas pu le faire. Pas avant de vivre en France.

Une lueur nouvelle brilla dans son regard.

— Et je me souviendrai toujours de son plaisir à faire les boutiques dans les rues de Marseille où nous avons vécu les premières années après l'indépendance. Un rien l'émerveillait. Je ne crois pas l'avoir jamais entendue émettre une seule fois un regret d'avoir dû quitter l'Algérie. Sauf peut-être vers la toute fin de sa vie.

— Et vous alors, quel est votre sentiment ? demanda Claire.

— Un sentiment partagé. Forcément. Il m'a toujours été difficile de me faire une idée entre le chagrin de mon père et le soulagement de ma mère, un soulagement qu'elle se gardait bien d'exprimer devant son mari et sa famille. Elle n'en parlait qu'à moi. Mais combien de fois m'a-t-elle dit que je ne connaissais pas ma chance de grandir en métropole...

— Et quels sont vos souvenirs à vous de l'Algérie ?

— Là aussi, je suis bien en peine d'en parler. J'avais trois ans en 1962. Je ne suis même pas sûre que mes souvenirs m'appartiennent.

— Que voulez-vous dire par là ?

— Que je n'arrive pas à faire la part des choses entre les souvenirs authentiques et les souvenirs recréés. On m'en a tellement parlé, de l'Algérie, mon père, mes grands-parents, mes frères aussi, ils avaient quatre et sept ans de plus que moi. Chaque année, à l'anniversaire de notre départ, mes parents nous ressortaient les albums photos. Ils racontaient et ils pleuraient.

Roger qui écoutait la discussion depuis quelques minutes se permit d'intervenir à son tour.

— *Yalla*, ma p'tite dame, si vous voulez que quelqu'un, il vous la raconte, l'Algérie, c'est pas à ces gamins qu'il faut le demander. J'ai soixante-dix-huit ans, moi, la vérité, et j'en avais presque trente quand je l'ai quittée, l'Algérie. Alors, vous pensez si j'ai eu le temps de le connaître, ce pays. Po po po, j'pourrais vous en parler, moi, des sorties à la plage Padovani ou à celle de Sidi-Ferruch. On y passait des week-ends entiers. On y plantait la guitoune dans le sable, on y pêchait notre repas. L'eau jusqu'aux genoux, on y pêchait ; on attrapait la p'tite friture qu'on décrochait, hop, directement dans la poêle. Le poisson encore vivant, il frétillait dans l'huile ; un petit verre de rosé là-dessus. Avec trois fois rien, on se faisait un paradis.

Il fit un tour d'horizon des convives autour de lui et sourit, ravi d'avoir capté l'attention de tous.

— J'en suis imprégné jusqu'à la moelle de mes os, moi, de ce pays. L'Algérie, je vous le dis, ma petite dame, coule encore dans mes veines. Quand j'en parle, il me suffit de fermer les yeux pour l'entendre et la sentir.

Il joignit le geste à la parole, baissant les paupières et aspirant l'air goulûment.

— La purée, ça y est, j'y suis… J'ai les pieds dans l'eau ; les vagues, elles caressent mes genoux ; je sens la canne à pêche qui frémit, je ferre ; le poisson, il est pris. Hop, je le balance aux copains derrière moi et tout de suite je l'entends frétiller dans la poêle. Les copains, ils ont versé les épices sur la friture. Je les sens comme si j'y étais.

Son pote René ricane.

— C'est pas très difficile pour les épices… Avec les restes de couscous sur la table, je les sens même sans fermer les yeux, moi, tes épices.

Roger sourit mais poursuit sans se troubler. Il garde ses yeux fermés.

— Je passe la canne à un copain et je m'assieds sur le sable de la plage. Il est chaud, le sable de Sidi-Ferruch, j'y glisse mes pieds, il est même brûlant. On me tend une anisette dans un verre avec deux gros glaçons. Le copain à qui j'ai laissé la canne, il continue de pêcher et les poissons s'entassent dans la poêle. Les premiers, ils sont déjà cuits, et ils sont dorés comme des blés, appétissants, on a faim, on va pouvoir commencer à manger. On pioche les poissons un à un dans la poêle…

— Attention, c'est chaud…, plaisanta René.

— Oui, c'est chaud et on fait attention, poursuit Roger en haussant encore la voix. Mais surtout, c'est délicieux. Ce n'est plus du poisson mais du velours, j'te dis, de la soie, de la…

— *Aïwa*, fais gaffe aux arêtes !

— Les poissons à Alger, ils n'avaient pas d'arêtes, jamais. Alger, c'était le paradis sur la terre, et ces moments-là, des éclats de bonheur. Nous regardions le soleil disparaître à l'horizon vers le détroit de Gibraltar.

— T'avais une bonne vue à l'époque, se moqua encore René, Gibraltar c'est loin.

Cette fois-ci, Roger s'interrompit et rouvrit brusquement les yeux.

— Ho mais y va pas s'arrêter, c'te brêle, la purée de sa mère, oui. Ah toi, évidemment, la poésie… C'était pas votre point fort, ça, la poésie, à Oran. Pas plus la poésie que la calentita.

— C'est pas la calentita mais la calentica, j'te diiis !

— Et moi j'te dis c'que j'te dis et c'est ça qu'est la vérité…

Les deux vieux reprenaient avec un plaisir partagé la dispute qui semblait les unir depuis des années. Guy et Marie Albouker les contemplaient avec indulgence.

— Vous n'avez jamais été tentés de retourner là-bas ? leur demanda Claire.

Albouker consulta sa femme du regard avant de se décider à répondre :

— Si, bien sûr. Beaucoup de pieds-noirs l'ont fait d'ailleurs. Pour le meilleur et pour le pire. Certains en sont revenus enchantés, d'autres complètement déprimés.

— Et vous, vous ne voulez pas ?

— Notre « là-bas » n'existe plus, c'est un autre pays maintenant. Notre « là-bas », il ne vit plus qu'en nous et c'est celui-là qu'il faut préserver. Moi qui n'ai vécu en Algérie que les six premières années de ma vie, j'ai des souvenirs très forts mais aussi très flous. J'ai peur que les images d'aujourd'hui n'effacent celles d'hier.

— Ce pourrait être une façon de guérir la blessure aussi !

Albouker tendit les mains vers Claire en faisant une croix avec ses deux index.

— *Vade retro, Satanas.*

Il reposa ses mains sur la nappe en laissant échapper de sa bouche un petit rire fluet.

— Qu'avez-vous dit là, malheureuse ? Mais je ne veux surtout pas guérir ! Le pied-noir porte en lui une blessure profonde et douloureuse qui est à la fois sa force, sa croix et son âme. Cette blessure, il la préserve, il la dorlote, il ne veut pas la perdre. C'est justement ce que beaucoup de Français nous reprochent. Parce qu'ils ne comprennent pas. Ils ne savent pas que si nous guérissons, non seulement notre Algérie disparaît mais nous aussi, je veux dire, nous disparaissons en tant que communauté. Cela viendra bien assez vite, croyez-moi. Nous n'existons que par les souvenirs que nous portons mais chaque année ceux qui ont connu l'Algérie sont de moins en moins nombreux. C'est un peu comme les vieillards en Afrique : vous connaissez le proverbe ?

— Chaque fois qu'un vieillard meurt, c'est une bibliothèque qui brûle.

— Exactement. Eh bien, c'est pareil pour nous : chaque fois qu'un pied-noir disparaît, c'est une partie de notre mémoire qui s'éteint, un morceau de notre histoire qui sombre dans l'oubli. D'ici dix à vingt ans, nous serons tous morts et il en sera fini de notre communauté. C'est cela que j'ai compris, je crois, au moment du décès de mon père : je devais reprendre le flambeau, transmettre l'héritage.

Albouker voulut resservir les verres mais la bouteille était vide. Il n'eut qu'à tendre le bras pour en saisir une pleine, deux convives plus loin.

Marie Albouker posa sa main sur l'épaule de son mari qu'elle massa affectueusement.

— J'en connais un qui va connaître une nouvelle nuit blanche, finit-elle par dire. Chaque fois qu'il évoque la disparition prochaine des pieds-noirs, il n'en dort pas de la nuit. Le meurtre de Bernard l'a beaucoup affecté. Y a une nuit cette semaine où il n'a pas fermé l'œil. Il est même allé se promener dehors malgré la pluie.

Elle posa sa main sur le bras de son mari qui semblait gêné par ses confidences.

— Je comprends, répondit Claire avec compassion. J'en connais un autre qui est sujet aux insomnies : chaque fois qu'il a une enquête difficile à résoudre.

Guy Albouker profita de l'occasion pour changer de sujet :

— Ce meurtre, quelle histoire ! Et ce vandalisme aussi... J'ai entendu dire que vous aviez une piste ?

— Non, on ne peut pas vraiment dire ça, répondit Sebag un peu sèchement.

— Ah bon, j'avais cru que vous aviez arrêté quelqu'un, persista Albouker.

— Nous menons des interrogatoires de routine uniquement. Pour l'instant, personne n'a été arrêté, ni même placé en garde à vue. Ce sera, je pense, une enquête difficile.

Le silence s'était fait autour d'eux. Toute l'assemblée attendait les paroles de Sebag. C'était le moment de trouver les mots justes. Mais que dire ? Il aurait préféré abandonner ce rôle au commissaire ou à la directrice de cabinet : eux avaient été formés pour ça.

— Je crois qu'il ne faut pas s'affoler outre mesure. Nous avons là deux actes isolés. Leur proximité est une coïncidence troublante, mais, en l'état actuel de l'enquête, ce n'est toujours pour nous qu'une coïncidence.

Une vingtaine de visages perplexes restaient tournés vers lui. À l'autre bout de la table, Jean-Pierre Mercier demanda :

— Sans trahir le secret de l'enquête, lieutenant, j'aimerais que vous nous disiez ce que nous devons penser d'une rumeur insistante qui circule depuis deux jours dans le quartier.

— Je vous en prie.

Le ton cérémonieux du trésorier ne lui inspirait rien de bon.

— Il paraît que l'on a retrouvé le mot « OAS » écrit sur les murs du salon de Bernard Martinez. C'est exact ?

Que devait-il répliquer à cela ? La réponse s'imposa rapidement : on lui avait demandé de rassurer les membres de la communauté pied-noir, il estima qu'il ne pouvait le faire en mentant.

— C'est exact, oui. Plus précisément, il était écrits à la peinture sur une porte.

Des exclamations fusèrent de part et d'autre de la table. Moitié surprise, moitié colère.

— Il y a toujours dans une enquête des éléments que la police conserve secrets, se justifia Sebag, c'est une question d'efficacité. Et parfois aussi, je le reconnais, de diplomatie.

— Et comment pouvez-vous continuer à dire en conséquence que le meurtre n'a aucun lien avec la destruction de la stèle ? demanda encore Mercier.

— Parce que les actes ne sont pas de même nature, les armes utilisées non plus. Il n'y a que la proximité des faits.

— Le lien avec l'OAS ne vous suffit pas ?

— Les mêmes équipes travaillent sur les deux actes. Nous ne rejetons pas l'hypothèse d'un auteur commun. Nous avons mis nos effectifs maximum sur ces affaires qui constituent pour nous une priorité car nous avons bien conscience de l'émotion qu'elles vont susciter dans la ville.

Gilles croisa le regard amusé de Claire. Elle le connaissait flic et le découvrait avec un plaisir non dissimulé dans ce rôle de diplomate.

— Et si le véritable lien n'était pas l'OAS mais la communauté pied-noir elle-même ?

Guy Albouker avait parlé d'une voix douce mais parfaitement audible pour tous les convives. Un frisson parcourut la tablée. Sebag prit cette remarque pour un coup de poignard dans le dos.

— Je sais, vous m'aviez fait part de cette inquiétude au téléphone il y a quelques jours. Elle m'avait semblé sans fondement. Elle me le paraît encore aujourd'hui.

— Pourtant, moi je trouve ça crédible, renchérit René. La plupart des petits cons qui s'opposent sans cesse à nos initiatives ne font pas la différence : OAS et pieds-noirs, pour eux, ce sont deux synonymes.

Ces propos suscitèrent l'approbation générale. Sebag se leva et distribua largement des cartes de visite.

— Vous ne devez pas vous inquiéter outre mesure, dit-il pour tenter de les rassurer. Mais je vous donne là mon numéro de portable. N'hésitez jamais à m'appeler.

— Eh bien, voilà qui vous promet des nuits d'insomnie, commenta Marie Albouker à l'intention de Claire.

— J'en ai bien peur.

— *Inch'Allah !* Bon, je vais chercher les pâtisseries. Ça détendra l'atmosphère.

Elle revint presque aussitôt après avec un immense plateau garni de sucreries qu'elle détailla avec gourmandise : cornes de gazelle, tchareks aux figues séchées, sablés à la vanille et bien d'autres encore dont Gilles et Claire ne cherchèrent même pas à retenir le nom. Le brouhaha redevint vite assourdissant, toujours mêlé de rires et d'éclats de voix. Sebag eut pour Marie Albouker un sourire reconnaissant.

Claire profita de cet instant pour prendre sous la table la main de son mari. Elle la serra très fort tout en regardant ailleurs et en semblant profiter pleinement de la conversation. Gilles colla sa cuisse contre la sienne et sourit dans le même temps à une nouvelle explosion de colère de son voisin Roger. Il n'appréciait rien tant que ces instants d'intense complicité. Seuls au monde, elle et lui, parmi la foule. Il imaginait alors que Claire n'était pas sa femme mais sa maîtresse, une liaison secrète, ignorée de tous les convives ici présents.

Mais ce moment fut gâché par une nausée subite. Il aurait tant souhaité pouvoir se persuader qu'il avait toujours été pour elle son unique amant. Il sentit la main de Claire serrer plus fort la sienne.

CHAPITRE 18

Le vieil homme roulait doucement le long de l'avenue bordant la grande plage de Canet. La Méditerranée si calme d'ordinaire rugissait sous la pluie battante et projetait de lourdes vagues écumeuses sur le sable tranquille. Face au vent marin, les palmiers hauts et droits agitaient leurs bras déchirés comme pour tenter de garder l'équilibre. Avant d'arriver au port de plaisance, il tourna une première fois sur sa gauche, puis une seconde fois trente mètres plus loin. Il trouva une place et stationna.

Maintenant, il devait patienter.

Une buée épaisse recouvrit peu à peu les vitres de sa petite auto, le dissimulant aux yeux des riverains. L'autoradio en sourdine diffusait des chansons nostalgiques. L'homme massa lentement ses mains douloureuses. L'automne catalan n'était pas une saison pour lui.

Sa cible habitait une villa cossue dans ce quartier résidentiel de Canet-en-Roussillon. Murs de crépi rose, volets bleus, toits de tuiles méditerranéennes, haie de lauriers roses et rouges derrière un muret blanc. Un petit coin de paradis. Même sous le déluge.

Il ne quittait pas des yeux le grand portail blanc, une petite centaine de mètres devant lui. Il attendait qu'il s'ouvre.

Sa cible rentrait d'une semaine de vacances en Tunisie. Il avait pris rendez-vous avec elle avant son voyage et ils étaient convenus de se voir dès son retour. Il s'était présenté sous un faux nom et avait prétendu préparer un livre de témoignages sur les Français d'Algérie mais il avait d'abord essuyé un refus catégorique. Il avait cru comprendre que sa cible venait d'être sollicitée déjà par un historien et qu'elle avait décliné la proposition. Il avait dû argumenter longuement et avait finalement obtenu gain de cause en expliquant que son livre à lui n'aurait rien d'un ouvrage neutre d'historien : il souhaitait un livre militant pour rendre justice aux courageux combattants de l'Algérie française.

— Venez chez moi dès mon retour, le dimanche matin, avait accepté sa cible avec un enthousiasme soudain. Ma femme doit se rendre à son cours de yoga. Je préfère qu'elle ne soit pas là : elle n'aime pas que j'évoque certaines pages de notre histoire.

— Ce sera parfait, avait-il répondu. Si vous voulez, vous n'êtes même pas obligé de lui faire part de ma visite.

— Nous aurons une heure et demie pour discuter, ce sera suffisant ?

— Je pense. Sinon, nous reprendrons rendez-vous.

— Merci de votre compréhension.

— C'est bien normal.

La chance était de son côté. Les intempéries faisaient la une de la presse et les journalistes semblaient s'être déjà désintéressés du meurtre de Martinez. Sa seconde cible ne se doutait probablement de rien.

Il se demandait d'ailleurs si elle aurait pris peur en apprenant la nouvelle. Pour ces salauds, cette histoire était lointaine. Se souvenaient-ils seulement de tout ce qu'ils avaient commis à l'époque ?

Il aperçut une lumière orange clignoter sur le mur de la villa qu'il ne quittait pas des yeux depuis une bonne demi-heure. La lourde grille s'ouvrit lentement, laissant le passage à une luxueuse Audi. Il attendit encore cinq minutes avant de mettre le moteur en marche. Il fit une fois le tour du quartier puis revint se garer devant la propriété.

En sortant de la voiture, il remonta le col de son imperméable.

— Quel temps ! soupira-t-il en s'approchant de la grille.

Au rez-de-chaussée de la maison, les lumières étaient allumées et on pouvait découvrir le salon à travers une grande baie vitrée dépourvue de rideaux. Il aperçut une silhouette voûtée et se recula. Il mit la capuche de son imper.

Le vieil homme s'apprêtait à poser son index tordu sur le bouton de la sonnette lorsqu'il sursauta. Derrière la baie vitrée, une seconde silhouette se faufilait. Petite, joyeuse et sautillante. Il laissa échapper un juron. Il y avait un enfant dans la villa. Un jeune enfant. Moins de dix ans. Guère plus âgé que sa Gabriella.

Il fallait reporter l'opération.

Il regagna sa voiture tout à la fois déçu, agacé et attendri. Gabriella...

Il repensa à sa cible et serra ses mains sur le volant, déclenchant une vive douleur jusque dans ses poignets. Une idée lui vint. Il prit son téléphone et composa le numéro de téléphone de la villa.

— Allô, c'est M. Malpeyrat. Je suis désolé mais j'ai eu un contretemps de dernière minute et je ne pourrai pas venir ce matin. Est-ce possible cet après-midi ?

— C'est que... cet après-midi, il y aura ma femme.

— Ah oui, c'est vrai.

— La semaine prochaine ?

Non, la semaine prochaine, c'était trop loin. Cela deviendrait plus dangereux. Il pourrait prendre des risques pour sa troisième cible, mais pas maintenant.

— Ce sera trop tard malheureusement, mon éditeur me met la pression, il veut que je lui envoie les épreuves le plus tôt possible. C'est dommage, votre témoignage aurait été précieux.

— C'est vraiment dommage, oui…

Il n'en dit pas plus et attendit. Pas longtemps.

— Je peux vous retrouver demain quelque part si vous voulez.

Le vieux grimaça. Il était prêt. Ce devait être aujourd'hui. Demain, ce serait trop compliqué. Trop risqué.

— Désolé, je reprends l'avion très tôt demain.

Une nouvelle pause.

— Je peux m'arranger pour cet après-midi, je trouverai un prétexte.

— Dix-sept heures ?

— Très bien. Où cela ?

— Sur la route de la plage entre Canet et Saint-Cyprien, par exemple. J'ai un rendez-vous pas très loin juste après. Vous aurez quelle voiture ?

— Une Audi A8 bleue. Et vous ?

Il hésita. Il fallait que cela se passe dans la voiture de sa cible.

— Je ne sais pas encore. Mais je vous trouverai facilement.

— C'est sûr, avec ce temps-là, il n'y aura personne en bord de mer.

— Nous pourrons régler notre affaire tranquillement alors, conclut le vieil homme, un sourire carnassier sur ses lèvres.

La petite Seat Ibiza tangua sur la chaussée qui s'étirait entre la Méditerranée et l'étang de Canet. Le vent marin balançait sur le parc-brise un mélange collant d'eau, de sel et de sable. Blanche de colère, la mer se brouillait avec le ciel vers l'horizon tout proche.

Le vieux s'accrocha au volant, le buste incliné vers l'avant, pour distinguer la route. Malgré la faible visibilité, il n'eut pas de peine à repérer l'Audi bleue, seul véhicule garé ce dimanche en bord de mer sur les dix kilomètres séparant les deux stations balnéaires de Canet et Saint-Cyprien.

Il arrêta sa voiture à côté de l'Audi. Il était en retard mais c'était volontaire. Il fallait que sa cible arrive en premier, qu'elle soit installée confortablement dans sa voiture et surtout qu'elle y reste. C'est pour cette raison également qu'il ne lui avait pas donné le modèle de son véhicule. Ayant un doute, même faible, sur l'arrivée de son rendez-vous, la cible ne prendrait pas la peine de sortir affronter le mauvais temps.

Descendu de la Seat, il jeta un rapide coup d'œil aux alentours. Il distingua les phares d'un autre véhicule qui venait vers eux. Il se rapprocha de l'Audi, regarda vers la banquette arrière avant de cogner à la portière passager. La porte s'ouvrit. Il entra. La voiture aux phares allumés arriva à leur hauteur, les dépassa et s'éloigna vers Canet.

Une fois assis dans l'habitacle, il tendit la main à sa cible. Elle n'avait pas trop changé malgré les traits creusés par l'âge et bouffis par la bonne chère et le luxe. L'autre eut un moment de flottement, serra machinalement la main tendue pendant qu'il fouillait ses souvenirs.

— C'est amusant, votre visage m'est familier ; pourtant, je ne pense pas qu'on se soit déjà croisés. Votre nom ne me dit rien : Jean Malpeyrat, c'est bien cela, n'est-ce pas ?

André Roman l'observait toujours, cherchant à déchiffrer son visage dissimulé sous le masque du temps. Sa mémoire se réveillait doucement. Il ouvrit grand les yeux, puis sa bouche médusée murmura :

— Ce n'est pas possible...

Ses yeux descendirent lentement du visage à la main. Une arme la prolongeait déjà. Un Beretta. Son étonnement s'accentua.

— Je rêve...

— Un cauchemar, plutôt.

— Qu'est-ce que tu veux ?

— Te tuer. Je suis venu de loin pour cela.

— Mais... mais pourquoi ?

— Tu le sais bien, salaud.

La peur s'insinuait dans les yeux d'André Roman.

— C'était il y a si longtemps...

— Pas tant que ça, finalement.

La pluie martelait le plafond et, tel un métronome, soulignait la sobriété de leur conversation. Leurs bouches dégageaient une vapeur qui s'accrochait aux vitres en un linceul opaque.

— Et les autres ?

— Il y en a déjà un de moins...

Le regard d'André se rétrécit et sa bouche se plissa.

— Qui ?

— Tu le sauras bientôt. Tu vas le retrouver en enfer.

Son souffle s'accéléra, c'était du sérieux. Mais il y

202

avait peut-être un espoir. Il avait de l'argent, il était plein aux as, il avait su faire fructifier sa cagnotte.

Il n'eut pas le temps de formuler une proposition. Une voix du passé s'éleva, sèche et déterminée.

— Je ne veux pas de ton fric.

Cette fois, André comprit qu'il n'y avait pas d'échappatoire. Dans quelques secondes, la lumière allait s'éteindre pour toujours. Il s'agita sur son siège et parvint à glisser discrètement sa main gauche dans la poche de son manteau. Il aurait bien aimé prévenir son ancien chef mais celui-ci avait coupé les ponts depuis longtemps. À tâtons, il composa le numéro raccourci de son domicile. Il aurait pu aussi appeler le 17, se dit-il après coup. Trop tard. Il n'avait pas le droit à un deuxième essai.

Le vieux justicier avait repéré son manège mais ne s'en souciait pas. Il maîtrisait le timing et l'heure avait sonné.

— Adieu.

Sans attendre de réponse, il tira.

André écarquilla les yeux. Il sortit la main de la poche de son manteau pour la poser sur son ventre déchiré. Il ne souffrait pas, c'était curieux, mais un froid brutal l'envahissait. Il releva les yeux vers son assassin puis inclina la tête. Il aurait bien aimé comprendre.

Le tireur releva légèrement le canon de son arme. Une voiture passa près d'eux sur la route littorale. Il attendit qu'elle s'éloigne avant de tirer une seconde fois. En plein cœur. Le corps de Roman s'affaissa, retenu seulement par sa ceinture de sécurité. L'odeur de poudre avait envahi l'habitacle. Il respira profondément.

Une voix d'enfant retentit dans l'Audi.

— Allô… papy ? Papy, mon Dédé ?

La voix se fit plus lointaine.

— Mamy, c'est mon Dédé qui dit rien.

Il fouilla les poches de sa victime, trouva le téléphone portable et l'éteignit. Il avala difficilement sa salive. La guerre ne faisait pas de cadeau. Pas plus aujourd'hui qu'hier.

Il sortit sa bombe de peinture. Il lui fallait encore signer son acte.

Puis il regagna sa voiture. Il avait accompli la deuxième partie de sa mission. La troisième serait plus difficile car la cible, maintenant, risquait de se méfier. Mais cela n'avait guère d'importance. Même s'il ne parvenait pas à tuer le dernier larron, il savait qu'il avait déjà cessé de vivre. La peur le hanterait jusqu'à la fin.

Dans un bar ouvert du port de Saint-Cyprien, il but un pastis en tremblant. Puis il repassa la frontière en fin d'après-midi.

CHAPITRE 19

Gilles s'accorda un second café avant de partir. L'ultime sursis avant d'aller au boulot. Il ferma les yeux pour apprécier la douceur du moka d'Éthiopie.

— Alors, c'est bon ?

Il rouvrit les yeux. Son fils lui souriait. Un sourire et une phrase de trois mots, deux miracles d'un seul coup. Sebag s'apprêtait à répondre d'une aimable boutade lorsqu'il s'aperçut que Léo portait son casque sous le bras.

— Tu ne comptes tout de même pas prendre le scooter aujourd'hui ?

— Pourquoi pas ?

— Tu as vu le temps ?

— Il ne pleut plus.

— Oui mais la tram est de retour. Le bus, ce serait plus prudent pour aller au lycée.

— J'ai des profs absents, je termine à 15 heures, je ne vais pas attendre les bus scolaires.

— Tu as les bus de l'agglo.

— Tu parles ! Je vais mettre près d'une heure pour rentrer...

— Oui, mais au moins, tu es sûr d'arriver.

— Fallait pas m'offrir un scooter, alors.

— Je te rappelle que je n'étais pas pour.

— On ne va pas refaire le débat…

— On pourrait si tu ne m'obéis pas.

— Moi, j'obéis toujours. Mais tu ne m'as rien interdit : tu m'as juste dit que ce serait plus prudent de prendre le bus.

Gilles prit le temps d'observer son fils. Ses traits s'étaient épaissis avec l'adolescence et quelques boutons disgracieux constellaient ses joues. Mais quand il plaisantait ainsi, les derniers feux de son regard d'enfant brillaient encore dans ses yeux. Comme la lumière d'une étoile qui nous parvient encore bien des années après sa mort.

— Tu prends des cours de rhétorique, au lycée ? demanda Gilles.

— Des cours de quoi ?

— De rhétorique, c'est l'art de la discussion. Dommage ! Au moins, tu aurais des bonnes notes dans cette matière.

— J'ai quand même quelques bonnes notes dans d'autres matières cette année.

— Le sport ?

— Pas seulement. En français et en maths aussi, je bosse un peu plus depuis la rentrée, tu verras mon bulletin.

— J'ai hâte…

— D'ailleurs…

Léo hésita puis se lança.

— D'ailleurs, si je peux rentrer plus tôt, ça me permettra de mieux réviser mon interro de demain.

Sebag ne put s'empêcher de pouffer.

— Tu veux vraiment me faire croire que si tu prends ton scooter, c'est pour pouvoir travailler ? Regarde ton père droit dans les yeux, tu sais que je devine toujours tout. Quand tu mens, ça se voit comme… comme ton acné au milieu de la figure.

Léo, par pure tactique, consentit à rire. Sebag termina son café, attendant que son fils revienne à la charge. Ce qui ne tarda pas.

— Alors, c'est oui ?

— Disons que ce n'est pas non.

— Yes !

Léo tendit le plat de sa main. Gilles frappa dedans.

— Sois prudent quand même.

— Je suis toujours prudent.

— J'espère bien, fiston. Un enterrement par mois, ça me suffit.

Contrairement à ce qu'avait dit Léo, la pluie n'avait pas complètement cessé. Le ciel charriait de gros nuages noirs que le vent dispersait vers la mer. « Un temps à ne pas mettre un chien ou un scooter dehors », regretta Sebag en montant dans sa voiture.

En chemin, il alluma la radio. C'était l'heure du journal de France Bleu Roussillon. Après un reportage sur le concert d'une jeune chanteuse locale, ancienne vedette d'une émission de télé-réalité, il écouta attentivement un flash sur le meurtre de Martinez. Comme il s'y attendait, cette fois l'info avait filtré jusque dans les rédactions : le journaliste mentionnait l'inscription sur la porte du salon et faisait état de l'appartenance de la victime à l'OAS mais sans partir dans des spéculations hasardeuses. L'ensemble lui sembla plutôt correct.

Une fois arrivé au commissariat, Sebag s'arrêta un instant au quart, le service des urgences d'un commissariat.

— Quoi de neuf, cette nuit ?

— Une altercation à la sortie d'une boîte de nuit, un tapage nocturne au Bas-Vernet et une tentative de cambriolage dans un entrepôt du marché Saint-Charles, répondit le lieutenant François Ravier. La routine, quoi ! Et toi, ça va ?

— Ouais, petite discussion ce matin avec le fiston au sujet des dangers du scooter... La routine aussi, quoi !

— J'te comprends. Mon fils a seize ans et on n'a jamais voulu lui en payer un. Il a travaillé cet été et s'en offrira sans doute un bientôt avec ce qu'il a gagné mais ce sera son affaire : si Louis a un accident avec l'engin qu'il s'est payé, eh bien, ce ne sera pas notre faute. Cela dit, on croise les doigts quand même !

— *Inch'Allah*, comme on dit !

— Ah bon ? Tu dis comme ça, toi ?

— Ça peut m'arriver, oui.

En grimpant l'escalier jusqu'à son bureau, Sebag réfléchit à l'expression qu'il venait d'employer. *Inch'Allah*... La formule sonnait bien, trouvait-il. Mieux que ça, même : elle sonnait juste. Fataliste au premier abord, elle répandait des ondes apaisantes dès qu'on l'avait lâchée. S'en remettre à Dieu avait parfois du bon. Car, quoi qu'on en dise, dans la vie, on ne maîtrisait rien. Le penser était illusoire. Pire, le penser, c'était mettre la barre trop haut et se charger de trop de responsabilités. Dans la vie, on pouvait rêver, souhaiter, espérer, agir, essayer, se donner les moyens, et puis après, les événements décidaient finalement pour nous. Les événements ? Un terme cache-sexe derrière lequel se dissimulaient le hasard, le destin et même peut-être Dieu, chacun étant libre de choisir son mot pour désigner l'inexplicable. Dans la vie, il fallait agir comme on le sentait, au moment où on le sentait, et après, il n'était plus besoin de cogiter, de s'inquiéter, de ruminer. Après ? *Inch'Allah*, ouais, ça pouvait suffire. Et ce n'était pas qu'une expression, c'était la meilleure de toutes les philosophies.

Avant de savoir comment il pourrait appliquer sa toute nouvelle sagesse à sa vie personnelle, Sebag avait atteint son bureau. Il était temps de se mettre au travail car le *Inch'Allah* avait ses limites. Pour résoudre une enquête, il fallait d'abord se retrousser les manches et en l'occurrence commencer par décrocher son téléphone. Il composa le numéro du président du Cercle pied-noir.

— Bonjour, monsieur Albouker. Lieutenant Sebag à l'appareil. Je n'ai pas voulu vous embêter avec cela samedi soir lors de ce si sympathique couscous mais j'aurais besoin de contacter assez rapidement des personnes ayant fait partie, elles aussi, de l'OAS.

Lourd silence à l'autre bout du fil.

— Monsieur Albouker ?

— Je crains de ne pas pouvoir vous aider. Les membres de notre association ne sont pas classés en fonction de leurs anciennes appartenances politiques, ni des actuelles d'ailleurs. Je ne vous apprends rien en vous disant que ce ne serait pas légal.

— Vous connaissez vos membres, vous savez qui pouvait avoir des accointances avec cette organisation.

— Accointance ne signifie pas appartenance...

Sebag s'énerva d'autant plus vite qu'il gardait rancune à Albouker d'avoir presque semé la panique l'avant veille lors du repas. Il ne trouvait pas cela très responsable.

— Si vous ne voulez pas m'aider, dites-le-moi tout de suite, ça m'évitera de perdre mon temps.

Nouveau silence. Puis Albouker reprit la parole sur un ton plus conciliant.

— En fait, je ne suis pas la personne idéale pour vous aider. Comme je vous l'ai déjà dit, chez nous, nous étions plutôt de gauche. Ce n'est donc pas à moi que l'on fait ce genre de confidence. Contactez plutôt Mercier.

Sebag nota le numéro de portable qu'Albouker lui donna, raccrocha et appela le trésorier. Il refit sa demande et affronta les mêmes réticences. Avec une pointe d'hostilité en plus.

— Vous allez réveiller des souvenirs douloureux, des haines et des colères pas encore cicatrisées, ce n'est pas bon.

— Il faudrait savoir ce que vous voulez. Si vous pensez qu'il y a actuellement une action concertée et malveillante envers les anciens de l'OAS, il faut m'aider. Et puis, je comprends mal vos réticences. Personne n'assume ce qui s'est passé chez vous, c'est ça ?

Il entendit d'abord un souffle fort dans son téléphone.

— Nous assumons, inspecteur, je vous rassure, nous assumons, répondit Mercier. Mais nous sommes lassés que l'on nous renvoie sans cesse à une époque bien précise. L'histoire de l'OAS a duré une année. Une seule année, c'est bien peu quand on sait que la France est restée un siècle entier en Algérie. Mais c'est toujours de cette même année que l'on doit répondre. Nous aimerions tellement parler plutôt des autres...

— Je le sais, j'étais au couscous samedi, je vous le rappelle. Et je vous ai laissés les raconter, vos années heureuses de l'Algérie. Mais le dimanche est passé, aujourd'hui c'est lundi. Moi, j'ai une enquête à mener, je fais mon boulot, c'est tout. Je comprends votre dépit mais je n'y suis pour rien. C'est le tueur qui a choisi, pas moi. Je suis né après la guerre d'Algérie et n'ai jamais eu aucun goût pour l'histoire. Si vous voyez une autre méthode pour boucler mon enquête, n'hésitez pas à m'en faire part, je suis preneur.

Sebag s'arrêta, essoufflé par son argumentaire. Comme Albouker juste avant, Mercier prit le temps de la réflexion avant de cracher une information.

— Je vais voir ce que je peux faire. J'appelle un de mes frères, Gérard. Il a été… il a connu certains membres de l'OAS à Alger. Il vit à Paris aujourd'hui. Je vous tiens au courant.

Pour patienter, Sebag ouvrit sa messagerie et consulta la main courante du week-end. Mercier le rappela rapidement.

— Mon frère se renseigne. Il m'a promis qu'il vous téléphonerait dans la matinée.

Sebag s'occupa en relisant tous les procès-verbaux de l'affaire. Dès le premier, il grimaça et il n'arrêta pas de toute la matinée. Vraiment, il ne s'y ferait jamais, au langage formaté et conventionnel de ces PV, les siens comme ceux de ses collègues. Les comptes-rendus policiers le laissaient toujours sur sa faim. Ils filtraient la réalité pour lui donner l'aspect lisse et soigné d'une information objective et rigoureuse, qu'il jugeait, lui, insipide et aseptisée. Le procès-verbal est à la réalité sensible et complexe ce que le camembert industriel est à la gastronomie normande.

La formule lui plut et il la nota dans un coin de son cahier bleu.

Son téléphone sonna vers 10 h 30. Gérard Mercier tenait parole.

— Je suis en mesure de vous confirmer que Martinez était bien de chez nous et que ce n'était pas un simple militant mais un actif, un combattant.

Sebag savait déjà cela. Il attendit la suite. Mercier dut sentir sa déception.

— J'ai fait au plus vite et je n'ai pas encore pu recueillir beaucoup d'informations.

— Ce qu'il me faut, c'est une liste d'anciens de l'OAS sur Perpignan. Si possible, des gens qui auraient fait partie du même groupe que Martinez, par exemple.

— Vous en demandez beaucoup. Même ceux qui n'ont pas renié leurs convictions n'aiment pas trop revenir sur ces années-là...

— Je sais, votre frère me l'a déjà expliqué en long et en large il y a tout juste une heure. On n'avance pas beaucoup, ce matin. Je ne pensais pas que ce serait si difficile. Ce n'est pas seulement un témoin, que je cherche, mais une victime potentielle !

Il avait volontairement noirci le tableau pour secouer son interlocuteur.

— Vous pensez que le meurtrier va s'en prendre à d'autres militants ?

Gérard Mercier avait mordu à l'hameçon, Sebag pouvait se permettre maintenant de ne pas en rajouter.

— Honnêtement, je n'en sais rien. C'est une hypothèse sur laquelle on travaille puisqu'on ne peut pas encore l'exclure. Quand je connaîtrai les mobiles du tueur, je pourrai dire s'il a d'autres personnes dans le collimateur. Mais pour en savoir plus sur ses mobiles...

— ... il vous faut rencontrer des gens de l'OAS !

— Exactement !

Mercier marqua une pause qui sembla de bon augure à Sebag. En près de vingt ans de carrière, il n'avait jamais rencontré de témoin capable de lâcher des noms à un flic sans prendre le temps d'une réflexion, même de pure forme. Le syndrome de la balance restait actif même lorsqu'il s'agissait de constituer une liste de possibles victimes plutôt que de suspects.

— Un copain m'a donné un nom. Je n'ai pas pu vérifier, je ne sais pas s'il faisait partie du même groupe que Martinez, mais lui pourra vous le dire. D'autant que, d'après le copain, ce type vit lui aussi près de Perpignan. C'est un certain André Roman.

— Il habite où précisément ?

— Je ne sais pas, près de Perpignan, c'est tout ce que mon copain savait. Mais vous devriez le trouver facilement.

— Probablement, oui.

Sebag se sentait soudain pressé de raccrocher.

— J'ai une dernière chose à vous demander, monsieur Mercier. Est-ce que vous pourriez continuer à vous renseigner pour moi sur ce groupe ?

Gérard Mercier opta pour une réponse franche et directe.

— L'affaire m'intéresse et je compte bien solliciter tous mes contacts pour en savoir plus. Je vais continuer à me renseigner, mais pour moi avant tout. Je ne vous garantis pas de tout vous dire après : cela dépendra de la tournure des événements et de la manière dont vous mènerez votre enquête.

Sebag le remercia avant de raccrocher. Il trouva ensuite facilement les coordonnées de Roman dans les Pages blanches de l'annuaire sur Internet. L'homme habitait Canet. Sans attendre, il composa le numéro de téléphone. Une voix de femme lui répondit. Il demanda à parler à André. La voix se brisa et Sebag comprit.

— André ? Non, je… je ne peux pas vous le passer…

La voix blanche laissa la place à un organe plus mâle et plus assuré.

— Pourquoi voulez-vous parler à André Roman ? Qui êtes-vous ?

— Gilles Sebag, commissariat de Perpignan.

— Sebag ? Mais on se connaît ! Je suis le lieutenant Cornet, de la gendarmerie. On s'est rencontrés l'été dernier à Collioure.

— Je m'en souviens très bien, oui. Comment allez-vous ?

La question lui avait échappé bien qu'il ait compris que l'heure n'était pas aux politesses. Cornet, d'ailleurs, ne lui donna pas de nouvelles de sa santé mais lui confirma ce qu'il redoutait.

— André Roman a été assassiné. Je suis chez lui. Je vous attends.

Une voiture bleu nuit de la gendarmerie stationnait sur le trottoir devant la grille de la villa de Canet. Sebag appuya deux coups sur la sonnette et attendit. La porte de la maison s'ouvrit et fit place à la haute et mince silhouette du lieutenant Cornet. Le responsable de la brigade de recherche de la gendarmerie de Perpignan vint à sa rencontre. Il lui tendit une main longue et fine.

— Je vous dirais bien que je suis ravi de vous revoir… pourtant je ne suis pas sûr qu'en de telles circonstances cela soit très convenable.

Cornet n'avait que trente-cinq ans mais sa chevelure brune se constellait déjà de fils d'argent.

— Ça ne vous dérange pas qu'avant de parler de ce qui est arrivé à Roman, je vous demande ce que vous lui vouliez ?

— Cela me semble tout à fait normal.

Sebag raconta le meurtre de Martinez et ne cacha rien des grandes lignes de l'enquête en cours. Quelque chose dans l'œil pétillant du lieutenant et dans son ton de politesse extrême l'amenait à penser que les gendarmes avaient déjà fait des rapprochements avec les informations parues dans la presse. Il valait mieux jouer la transparence afin d'obtenir une pleine et entière collaboration.

Après son récit, Cornet n'émit aucun commentaire. Il se contenta d'une invitation.

— Roman n'a pas été tué chez lui mais dans sa voiture sur la route de Saint-Cyprien. Je vous emmène ?

Le temps du trajet, les deux hommes n'échangèrent que quelques banalités météorologiques. Sebag ne souhaitait pas brusquer son confrère. Le temps des questions viendrait bientôt.

Au bout de la longue ligne droite, ils aperçurent bientôt deux taches bleues, celle d'une camionnette de gendarmerie et à côté, plus claire, celle de l'Audi d'André Roman. Cornet gara sa voiture à proximité. Les gendarmes avaient terminé leurs investigations et le corps de la victime avait été emmené. Les deux agents qui surveillaient encore le véhicule les saluèrent. Sebag examina les alentours. Il repéra des traces de pneus incrustées dans le sol meuble.

— Étant donné le volume de pluie tombé hier matin, ces traces sont forcément récentes, expliqua

Cornet. Nous avons fait les relevés, j'espère avoir les résultats dans la journée.

Sebag s'approcha à pas précautionneux du véhicule. Il en fit lentement le tour sans constater d'effraction.

— Nous avons retrouvé le corps de Roman à la place du conducteur. Nous pensons qu'il a laissé monter son meurtrier. Ils devaient avoir rendez-vous.

— Un rendez-vous qui nécessitait de la discrétion, remarqua Sebag. Il n'a pas dû passer beaucoup de monde par ici, hier.

— Mme Roman nous a contactés dès hier soir. Son mari n'était pas rentré, elle avait eu un appel de sa part dans l'après-midi mais il n'y avait personne au bout du fil. Elle a essayé de le rappeler plusieurs fois sans succès. Elle s'est inquiétée. Mais vous savez ce que c'est quand un individu majeur ne rentre pas au domicile conjugal... La plupart du temps, il s'agit d'une escapade sans conséquence. Nous avons appelé les urgences hospitalières et, comme il n'y avait pas eu d'accident, nous avons tenté de la rassurer et nous avons noté son appel. Ce matin, un habitant de Saint-Cyprien qui partait travailler à Canet a repéré la voiture et surtout une forme sombre avachie. Il a prévenu la brigade du secteur qui a envoyé une patrouille.

Sebag aurait bien aimé ouvrir la portière pour inspecter l'intérieur mais les scellés étaient déjà posés. Il approcha son nez de la vitre côté passager.

— C'est surtout le plafond qu'il faut regarder, lui conseilla Cornet.

Sebag pencha la tête. L'intérieur était sombre mais les trois lettres blanches se déchiffraient facilement. OAS. Sebag frissonna. Il n'y avait plus de doute : c'était bien le début d'une série.

Sur le trajet du retour vers la maison de Roman, le lieutenant Cornet se montra plus prolixe.

— *A priori*, le meurtrier n'a pris aucune précaution et les empreintes relevées côté passager sont probablement les siennes. Ce sera rapide de les comparer avec celles que vous avez trouvées dans l'appartement de Martinez.

La voiture tangua sous une rafale. La tramontane nettoyait le ciel, et la mer, au large, retrouvait peu à peu ses teintes bleutées.

— André Roman a été tué à bout portant de deux balles, une dans le ventre, une autre dans le cœur. L'expertise balistique nous dira s'il s'agit de la même arme. Un Beretta 34, je crois, de calibre 9 mm ?

Sebag acquiesça en se félicitant intérieurement d'avoir joué franc-jeu avec le gendarme qui semblait bien maîtriser le dossier Martinez.

— Sa mort remonte probablement à hier après-midi, continua Cornet. Après 17 h 12.

Le lieutenant s'amusa de l'étonnement de Sebag.

— C'est l'heure de l'appel passé depuis le portable de Roman à son domicile. Le téléphone a été retrouvé sur le corps. Je ne suis pas loin de penser que Roman a appelé chez lui juste avant de mourir. Il a probablement composé le numéro de téléphone en cachette de son assassin.

— Pourquoi appeler chez lui et pas la police ?

— Il aura agi par pur automatisme, il n'a pas dû avoir le temps de réfléchir. De toute façon, c'était trop tard, ça n'aurait rien changé.

Les premiers immeubles de Canet approchaient et Cornet ralentit. La route s'éloignait de la plage pour contourner la ville. Le lieutenant de gendarmerie poursuivit son exposé.

— Roman avait ses papiers sur lui, sa carte bleue et de l'argent liquide. Ce n'est pas un crime crapuleux mais vous vous en doutiez déjà. Le corps a été transféré à l'institut médico-légal. L'autopsie devrait avoir lieu demain.

Cornet vira sur sa droite à un rond-point, prenant à nouveau la direction de la mer. Il dut s'arrêter à un passage clouté pour laisser passer un couple de retraités tirés par deux chiens.

— La veuve, Mathilde Roman, est sous le choc. Elle ne nous a pas encore dit grand-chose. Si ce n'est qu'ils revenaient de vacances en Tunisie. Ils y vont deux ou trois fois chaque année. Ils ont une petite maison familiale là-bas.

Cornet gara de nouveau sa voiture devant la grille de la villa des Roman. Puis il devança Sebag dans l'allée du jardin. Arrivé devant la porte de la villa, il frappa un petit coup avant de l'ouvrir.

— Madame Roman, c'est de nouveau la gendarmerie. Je rentre.

Sebag le suivit jusqu'à un grand salon cossu où une dame âgée se tassait sur un canapé de cuir fauve. Ses cheveux d'un faux blond, son chemisier vert à collerette et sa tête inclinée la faisaient ressembler à un tournesol fané.

— Madame Roman, je vous présente le lieutenant Sebag du commissariat de Perpignan. Nous avons quelques questions à vous poser.

Mathilde Roman leva sur Gilles un regard vide et indifférent. Elle se pinça furtivement le nez avec le mouchoir en papier qu'elle tenait serré dans sa main.

Cornet s'assit à ses côtés mais Sebag resta debout, contemplant les nombreuses photos accrochées au mur. Il demeura quelques secondes devant un portrait de groupe pris sans doute un été sur la plage de Canet. Il compta douze personnes en rang d'oignons, classées visiblement par âges. À un bout, le couple de grands-parents semblait heureux et épanoui. Il réalisa qu'il voyait pour la première fois le visage de la victime.

— Vous avez une bien belle famille, madame Roman, déclara-t-il.

La veuve releva la tête dans un sursaut de fierté.

— Oui. Nous avons eu trois enfants : deux garçons, une fille. Et nous avons sept petits-enfants. Cette photo date d'il y a quelques mois. Cet été, nous avons eu la chance de pouvoir réunir tout le monde en même temps. Ce n'est pas toujours possible : notre fils aîné est à Montpellier, le second aux États-Unis et notre fille vit à Toulouse depuis qu'elle est mariée.

— Sept petits-enfants, c'est bien, complimenta Sebag. Ça doit vous occuper, non ?

— Pas assez à mon goût. Comme leurs parents ne vivent pas à Perpignan, on ne les voit pas trop souvent.

— Quels sont leurs prénoms ?

Mathilde Roman suivit le doigt de Sebag qui glissait d'un visage à l'autre sur la photo.

— Bénédicte, Léon, Martin, Camille, Chloé, Lucie et Antoine. Antoine, c'est le petit dernier, il a cinq ans, c'est le deuxième de ma fille. Lui, nous le gardons souvent.

Elle renifla bruyamment avant de reprendre d'une voix plus sourde.

— Il était avec nous depuis une dizaine de jours. Nous l'avions emmené en Tunisie. Mon mari a vécu une partie de son enfance là-bas et nous y retournons souvent. Nous avons passé encore des vacances délicieuses. Si nous avions pu savoir... Antoine aimait tellement son papy. Il l'appelait « mon Dédé », il avait trouvé ça tout seul. Depuis son plus jeune âge, il l'appelait ainsi... C'est Antoine qui a décroché le téléphone hier quand André a appelé pour la dernière fois. Il a cru à un jeu et je n'ai pas encore eu le courage de le détromper. Je l'ai confié ce matin à une voisine. Laurence, sa mère, doit venir ce soir de Toulouse pour le récupérer et pour... m'aider. C'est elle qui lui annoncera. Moi, je n'en n'aurai pas la force.

Sebag jugea le moment opportun pour entamer une conversation plus professionnelle. Il s'assit sur un fauteuil en face du canapé.

— Votre mari a donc vécu en Tunisie. Je croyais qu'il était pied-noir d'Algérie ?

Mathilde Roman posa son mouchoir en papier sur la table basse et en sortit un autre d'une boîte en carton, qu'elle garda serré dans sa main.

— Oui, il est né à Alger mais son père était fonctionnaire et il a été en poste à Bizerte, dans le nord de la Tunisie. La famille trouvait ce pays plus calme et plus hospitalier et ils auraient bien aimé y rester. C'est pour cela qu'ils ont acheté une maison, celle dont nous avons hérité. Mais finalement le père d'André a été de nouveau muté en Algérie. C'était quelques années avant le début de la guerre.

Elle parlait vite et abondamment du passé avec l'espoir inconscient de repousser les autres questions des policiers. Celles qui n'allaient pas manquer de la replonger dans ce présent épouvantable.

Sebag croisa le regard du lieutenant Cornet et lui fit

signe justement de prendre l'initiative. Le gendarme accepta volontiers.

— Vous m'avez dit tout à l'heure, madame, que votre mari avait un rendez-vous et que c'est pour cela qu'il est parti de la maison peu avant 17 heures. C'est bien cela ?

Mathilde Roman prit le temps de se moucher avant de hocher la tête positivement.

— Un rendez-vous avec un écrivain, n'est-ce pas ? insista Cornet.

— Oui, c'est cela, un écrivain… pour un livre…

— Un livre sur quel sujet ?

— Sur la guerre d'Algérie.

Sebag sortit son carnet et commença à prendre des notes.

— Quel est le nom de cet écrivain ?

— Je ne m'en souviens pas mais j'ai vu qu'André l'a noté dans son agenda. Il ne m'en a pas dit plus car je n'aime pas qu'il évoque ce passé devant moi.

— Il est où, cet agenda ?

— Sur son bureau probablement.

Elle fit mine de se lever mais Cornet l'arrêta.

— Nous verrons cela plus tard. De toute façon, c'est certainement un faux nom.

Elle posa sur le gendarme des yeux effrayés.

— Vous pensez que c'est cet homme qui l'a… ?

Elle n'osa pas en dire plus. Ne pas formuler l'insoutenable, un mécanisme classique de défense pour tenter de refuser l'inéluctable. Sebag décida de l'aider à affronter la réalité.

— Oui, nous supposons que l'assassin de votre mari s'est présenté à lui sous ce faux prétexte.

Il avait prononcé lentement et bien distinctement

les trois syllabes du mot « assassin ». Mathilde Roman baissa la tête, retrouvant la position du tournesol fané. En alternance avec Cornet, Sebag posa les questions habituelles dont il connaissait pourtant déjà les réponses. André Roman était-il inquiet ces derniers temps, se sentait-il menacé, avait-il des ennemis ? Elle se contenta de répondre en remuant tristement la tête.

Sebag choisit enfin d'entrer dans le vif du sujet :

— Vous saviez que votre mari avait fait partie de l'OAS ?

Mme Roman releva les yeux vers lui.

— Vous croyez que c'est en rapport avec... avec sa... ?

Cette fois-ci, Sebag ne lui vint pas en aide. Mais elle s'arrêta et ne prononça pas le mot.

— Nous avons toutes les raisons de le penser, oui. Votre mari parlait souvent de l'OAS ?

— Jamais... Jamais devant moi.

— Pourquoi ?

— Je vous ai dit que je n'aimais pas qu'il parle de l'Algérie devant moi. Je le lui ai même interdit.

La voix de Mme Roman reprenait de la vigueur.

— L'Algérie que nous avons connue est morte, j'ai tourné la page depuis longtemps.

— Vous êtes née là-bas vous aussi ?

— Oui. J'ai rencontré André sur le bateau qui nous conduisait d'Alger à Port-Vendres.

— Que pensez-vous du combat qu'il a mené en Algérie ?

— Rien, je ne veux plus rien en penser. À l'époque, pour moi, il était un héros. Depuis, je ne sais plus. Personne ici en France ne pense comme nous, nous pensions autrefois. Alors je ne veux plus me poser de questions.

— Que sa mort soit liée à ce passé, cela vous étonne ?

— Je ne sais pas. Oui et non... Tout cela est si loin. Et en même temps, quoi d'autre ? André est à la retraite depuis dix ans. Nous faisons partie d'un club de Scrabble et nous allons deux fois par semaine à un cours de gymnastique volontaire. Des fois, nous aidons aussi le Secours catholique. Je ne vois pas ce que quelqu'un aurait pu reprocher à André dans tout cela.

— Votre mari était concessionnaire auto avant de partir à la retraite, c'est ça ? demanda le lieutenant Cornet.

— Oui.

— À Perpignan ?

— À Perpignan, dans les Pyrénées-Orientales et dans l'Aude. Il avait plusieurs magasins.

— Il a tout vendu en prenant sa retraite ?

— Non, une partie seulement. Il est encore propriétaire de certaines concessions même s'il en a abandonné la gestion.

Constatant que Sebag ne le suivait pas dans cette direction, Cornet se tut brusquement et lui adressa une grimace d'excuse. L'inspecteur lui répondit d'un large sourire signifiant qu'il n'était pas gêné de cette interruption. La collaboration police-gendarmerie fonctionnait bien pour l'instant sur cette enquête mais il convenait de ne pas froisser les susceptibilités de chacun.

Sebag reprit la main :

— Savez-vous quelles actions a commises votre mari au nom de l'OAS ?

— Non. Je ne lui ai jamais rien demandé. Comme je vous l'ai dit, je le considérais comme un héros lors de notre rencontre, et pourtant, je n'ai jamais rien voulu savoir. C'était comme si j'avais déjà deviné qu'il y avait eu des choses horribles.

— André a commis des choses horribles ?

— Cette guerre a été effroyable et chaque camp a commis des choses horribles.

— Horribles au point de susciter une vengeance aussi tardive ?

Mathilde Roman haussa ses frêles épaules.

— À part quelques personnes comme moi, les pieds-noirs n'ont jamais rien voulu oublier de cette époque. Au contraire, ils adorent gratter leurs plaies douloureuses. Ils se souviennent de tout et de tous.

— Votre mari avait-il gardé des contacts avec d'autres anciens de l'OAS ?

— Non, je ne crois pas.

Avec son mouchoir, elle essuya son nez humide.

— Mais si c'était le cas, il ne me l'aurait pas dit.

Sebag la dévisagea un instant. Quelque chose dans l'attitude de la veuve l'alertait. Pour la première fois, il avait l'impression qu'elle ne lui disait pas toute la vérité.

— Connaissiez-vous Bernard Martinez ? demanda-t-il.

— Non.

Elle avait répondu un quart de seconde trop vite. Lorsqu'un nom ne vous dit rien, on prend le temps de réfléchir avant de répondre.

— En êtes-vous sûre, madame ?

Elle se moucha et releva la tête.

— Je ne le connaissais pas vraiment...

— « Pas vraiment », c'est-à-dire ?

Elle posa son mouchoir sur la table basse à côté du précédent puis en prit un troisième.

— Il m'est arrivé de lire ce nom sur l'agenda de mon mari.

— Ils se voyaient donc de temps en temps ?

— Je suppose.

— Et il ne vous en parlait jamais ?

— Jamais, non.

— Donc vous supposiez qu'il était lié à ce passé de votre mari dont vous ne vouliez plus rien savoir ?

Elle fit oui de la tête.

— Et c'est pour ça que vous ne voulez pas nous en parler ?

Elle lui adressa un sourire gêné pour le remercier de sa compréhension.

— Oui, excusez-moi, c'est idiot. Mais ça fait tellement longtemps que j'évite ce sujet…

— Bernard Martinez a été assassiné il y a une semaine dans son appartement de Perpignan.

Sebag avait volontairement lâché l'information sans préavis. Il sentait que la femme de Roman retenait une partie de la vérité et il voulait souffler le chaud et le froid. Mathilde, frappée de stupeur, ouvrit grand ses yeux rougis de larmes.

— Votre mari était-il au courant de sa mort ? demanda Gilles.

— Je n'en sais rien. Non, sûrement pas.

— Il en aurait été peiné ?

— Probablement.

— Ils étaient suffisamment proches pour cela ?

— Je crois.

— Cette mort l'aurait-elle inquiété ?

— Je n'en sais rien.

— Mais vous le pensez ?

Elle le regarda, déboussolée par cette soudaine rafale de questions. Le lieutenant Cornet aussi semblait surpris. Mais Sebag n'avait pas fini.

— Bernard Martinez a fait partie de l'OAS autrefois. Était-il dans le même groupe que votre mari ?

— Je n'en sais rien.

— Vous ne voulez plus vous en souvenir, madame Roman, pourtant vous le savez. Qu'inscrivait votre mari dans son agenda lorsqu'il devait voir Martinez ? « Rendez-vous avec Bernard » ?

— Oui, c'est cela.

— Bernard seulement ?

— Oui.

— Pas Martinez ?

— Non.

— Mais vous saviez qu'il s'agissait de Bernard Martinez ?

— Euh…

— En tout cas, lorsque je vous ai demandé si vous connaissiez Bernard Martinez, vous n'avez pas songé un seul instant qu'il puisse s'agir d'un autre Bernard.

Mathilde Roman s'effondra. Elle posa sa tête sur ses genoux et éclata en sanglots. De longs sanglots. Cornet posa sa main sur les épaules de la veuve et les massa délicatement en lançant un regard interrogateur à Sebag qui commençait à se demander lui aussi s'il n'y était pas allé trop fort. Pour le savoir, il devait encore insister :

— André et Bernard faisaient partie du même groupe à l'OAS, n'est-ce pas ?

Elle eut un bref mouvement d'épaules qu'il interpréta comme une confirmation.

— Qu'ont-ils fait exactement pour défendre l'Algérie française ? Vous le savez. Il faut nous le dire. Cela nous aidera à arrêter le meurtrier de votre mari.

Mathilde sanglota un long moment encore avant de se redresser lentement et de leur présenter un visage déchiré de larmes. Sebag comprit alors l'intensité de sa douleur. Elle aurait tellement aimé ne garder en ces heures douloureuses que le souvenir d'un mari tendre et d'un grand-père attentionné.

— Oui, André et Bernard Martinez ont été des membres actifs de l'OAS, raconta-t-elle d'une voix monocorde. Ils ont tué. Ils ont posé des bombes et mitraillé des gens. Des combattants du FLN mais aussi des Arabes sans défense. Un policier français, également. Des femmes et des enfants aussi, je suppose. Je ne veux rien savoir. C'était horrible. L'époque était horrible. Comment a-t-on pu aller jusque-là ? Les Arabes étaient nos amis…

Elle s'interrompit pour se moucher.

— La seule chose de bien et de courageuse qu'ils aient faite, c'est de lutter contre les barbouzes.

Les barbouzes… Ce mot évoquait surtout pour Sebag un film de Lautner des années soixante-dix. Avec Lino Ventura, Bernard Blier et Francis Blanche, si sa mémoire ne lui faisait pas défaut. Une histoire d'espionnage. Rien à voir avec l'Algérie. Il lui faudrait creuser ce point très vite.

— Qui d'autre faisait partie de leur groupe ?

Les yeux rouges et gonflés de Mathilde se plantèrent dans ceux de l'inspecteur.

— Je n'en sais rien, monsieur, vraiment je n'en sais

rien. Eux seuls auraient pu vous le dire. Bernard Martinez était la seule personne de son passé avec qui André avait gardé contact. Il ne voyait personne d'autre.

— Vous savez combien ils étaient ?

— Non, vraiment, je suis désolée, monsieur.

Sebag n'insista plus. Il avait honte d'avoir été si loin mais c'était le métier. Il le fallait. Il se leva, aussitôt imité par le lieutenant Cornet.

— Il ne faut pas rester seule, madame Roman…, fit doucement le gendarme.

— Ma fille doit venir tout à l'heure de Toulouse.

Elle jeta un bref coup d'œil à une pendule accrochée sur le mur du salon.

— Elle ne devrait plus tarder maintenant.

— Vous avez confié Antoine à une voisine, c'est ce que vous nous avez dit ?

Elle répondit un « oui » à peine audible.

— On vous emmène chez elle, ajouta Cornet.

Sans lui laisser l'occasion de protester, il lui prit le bras et la força à se lever. Puis il la conduisit vers la sortie. Avant de les suivre, Sebag attrapa la boîte de mouchoirs restée sur la table basse. Mathilde Roman en aurait encore besoin.

CHAPITRE 20

Sebag marchait d'un pas rapide dans les rues de Perpignan en avalant un sandwich. Jambon scrrano, poivrons, salade : un délice. Il était rentré de Canet trop tard pour prendre le plat du jour au Carlit et s'était fait confectionner par Rafel cet *entrepa*[1] sur mesure. Il profitait de sa pause déjeuner pour faire un peu d'exercice car il savait que l'après-midi serait long et qu'il n'aurait pas la possibilité de sacrifier à son traditionnel footing en soirée. Informé du meurtre d'André Roman, Castello avait redéployé les équipes et convoqué d'urgence une nouvelle réunion pour la fin de journée.

Sebag s'arrêta en terrasse place Cassanyes boire un thé à la menthe dans un petit bouiboui marocain. Point de jonction entre les quartiers maghrébin et gitan, la place Cassanyes accueillait tous les matins un marché haut en couleur. Mais en ce début d'après-midi, il ne restait plus pour en témoigner que des emballages vides et des légumes pourris abandonnés sur le bitume. L'air était encore doux malgré l'humidité qui suintait des murs et remontait du sol. Sebag sirotait tranquillement son thé chaud et sucré. Une balayeuse de voirie se mit bruyamment au travail entourée d'une horde de

1. Sandwich.

229

petits bonshommes verts qui ramassaient les détritus les plus encombrants.

Vers 15 heures, il redescendit d'un pas vif vers le commissariat. Il avait rapporté à son bureau cinq cartons entiers de documents. Les Roman n'avaient pas d'ordinateur et Mathilde l'avait laissé prendre tout ce qu'il voulait dans le bureau de son mari tandis que le lieutenant Cornet, lui, acceptait de fermer les yeux. Car les procédures judiciaires et administratives étant ce qu'elles étaient, toujours trop longues, les gendarmes n'avaient pas encore été dessaisis de l'affaire et, en principe, Sebag n'avait pas le droit d'enquêter sur ce second meurtre.

Des cartons, le lieutenant de police retira d'abord le répertoire téléphonique familial. Il l'éplucha rapidement, sans rien trouver de notable. Il aurait préféré pouvoir consulter le téléphone portable de la victime mais pour cette pièce maîtresse Cornet n'avait rien voulu savoir. Il faudrait respecter la procédure. Le responsable de la brigade de recherche de la gendarmerie de Perpignan avait promis de faire au plus vite et de le tenir au courant.

Dans l'agenda de la victime, Sebag avait trouvé trois dates, trois rendez-vous pris avec « Bernard ». Le 15 février, le 23 mai et le 20 juillet. À côté du prénom figurait chaque fois un restaurant différent. Rien de mystérieux *a priori* dans ces rendez-vous, juste deux vieux messieurs qui devaient partager, tout en faisant bonne chère, leurs souvenirs de guerre et d'infamie.

L'inspecteur négligea pour l'instant quelques dossiers qu'il avait emportés par principe mais qu'il ne considérait pas prioritaires : assurances, déclarations d'impôts, relevés de comptes, etc. Il s'empara plutôt d'un vieil album photos. Il avait laissé à Mathilde les albums de famille et avait emporté celui de l'enfance algéro-tunisienne d'André.

Il l'ouvrit précautionneusement.

Les clichés noir et blanc racontaient chronologiquement une enfance ensoleillée et heureuse. Les premiers clichés avaient ce charme empesé des photos rares célébrant les grands événements d'une vie. André bébé, lové dans les bras d'un jeune couple debout devant deux autres couples plus âgés. André, toujours bébé, dans une église pour son baptême, puis dans une autre, douze ans plus tard, lors d'une communion. Entre les deux, André vers les six ans posant, avec un frère probablement, devant un faux décor de montagne enneigée ; puis André et le même garçon souriant au pied d'un sapin de Noël. À mesure que les enfants grandissaient, les photos commençaient à montrer des scènes plus intimes de la vie quotidienne : un match de foot dans un terrain vague, une baignade en mer, un repas familial.

Seules les dernières pages présentèrent un intérêt pour Sebag. Deux photos notamment. Roman, jeune adulte, fièrement appuyé sur une Dauphine blanche à côté d'un ami installé au volant. Puis Roman et trois autres jeunes, dont le même ami, entourant un militaire d'une petite quarantaine d'années au visage long et à la mine sévère. Les jeunes hommes souriaient aux anges mais le militaire fixait l'objectif avec tout le sérieux qui convenait à son rang. Le cliché avait été pris dans une pièce étroite sans trop de recul.

Sebag les sortit délicatement de l'album avant d'en extraire également un tract et un article découpé dans un journal. L'article évoquait l'assassinat par un commando armé d'un policier français en 1961 et le tract proclamait en lettres rouge sang que l'OAS frappait où et quand elle voulait. Muni de tous ces documents, Sebag se rendit aussitôt à l'étage au-dessus dans le bureau de la secrétaire de Castello.

Jeanne le salua aimablement, un sourire avenant sur ses lèvres pulpeuses. Gilles lui montra ses mains pleines et s'expliqua :

— J'aurais besoin de faire quelques photocopies et de scanner ces documents...

— Allez-y, monsieur Sebag. Vous saurez utiliser la machine ?

— Euh... oui, pour les photocopies au moins.

Installé devant l'appareil, Sebag réalisa très vite qu'il avait été présomptueux. Il posa les deux clichés sur la plaque de verre et tenta de comprendre le tableau de bord de la machine. Il aurait été sans doute plus facile de faire décoller un Airbus que de forcer cette photocopieuse à exécuter la tâche élémentaire pour laquelle elle avait été conçue. Sebag pianota au hasard sur quelques boutons lumineux sans que rien ne se produise.

Il se retourna pour demander de l'aide à Jeanne mais il s'aperçut qu'elle était déjà derrière lui. Elle portait une robe cintrée noire qui soulignait harmonieusement sa silhouette.

— On vient de recevoir ce nouveau modèle mais je suis la seule à savoir le faire fonctionner. Taille normale ou taille réduite ?

— Plutôt agrandi, si c'est possible.

— Hum... avec plaisir.

Elle appuya successivement sur trois boutons. Les

longues manches en dentelle blanche de sa robe mettaient en valeur le velouté de ses bras.

— Et c'est parti.

La photocopieuse se mit effectivement en branle et
cracha sa première feuille. Sebag tendit l'article du
journal avec le tract.

— Taille normale pour ceux-là, ça ira.

— Taille normale ? Très bien. Finalement, c'est ce
qu'il y a de mieux… la taille normale.

Sebag ne put s'empêcher de rougir devant l'évidence
du double sens. Jeanne aimait provoquer les hommes
du commissariat mais elle n'allait jamais plus loin.

— Ce sera tout pour votre service, monsieur Sebag ?

— Sans avoir l'air d'abuser, je peux vous demander
de les scanner également ?

— Mais abusez, monsieur Sebag, abusez. C'est un
plaisir de vous rendre service.

Il ne put s'empêcher d'apprécier les lignes de sa robe
moulante lorsque la secrétaire regagna son bureau. Le
tissu s'arrêtait à mi-cuisses sur des bas blancs trans-
parents rappelant le motif de la dentelle.

— Je les scanne sur ma session et vous les adresse
par mail. Ça ira comme ça ?

— Vous êtes parfaite, véritablement parfaite.

Jeanne enchaîna plusieurs clics.

— Voilà, c'est en route. Dès que c'est fait, je vous
les envoie. Vous pouvez récupérer vos documents.

— Merci, Jeanne. Que ferait-on sans vous ?

— Je n'ose l'imaginer, plaisanta-t-elle encore.

De retour dans son bureau, Sebag prit le temps
de détailler les photos. Les clichés anciens étaient
un peu flous mais il aurait parié que l'un des jeunes
compagnons de Roman n'était autre que Martinez. De

là à penser qu'il avait devant lui tous les membres d'un même groupe d'action, il n'y avait qu'un pas.

Son téléphone portable sonna. C'était le lieutenant Cornet.

— L'examen des empreintes digitales est formel. Il s'agit bien du même meurtrier. Je viens d'avoir le procureur : les deux dossiers vont être regroupés. Vous en êtes évidemment chargé.

— Je suis désolé.

— Moi aussi, mais c'est normal. Je vous transmettrai dans la journée tous nos relevés et nos premières analyses. Au moins je sais que l'enquête est de bonnes mains.

— Je vous remercie de votre confiance.

— Je vous en prie, c'est sincère.

— Je vous tiendrai au courant.

— Ce serait aimable de votre part.

Il y eut un bref silence. Sebag souriait.

— On n'en fait pas un peu beaucoup, là ? fit-il remarquer à son interlocuteur.

— C'est possible, répondit Cornet.

Puis le lieutenant de gendarmerie éclata d'un rire franc et joyeux.

— Messieurs, je ne vais pas vous le cacher : l'heure est grave. Si nous ne voulons pas être la risée de la France entière, des DOM-TOM et de tout le pourtour méditerranéen, il va falloir augmenter sérieusement notre niveau de jeu.

Si le ton se voulait churchillien, le vocabulaire tenait davantage d'un Raymond Domenech en petite forme. Mais là n'était pas l'essentiel : pour galvaniser les troupes, la musique compte parfois plus que les paroles.

Dans la salle de réunion du commissariat, personne ne pipait mot. Tout le monde était présent, y compris Raynaud et Moreno. Il y avait même une petite nouvelle. Sebag reconnut la jeune femme croisée le jour même dans les couloirs du commissariat, la fliquette aux yeux couleur Méditerranée. Castello fit les présentations :

— Nous avons avec nous Julie Sadet. Elle nous vient de la capitale. Elle prépare son examen pour devenir lieutenant. Elle va nous aider dans notre enquête.

— Bonjour, fit la susnommée Julie d'une voix ferme et posée.

Les policiers répondirent à son salut, tout à la fois heureux et intimidés de compter pour la première fois dans leurs rangs un élément féminin. Castello poursuivit son discours d'introduction :

— Nous voici donc avec un deuxième cadavre sur les bras. Un même meurtrier, une arme identique et vraisemblablement un mobile unique lié à l'engagement des victimes auprès de l'OAS. Gilles a posé devant vous les premiers éléments de l'enquête des gendarmes. Je viens d'y jeter un coup d'œil, c'est du bon travail, incomplet bien sûr, il nous appartiendra de le terminer. Gilles va vous en retracer les grandes lignes.

Sebag résuma en quelques phrases ce qu'il avait appris sur place le matin et ce que le lieutenant Cornet lui avait communiqué par mail en fin d'après-midi.

— Dans l'attente de l'autopsie et de l'expertise balistique, on peut établir avec une grande probabilité qu'André Roman a été tué hier en milieu d'après-midi, atteint en plein cœur par une balle de calibre 9 mm. Il y avait de nombreuses empreintes digitales dans et sur la voiture mais les plus fraîches correspondent à celles que nous avons retrouvées chez Martinez. Les traces de pneus relevées à proximité proviennent d'un modèle de la marque Kleber qui équipe d'ordinaire des voitures de petit gabarit, genre Renault Clio, Peugeot 206 ou Seat Ibiza. L'enquête de voisinage effectuée ce matin autour de la villa des Roman à Canet n'a rien donné pour l'instant mais beaucoup de voisins étaient absents ce jour. En ce qui concerne la voiture du crime et celle du meurtrier, aucun témoignage pour l'instant malheureusement. Vous connaissez tous cette route…

Il s'arrêta, le temps d'un sourire d'excuse à sa nouvelle collègue.

— Vous connaissez… presque tous cette route du littoral, il n'y a aucune habitation à plusieurs kilomètres, hormis quelques vieilles cabanes de pêcheurs du côté de l'étang. Les gendarmes envisageaient de lancer un appel à témoins mais évidemment l'initiative nous en revient maintenant.

— J'ai eu le procureur, il est d'accord, compléta le commissaire. L'appel sera relayé demain dans la presse écrite et à la radio. Pour une fois que les journalistes nous seront utiles, il ne faut pas s'en priver. Quelques mots sur la victime, Gilles ?

— André Roman est né à Alger en 1939. Son père travaillait aux Postes et Télécommunications, sa mère était femme au foyer. André a commencé à travailler à l'âge de seize ans comme mécanicien dans un garage. Arrivé en France en 1962, il a repris une concession automobile à Perpignan, marque Simca à l'époque, devenue Talbot par la suite, puis Peugeot-Citroën. Ses affaires ont pas mal prospéré : lorsqu'il est parti à la retraite en 2005, il possédait une dizaine de garages sur Perpignan, Prades, Leucate et Narbonne.

— Il s'est mieux débrouillé que Martinez, commenta Llach.

— On peut le dire, oui. André Roman, en plus de sa belle villa, disposait d'un bateau de vingt et un mètres arrimé dans le port de Canet, un appartement à Font-Romeu et une petite maison en Tunisie. Là, il s'agit d'un héritage…

Castello s'impatientait.

— Autre chose, Gilles ? Vous avez des photos, je crois.

— Oui. Celles-ci.

L'inspecteur fit circuler des copies.

— Je vous les ai envoyées sur vos messageries, précisa-t-il.

— De quoi s'agit-il ? demanda le commissaire.

— Pour la première photo, je pense que les deux hommes sont André Roman et Bernard Martinez, mais c'est la seconde la plus intéressante. Nous avons là quatre jeunes hommes – dont Roman et Martinez – regroupés autour d'un militaire.

Il se tourna vers Ménard, rentré de Marseille durant le week-end.

— François les a transmises à son historien qui n'a pas eu de mal à identifier le personnage central…

Ménard posa sur la table deux feuilles manuscrites. Il consulta la première.

— Il s'agit en effet du tristement célèbre lieutenant Degueldre, confirma-t-il. Né en 1925 dans le nord de la France, il fut un très jeune résistant face à l'occupation allemande, puis un héros de la guerre d'Indochine, décoré de la médaille militaire pour faits de courage. Devenu lieutenant au sein du 1er régiment étranger de parachutistes, il a participé ensuite au conflit algérien avant de basculer dans la clandestinité et de s'engager au sein de l'OAS pour y diriger les redoutables commandos Delta. Il a été arrêté en 1962, condamné à mort puis fusillé.

— Le nom de Degueldre figurait sur la stèle détruite au cimetière, ajouta Sebag.

— Quatre hommes autour de ce Degueldre, intervint Joan Llach. Martinez et Roman faisaient donc partie d'un même groupe qui aurait compté deux autres membres ?

— Au moins deux autres membres, en tout cas.

— Alors il faut vite les retrouver, ces deux types, conclut le policier catalan.

— C'est effectivement notre priorité, rappela le commissaire. Ce deuxième meurtre nous apprend que notre assassin ne frappe pas à l'aveugle n'importe quel pied-noir, ni même n'importe quel ancien de l'OAS : il a un compte à régler avec un groupe précis qui compterait au moins quatre hommes. Avec Roman, nous avons manqué de chance. À vingt-quatre heures près, Gilles entrait en contact avec lui avant le tueur. Nous devrons être les premiers la prochaine fois…

— Sauf que le tueur, lui, connaît probablement déjà ses cibles, l'interrompit Molina. C'est un avantage important.

— Mais peut-être qu'il ne les a pas encore toutes localisées. Il faut rester optimiste, lieutenant Molina. D'ailleurs, le procureur donne en ce moment même une conférence de presse sur cette affaire ; il faut croire que nous ne pouvons pas nous passer des médias en ce moment. Le procureur va révéler ce que nous savons du commando, les deux victimes et les deux autres potentielles. Il n'y a pas que la presse locale à cette réunion mais également les correspondants des grands médias nationaux et l'affaire sera bientôt connue dans toute la France. Quelles que soient les villes où habitent les deux autres membres du groupe, ils seront très vite au courant et on peut espérer qu'ils se feront connaître.

— Ils sont peut-être déjà morts, suggéra Llach. Enfin, je veux dire morts de mort naturelle.

— C'est une possibilité également, cela nous facili- terait la tâche, en quelque sorte. Dans ce cas, on peut quand même espérer que leurs proches les reconnaî- tront et prendront contact malgré tout. Quoi qu'il en soit, vous aurez bien compris que nous n'avons plus le droit de faire du surplace dans cette affaire, il nous faut progresser. Et vite. Nous connaissons notre métier et nous allons traiter cette affaire comme une affaire nor- male, sans oublier les fondamentaux de la profession.

Il se pencha sur une feuille où il avait noté ses ins- tructions avant la séance.

— Dès demain, enquête de proximité à Canet et sur la route du littoral. Les gendarmes n'ont rien obtenu aujourd'hui, il faut y retourner. Llach et Lambert, vous vous en chargerez. Vous avez de nouveaux élé- ments puisque les traces de pneus nous conduisent à rechercher plutôt un petit modèle de voiture. Sebag et Molina, vous suivrez l'appel à témoins et vous recou- perez les témoignages. Ménard, vous vous ferez aider de Julie pour suivre les pistes liées au passé...

François Ménard leva la main et le commissaire lui accorda la parole.

— À ce sujet, Gilles m'avait demandé également de me renseigner au sujet de la lutte contre les barbouzes évoquée par Mathilde Roman.

— Ah oui, c'est vrai, les barbouzes... Je crois que

c'est un des épisodes les plus rocambolesques de la guerre d'Algérie, se souvint Castello.

Ménard approuva et consulta sa deuxième feuille de notes.

— Le terme « barbouze » désigne des agents d'une police secrète et parallèle envoyés fin 61 en Algérie pour mener une sorte de contre-guérilla face à l'OAS. Deux cents à trois cents hommes au total dont une poignée de Vietnamiens, champions de karaté, qui ne sont pas passés inaperçus. Chargés d'abord d'obtenir des renseignements, ils ont aussi fait sauter des bars et des restaurants fréquentés par des membres de l'OAS. Mais ils se sont fait très vite repérer et les villas qu'ils occupaient dans Alger sont devenues à leur tour la cible d'attentats, organisés principalement par les commandos Delta du lieutenant Degueldre.

— Dont faisaient donc partie nos quatre types, précisa Castello.

— Probablement. Cet épisode-là de la guerre d'Algérie, l'OAS l'a gagné puisque près de la moitié des barbouzes ont été tués et que les survivants ont été rapatriés en France dans l'urgence en mars 62.

Un silence profond suivit. Les inspecteurs restaient perplexes. Cette plongée dans une histoire récente et violente les troublait. Comment démêler les liens qui reliaient le passé à leur double meurtre ?

— Vous avez donc du travail sur la planche, Ménard. Parmi les barbouzes survivants de la guerre, certains sont peut-être encore en vie et peuvent en vouloir aux anciens de l'OAS. Ça devrait nous faire une flopée de suspects. Il ne faut pas négliger non plus la piste du policier français assassiné. Découvrez son nom et retrouvez ses descendants. Y a du boulot ! Voyez aussi avec Sebag qui semble avoir dans sa manche un bon contact avec un ancien de l'OAS.

Le commissaire se tourna enfin vers les frères amis qui n'avaient pas moufté depuis le début de la réunion.

— Raynaud et Moreno, vous vous concentrerez sur l'affaire de cette stèle qu'il ne faut pas négliger. Personnellement, j'ai encore du mal à comprendre ce que cet acte de déprédation vient faire dans notre double meurtre. Si notre assassin règle un compte particulier avec un groupe précis de l'OAS, je le vois mal jouer en même temps les vandales contre un monument funéraire. *A contrario*, un point commun supplémentaire entre les deux affaires s'est rajouté aujourd'hui : le lieutenant Degueldre. Là, j'avoue que je sèche un peu.

Il s'arrêta pour observer ses inspecteurs mais aucun d'eux n'avait d'hypothèse à formuler. Tous prirent soin de regarder ailleurs.

— Tiens, à propos, cela me fait repenser à cette histoire de cheveux découverts sur les lieux du premier meurtre et près de la stèle : il faut faire accélérer les analyses. Pagès est de retour, il sera heureux de relancer sa piste. Raynaud et Moreno, vous voyez ça avec lui. Et puis, vous retournerez enquêter dans les milieux de gauche hostiles aux pieds-noirs. Ce n'est pas parce que nous n'avons rien pu prouver contre Abbas que ça blanchit toute l'équipe. Allez, bonne soirée à tous et à demain.

Les inspecteurs se levèrent aussitôt dans un concert aigu de couinements de chaises sur le lino. Le commissaire les avait désignés par leur nom de famille plutôt que par leur prénom. C'était un signe. Un très mauvais signe.

CHAPITRE 21

Alger, le 29 décembre 1961

La nuit est tombée en deux fois dans la rue Fai-
dherbe. Une première fois progressivement après que
le pâle soleil d'hiver a disparu à l'horizon. Une seconde
fois plus soudainement lorsque tous les lampadaires de
la rue se sont éteints d'un seul coup.

Un silence épais règne depuis sur les trottoirs.

Quelques lucioles timides percent encore la nuit par
instants. L'une d'elles, d'une pichenette, saute de la
main d'un fantôme pour aller mourir en mégot dans
l'humidité crasseuse d'un caniveau.

Un vent frais court dans la rue, forçant les hommes
embusqués à relever le col de leurs manteaux. Les
combattants de l'OAS fixent tous des yeux la façade
de la villa Dar-Likoulia. Bientôt, ils auront chaud.
Bientôt, le jour reviendra. Bientôt, la tempête succé-
dera au silence.

Les semelles ferrées de Babelo tintent sur le pavé.
Elles parcourent une cinquantaine de mètres pour s'arrêter devant une voiture. Une vitre s'abaisse lentement
à l'arrière, évacuant un air moite et vicié. Malgré l'obs-
curité, Babelo reconnaît sur la banquette la silhouette
massive et le visage ovale du lieutenant Degueldre. Il
ébauche un vague salut plus respectueux que militaire.

— Tout le monde est en place, mon lieutenant. Il y a six commandos dont une équipe sur la terrasse d'un immeuble voisin avec le bazooka. Nous sommes vingt-quatre hommes au total.

— Il y a du monde dans la villa ? demande le chef des commandos Delta.

— D'après nos deux sentinelles qui n'ont pas bougé depuis ce matin, au moins une quinzaine de barbouzes. On leur a coupé le téléphone en début d'après-midi : ils n'ont pu prévenir personne.

— Parfait.

Degueldre ouvre la portière et sort, aussitôt entouré de deux gardes du corps.

— Votre commando est là aussi ?

Babelo lève un bras. Sigma, Bizerte et Omega sortent de l'ombre. L'un des gorilles du lieutenant distribue une grenade à chacun.

— Vous viendrez avec moi, ordonne Degueldre d'une voix gouailleuse où perce un accent lourd du nord de la France.

Il allume l'écran de sa montre. Une lueur verte éclaire sa face burinée d'ancien parachutiste. Son front rectangulaire s'encadre entre une barre de sourcils fournis et une coupe de cheveux stricte et réglementaire. Sa désertion de l'armée n'a rien modifié en lui. Militaire il a été, militaire il reste et restera. Jusqu'à la mort. Ce n'est pas une question d'uniforme ou de solde mais une affaire de gènes et de tripes.

— Vingt-trois heures quinze, c'est l'heure, lâche-t-il sans émotion.

Il frappe deux petits coups secs sur le toit de la voiture. Le conducteur lui répond par deux brefs appels de phares. Trois secondes après, un éclair traverse l'espace et le tonnerre s'abat sur la rue. Derrière la façade de la villa, une explosion retentit. La première « patate » a fait mouche, touchant un stock de munitions, à l'intérieur.

Le bazooka tire encore à six reprises avant que Degueldre ne donne l'ordre de l'assaut. Une vingtaine d'hommes, armés de fusils mitrailleurs, s'avancent en direction de l'entrée principale. Dans la villa, des coups de crosse brisent les dernières vitres intactes, des canons apparaissent qui crachent des étincelles meurtrières. Les hommes de l'OAS s'abritent derrière le tronc des arbres du jardin et ripostent.

Le lieutenant Degueldre entraîne Babelo et son commando vers l'arrière de la bâtisse. Ils marchent lentement à travers les ronces et les herbes folles. Ils s'approchent sans souci jusqu'à une dizaine de mètres de la façade.

Degueldre leur fait signe de s'arrêter et de rester à couvert sous les pins. Le lieutenant appuie son bras gauche sur un tronc. Puis il pose dessus sa main droite armée d'un pistolet.

Il tire.

Une fenêtre s'éteint. Degueldre tire une nouvelle fois. Une autre lampe meurt. Avec calme, l'ancien légionnaire fait le noir peu à peu dans la villa des barbouzes. Entre deux coups de feu, il prend le temps d'une longue inspiration.

Degueldre recharge son arme puis ordonne d'avancer. Mais les Delta ne peuvent aller loin. Une gerbe d'étoiles éclaire soudain une lucarne de la façade. Le bruit de la salve leur parvient avec un léger décalage. Omega, touché, est déjà à terre.

Les hommes du commando plongent dans les herbes.

Degueldre réplique le premier. Les autres l'imitent rapidement et les balles font gicler des éclats de brique tout autour de la petite fenêtre. Le barbouze tire toujours. Il crache de brèves rafales avant de se planquer. Ses salves, il les balance au jugé mais avec précision.

— Le salaud est adroit, commente Degueldre sans colère. Et en plus, c'est un acrobate. Il doit être debout sur la cuvette d'un chiotte pour parvenir à tirer par cette lucarne.

Après quelques secondes d'immobilité le nez dans la terre, Omega a rampé prudemment à l'abri d'un large palmier. Bizerte se rapproche de lui. Il interroge son compagnon du regard. Omega lui montre sa jambe ensanglantée. La blessure est sans gravité, la balle n'ayant fait que traverser le gras du mollet.

La fusillade dure un bon quart d'heure. Après l'effet de surprise, les barbouzes se sont vite ressaisis et leur feu ne faiblit pas. Ils ont sans doute de sacrés stocks de munitions à l'intérieur. Degueldre ordonne à ses hommes de lancer leurs grenades pour protéger le repli. La tempête redouble de fureur pendant quelques secondes puis s'apaise peu à peu.

Bizerte et Sigma aident Omega à marcher jusqu'à la rue. Une Estafette s'arrête à leur hauteur. La porte latérale coulisse et un homme sort pour porter Omega à l'intérieur. La petite camionnette démarre sur les chapeaux de roue et disparaît rapidement. Elle déposera le blessé chez un médecin de confiance. Ce n'est pas ce qui manque.

Degueldre pose sa main sur l'épaule de Babelo.

— Beau travail. Un blessé seulement de notre côté et plusieurs morts probablement dans l'autre camp. Leur planque est grillée. Restez en surveillance quelques minutes dans le secteur. On ne sait jamais.

Le lieutenant déserteur tourne les talons, toujours suivi de ses gardes du corps. Bizerte part chercher leur Dauphine, garée dans une rue voisine. Il revient peu après. Babelo monte devant et Sigma derrière.

Ils n'attendent pas longtemps.

La porte du garage de la villa s'ouvre bruyamment et une 404 noire en jaillit avec deux hommes à bord. Bizerte les suit à une distance raisonnable. Les barbouzes roulent à tombeau ouvert à travers les rues désertes et sombres d'Alger pour s'arrêter finalement rue des Pins devant une autre villa. Un autre repaire.

— Quelle bande de dégénérés, se réjouit Babelo. S'ils grillent eux-mêmes leurs planques, je ne leur donne pas un mois avant de reprendre le bateau vers la métropole. On va en faire une bouchée, de ces types !

CHAPITRE 22

Le bureau de Sebag disparaissait sous les pages déployées des quotidiens français. La plupart d'entre eux évoquaient le double meurtre de Perpignan mais seul le journal local *L'Indépendant* effectuait un rapprochement avec la destruction de la stèle et se faisait l'écho d'une inquiétude croissante dans la communauté pied-noir. Sebag trouva en bas de la page l'appel à témoins au sujet des voitures stationnées le dimanche après-midi sur la voie littorale. La radio aussi avait relayé l'information dans ses journaux du matin.

Il n'y avait plus qu'à attendre les premiers coups de fil.

Molina poussa la porte du bureau. Il tenait un gobelet de café à la main.

— Je ne t'en ai pas remonté, fit-il en levant son verre.

— Pouah, éructa Gilles. Comment peux-tu boire une lavasse pareille ?

— Moi, je n'y connais rien en café. Celui-là ou un autre, ça m'est parfaitement égal, du moment que c'est noir et chaud. À part de la merde liquide...

— Ben justement ! le coupa Gilles.

— Pourquoi tu ne t'offres pas une vraie cafetière

247

que tu installerais sur un meuble ici ? Et tu ferais par la même occasion mon éducation en matière de café…

— Je préfère renoncer tout de suite : ça fait long-temps que tu n'es plus éducable !

— Je croirais entendre mon ex-femme… Non, mais sans rire, pourquoi tu n'achètes pas la même cafetière que chez toi ?

— Parce que je boirais du café toute la journée et que ce n'est pas bon pour la santé. Et puis ça coûte cher, du bon café. La moitié de ma paie y passerait.

— C'est vrai qu'on n'est pas payés cher… T'as raison, le petit noir de la cafétéria te permet de faire des économies.

— D'autant que j'en bois pas.

— Parfaitement raisonné, acheva Molina en vidant son verre d'une seule traite et sans grimace.

Il feuilleta rapidement la presse nationale puis sortit le *Midi Olympique* de la poche de son blouson et s'installa à son poste de travail.

Leurs bureaux se faisaient face. Sebag contempla les photos que Jacques avait accrochées derrière lui. Elles dataient toutes de juin 2009, l'année où l'USAP avait enfin décroché son septième titre de champion de France après cinquante-quatre saisons infructueuses. L'un des clichés surtout impressionnait Sebag. Celui du retour des rugbymen à Perpignan au lendemain de la victoire : une foule énorme et compacte de supporters rouge et jaune – ici, on disait avé l'accent « sank-et-or » – se massait devant le Castillet. Un raz de marée humain pour célébrer les héros d'un peuple. Ce jour-là, Sebag travaillait et prêtait main-forte aux uniformes pour assurer la sécurité dans les rues. Devant la ferveur de ce public familial et sympathique, il avait regretté de n'être pas né catalan. Il avait même failli s'en vouloir de ne pas aimer le rugby. C'est dire si l'instant l'avait ému...

Molina releva la tête.

— Au fait, aucun appel pour l'instant ?

Il n'attendit même pas la réponse pour se replonger dans sa lecture du *Midol*.

Sebag regardait toujours les photos de son collègue. Une fois de plus, il se dit qu'ils devraient inverser leurs murs. Molina tournait le dos à son propre univers et Sebag au sien : des photos de Claire, de Léo et de Séverine, en maillot de bain à la plage, en tenue de ski l'hiver à la montagne ou attablés sur la terrasse de leur maison. Finalement, il y aurait une logique à permuter mais il ne le proposa pas. Car ce n'était pas pour les admirer qu'on accrochait aux murs ses souvenirs mais pour affirmer sa personnalité : ici, c'est chez moi et voici mes goûts, mes passions, ce et ceux que j'aime. La démarche lui paraissait tout aussi puérile qu'universelle. Certains jours, il la jugeait même ridicule, voire pathétique. Mais il finissait toujours par se dire qu'après tout, pour marquer son territoire, c'était plus civilisé que de pisser par terre.

La sonnerie de son téléphone le tira de ses réflexions. Le standard lui passait un premier appel. Il écouta, posa quelques questions et prit des notes.

Lorsqu'il raccrocha, il croisa le regard interrogateur de son collègue.

— C'est un habitant de Saint-Cyprien qui est passé par là dimanche. *A priori*, à l'heure du meurtre. Il a vu une voiture blanche garée à côté d'une Audi bleue. Une Seat, selon lui.

— Il n'a pas relevé la plaque d'immatriculation, évidemment ?

— Évidemment...

— Intéressant quand même pour un premier appel.

Sebag et Molina reçurent une dizaine de coups de téléphone dans la matinée. La plupart sans intérêt. En plus du premier, ils n'en retinrent qu'un seul autre, le témoignage d'une jeune femme qui était allée voir sa mère en maison de retraite à Canet le dimanche après-midi. Ce second témoin n'apportait aucune précision sur le modèle, « une petite voiture blanche », mais croyait se souvenir que la plaque d'immatriculation était étrangère, espagnole peut-être.

— Elle se souvient ou elle croit se souvenir ? grogna Molina.

— On fait avec ce qu'on a, philosopha Sebag. Il faudrait savoir maintenant ce que Llach et Lambert ont recueilli auprès des voisins de Roman, conclut Sebag.

— Tu crois que c'était pertinent de les envoyer là-bas ? Ce n'est pas chez lui qu'il a été tué.

— Il n'est pas exclu que le meurtrier ait fait des repérages près de son domicile. On peut même imaginer qu'il envisageait de l'assassiner chez lui et que, jugeant la chose trop dangereuse – à cause d'un voisinage trop curieux, par exemple –, il aurait ensuite décidé de l'entraîner sur la route de Saint-Cyp'.

— Ouais, ça me paraît un peu alambiqué tout de même...

Sebag haussa les épaules.

— Ne pas oublier nos fondamentaux, ce sont les conseils du chef. L'enquête de proximité en fait partie.

— Proximité avec quoi ? pinailla encore Molina. Puisque ce n'est pas dans sa villa qu'il a été tué.

Sebag n'écoutait plus les récriminations de son collègue. Il venait de décrocher son téléphone pour appeler Llach. Il répéta à haute voix les informations que lui donna Joan.

— Des témoignages concordants, tu dis. Combien ? Deux, toi aussi. Ils parlent d'une voiture blanche de petit gabarit. Pas de certitude sur le modèle. L'un des deux évoque une Clio ou une Seat. L'autre mentionne une plaque d'immatriculation espagnole. Mais c'est bien, ça, coco ! Attends, je note les noms et les adresses.

En raccrochant, Sebag ne put s'empêcher d'afficher un éclair de victoire dans son regard.

— OK, OK, maugréa Molina. Mais une voiture blanche d'un petit gabarit, même immatriculée en Espagne, ce n'est pas rare ici. C'est même plutôt courant. Ce n'est pas ça qui va nous mettre sur une piste. Si encore on pouvait être sûrs du modèle... Une Seat ou une Clio...

Sebag se figea brusquement. Le dernier mot avait secoué ses neurones et déclenché des images fugaces dans son esprit. Les alentours de l'appartement de Martinez. Le quartier du Moulin-à-Vent. Une voiture blanche immatriculée en Espagne. Il prit dans son tiroir le dossier de l'accident de Mathieu. En le feuilletant, il demanda à Molina :

— Tu te souviens de la date estimée par le légiste pour la mort de Martinez ?

— Euh non, je ne sais plus, un mercredi ou un jeudi, fit Molina, surpris. Quel rapport avec ce qu'on disait ?

— Tu peux me retrouver l'info précise, s'il te plaît ? Le jour et l'heure estimés ?

Jacques allait protester lorsqu'il aperçut sur le visage de Gilles les traits de prophète inspiré qu'il avait appris à reconnaître. Sebag serrait les dents, fronçait les sourcils et respirait avec parcimonie. Ses yeux brillaient d'une lueur étrange. Il semblait dans un état second. Il se serait mis à léviter au-dessus de son bureau que Molina n'aurait pas été étonné.

— Toi, tu es chaud bouillant. T'es sur un truc, là.

— Non, je sais pas, démentit mollement Sebag en tournant compulsivement les pages du dossier de l'accident.

— C'est cela, c'est cela, prends-moi pour un con, aussi…, ricana Molina, mais en sourdine pour ne pas le troubler.

Sebag trouva ce qu'il cherchait et posa son doigt sur une ligne précise.

— Alors ? s'impatienta-t-il.

Molina cliqua plusieurs fois nerveusement sur sa souris.

— C'est bon, je cherche ton info… Le dossier va s'ouvrir. Voilà… Le rapport du légiste, maintenant. Tiens, j'ai trouvé : la mort de Bernard Martinez est estimée au mercredi, probablement en fin d'après-midi.

— Merde… c'est pas possible !

— Avec toi, tout est possible.

— Dix-sept heures quinze, pour toi, c'est déjà la fin de l'après-midi ?

— Ça peut…

— Putain de merde !

Molina à son tour s'impatientait.

— Tu m'expliqueras un jour ?

Sebag regardait son collègue mais sans le voir. Au-delà de Molina, il distinguait le Moulin-à-Vent, la rue où Mathieu avait perdu la vie. Il grimaça en imaginant le choc.

— Allô ?

Molina agitait une main à la hauteur des yeux de Gilles.

— Allô ? Madame Irma, vous êtes avec nous ?

Sebag se secoua brusquement.

— Oui...

— Tu m'expliques, maintenant ?

— L'accident de Mathieu, le copain de ma fille, a eu lieu le même mercredi à 17 h 15.

— Et alors ?

— Dans le même quartier du Moulin-à-Vent, à côté de l'église Saint-Paul.

— Tiens donc...

— C'est à deux cents mètres seulement de l'appartement de Martinez.

— Voyez-vous ça...

— Le chauffeur de la camionnette affirme avoir dû se déporter brusquement à cause d'une voiture qui avait surgi sur sa droite.

— Passionnant...

— D'après lui, il s'agissait d'une Clio blanche immatriculée en Espagne.

Molina cessa aussitôt ses commentaires moqueurs.

— Qu'est-ce que tu veux sous-entendre, là ? Que l'assassin de Martinez est à l'origine de cet accident ?

Formulée ainsi brutalement, l'hypothèse paraissait scabreuse à Sebag aussi. Il sentait pourtant au plus profond de lui qu'elle était plausible.

— Et pourquoi pas, oui ? se lança-t-il enfin. Ça te semble tiré par les cheveux ?

Molina réfléchit trois secondes.

— Ce serait une drôle de coïncidence tout de même. La fin d'après-midi évoquée par le légiste, c'est un créneau assez large : 17 h 15, c'est le tout début d'une fin d'après-midi. Et puis, le seul témoin un peu catégorique de ce matin parle plutôt d'une Seat. Ce sont ceux qui hésitent qui disent Clio ou Seat.

— Bref, tu n'y crois pas ? demanda Sebag, inquiet.

— Quand j'essaye d'estimer les faits objectivement, ça me semble boiteux mais...

— Mais ?

— Mais quand je te regarde et que je te vois aussi inspiré, j'ai envie d'y croire.

Sebag se leva.

— Bon ben, allons voir à Canet, alors !

— Interroger à notre tour les témoins de Llach ?

— Oui. Et également un de ceux qui nous ont appelés ce matin. Celui qui a vu la Seat travaille dans une brasserie.

— Où ça ?

— Place de la Méditerranée.

Molina consulta sa montre.

— Parfait ! Je commence à avoir un petit creux.

— Tu as toujours un petit creux. Et une grande soif.

— Je serais pas contre un rosé bien frais, effectivement.

— Avec toi, on sait où ça commence, jamais quand ça finit. Tu connais le proverbe ?

— Aïe !

— La pépie vient en mangeant.

— Alors, à ta santé.

Sebag et Molina lézardaient en terrasse. Le repas avait été correct mais sans plus. Gilles avait pris un dos de colin aux petits légumes et Jacques un onglet à l'échalote. Les tables de la brasserie s'étalaient sur les dalles de la place principale de Canet-Plage. Lunettes noires sur les yeux, les deux inspecteurs mangeaient côte à côte, visages tournés vers la mer et vers le soleil. Le ciel bleu n'avait conservé que quelques menues balles de coton flottant encore au-dessus des Albères.

Sebag interpella le serveur quand il déposa l'addition sur leur table.

— Vous êtes Sébastien Puig ?

— Non. Sébastien, il sert en salle aujourd'hui.

— Vous pourriez lui demander de venir, s'il vous plaît ?

Le garçon hésita un instant puis s'exécuta. Un deuxième serveur ne tarda pas à venir s'interposer entre le soleil et les inspecteurs.

— Vous désirez ?

Sebag lui montra sa carte professionnelle et l'invita à s'asseoir.

— C'est au sujet de votre appel de ce matin.

— Si j'avais su que vous débarqueriez ainsi sur mon lieu de travail, je ne vous aurais pas téléphoné.

— Nous sommes désolés mais c'est urgent.

Sébastien eut un sourire moqueur devant leurs visages rouges de soleil.

— Je vois ça, oui.

Sebag se redressa.

— Ce ne sera pas long. C'est moi qui vous ai eu au téléphone tout à l'heure et j'ai besoin d'une précision. Vous m'avez dit que vous aviez vu une voiture sur la route entre Saint-Cyprien et Canet. Une Seat, c'est ça ?

— Oui.

— Vous êtes sûr ?

— Euh… c'est important ?

— Ça pourrait l'être.

— C'est que je ne me souviens plus trop. J'ai pas fait tellement attention. Mais y avait pas beaucoup de voitures dimanche sur cette route, il me semble bien que c'était une Seat, oui. Je revenais du boulot, on n'avait pas vu grand monde pour un dimanche midi. Mais avec la flotte qui tombait, c'était prévisible, y avait personne nulle part. J'ai croisé qu'une seule bagnole sur cette route. Et aussi une Audi bleue stationnée en bord de plage. J'crois bien que c'était une Seat, ouais, mais j'pourrais pas le jurer.

Les policiers n'insistèrent pas. Ils remercièrent le garçon et réglèrent l'addition.

— Je prends le vin pour moi, fit Sebag.

— Tu n'y as presque pas touché…

— Justement, ça compense.

— Ça veut rien dire !

— Je sais mais j'assume.

Molina ne chercha pas à comprendre. Il se dirigea vers la voiture.

— On pourrait y aller à pied, c'est à deux pas, suggéra Sebag.

— Mais après, faudra revenir. Deux pas plus deux pas, ça fait quatre. Ça va nous faire perdre du temps. J'dis ça, moi, c'est pour le travail, hein.

— Tu parles… OK, j'y vais en marchant et tu me rejoins avec la voiture.

Cinq minutes plus tard, Sebag s'approchait d'une petite maison bleue tandis que Molina garait la voiture. À la fenêtre, il vit un rideau se refermer brusquement. Il avait eu le temps d'entrevoir le visage mince d'une femme d'environ soixante-dix ans. La boîte aux lettres portait le nom de Madeleine Bonneau. Ils sonnèrent mais les échos d'un carillon harmonieux ne furent suivis d'aucun bruit de pas ni de porte dans la maison. Ils ne perçurent qu'un léger frisson derrière le rideau.

Sebag consulta les indications que lui avait fournies Llach. Madeleine Bonneau avait été professeur d'anglais à Niort, elle était à la retraite depuis dix ans et passait la moitié de l'année en pays catalan. Sebag trouva dans le dossier un numéro de téléphone fixe qu'il composa depuis son portable. Cette fois, ce fut un roucoulement métallique qui retentit dans la maisonnette. Trois fois seulement.

— Allô ? répondit une voix alerte mais sèche.

— Madame Bonneau, bonjour, nous sommes deux policiers de Perpignan. Nous attendons devant votre grille. Nous aimerions vous parler.

— J'ai déjà vu des policiers, ce matin.

— Oui, nous le savons. Mais nous aimerions quelques précisions justement.

— Je n'ai rien à dire de plus.

— Alors nous ne vous dérangerons pas longtemps.

Il raccrocha aussitôt pour accélérer le processus. Le bruit d'une clé tournant dans une serrure se fit entendre. Suivi du son de deux verrous qu'on ouvrait.

— Eh bien…, commenta simplement Molina.

La porte s'entrebâilla et deux yeux perçants scrutèrent la rue pendant quelques secondes. Enfin, la porte s'ouvrit en grand et Madeleine Bonneau consentit à sortir de son bunker. Elle portait une blouse en Nylon de couleur mauve délavée et décorée de fleurs roses qui semblaient s'être fanées avec le temps. Elle s'avança vers eux d'un pas lent, glissant prudemment ses mules poilues sur le pavé inégal de sa cour minuscule. Elle s'arrêta devant la grille.

— Excusez-moi de vous avoir fait attendre, mais, de nos jours, une femme seule n'est jamais assez prudente. Déjà que j'avais un peu peur avant... Depuis le meurtre de M. Roman, je suis littéralement paniquée.

Malgré ses excuses, elle n'ouvrit pas sa grille et laissa les policiers sur le trottoir.

— Que puis-je pour vous, messieurs ?

— J'aimerais que vous me parliez de la voiture que vous avez aperçue l'autre jour dans cette rue.

— J'ai tout dit à vos collègues.

— Vous pourriez me le dire à nouveau, s'il vous plaît ? On ne sait jamais : un détail important pourrait vous revenir.

L'ancienne prof d'anglais le toisa comme si elle avait affaire à un élève particulièrement sot.

— C'était dimanche matin. J'ai vu cette voiture pour la première fois aux alentours de 10 h 30. Elle roulait au pas dans la rue. Déjà, c'était étonnant : aujourd'hui, les gens roulent si vite, même dans les zones d'habitation... Puis elle est repassée une petite heure plus tard avant de s'arrêter un peu plus loin.

— Vous avez vu le conducteur lorsqu'il est sorti ? demanda Sebag, plein d'espoir.

— Mais non, répliqua-t-elle avec mépris. Vous ne croyez tout de même pas que je passe mes journées à épier mes voisins. Au bout de dix minutes, personne n'avait bougé, alors j'ai quitté la fenêtre.

— Et lorsque la voiture est passée devant chez vous, vous avez vu quelque chose ou quelqu'un à l'intérieur ?

— Vous ne vous souvenez pas du temps qu'il faisait dimanche ? Un vrai déluge. Les vitres de la voiture étaient couvertes de buée, je ne pouvais rien voir.

— Vous avez décrit une petite voiture blanche à nos collègues. Vous ne pouvez pas en dire plus sur le modèle ?

— Si j'avais pu, je l'aurais fait. Je n'y connais rien en automobiles. Mais je sais que la plaque d'immatriculation était espagnole.

Sebag s'aperçut que Molina trépignait. Il remercia la mégère qui retourna du même pas glissant vers son antre.

— J'espère que le prochain témoin sera plus sympa, commenta Molina. C'est qui ?

Sebag consulta ses notes.

— Gabriel Coutin, au numéro douze de la rue.

Penché sur son vélo dans son allée de garage, l'autre voisin réglait le dérailleur de sa machine lorsqu'ils s'approchèrent. Gabriel Coutin se redressa, étirant devant eux un maillot de cycliste plus constellé de publicités qu'un écran de télévision privée italienne.

— C'était une Seat, pas une Clio. Depuis que vos collègues sont passés, j'ai vérifié sur Internet. J'ai comparé les modèles, c'était une Seat Ibiza.

— Vous êtes bien sûr ? demanda Sebag, déçu. Les deux voitures sont assez semblables, tout de même.

— Je sais, et c'est ce qui m'a trompé parce que j'y connais pas grand-chose en automobiles. Moi, rien qu'au bruit de la mécanique, je peux distinguer les yeux fermés un dérailleur Campagnolo d'un Shimano, mais en bagnoles, rien de rien, j'aime pas ça. Mais je me suis renseigné, j'ai regardé des photos, et là, je n'ai plus de doute.

De la poche arrière de son maillot, il sortit des feuilles chiffonnées.

— Tenez, je les ai encore avec moi.

Il les déplia et leur montra.

— Voyez, l'avant des deux voitures est très différent. La calandre, par exemple, est beaucoup plus grande sur la Seat. Et la voiture que j'ai vue avant-hier avait une grande calandre.

Molina lui posa encore quelques questions pendant que Sebag s'éloignait de quelques pas pour téléphoner à Pascal Lucas. Mais son espoir fut de courte durée. Le chauffeur de la camionnette se montra expert en carrosserie auto et il resta catégorique.

— La voiture qui m'a grillé la priorité était une Clio, un modèle assez récent même.

Molina le rejoignit au moment où il raccrochait. Il vit son désappointement.

— On ne peut pas gagner à tous les coups, champion. Ça ne change rien sur le fond : tu restes le meilleur.

Ils remontèrent dans leur voiture de fonction. Molina s'installa au volant.

— J'te propose d'aller maintenant traîner nos bottes au Moulin-à-Vent. Puisqu'on pense que le meurtrier de Roman circule dans une Seat blanche immatriculée en Espagne, on va se renseigner auprès des voisins de Martinez. Et on posera nos questions pour la Clio comme pour la Seat. Sait-on jamais… S'ils ne se souviennent pas de la bagnole du criminel, avec un peu de chance, peut-être, ils auront vu celle du chauffard.

Il démarra. En douceur, pour une fois. Depuis la voie rapide qui les ramenait à Perpignan, la vue sur le Canigou était sublime. La neige tombée en abondance recouvrait le sommet d'une couche de sucre glace. Au moment où ils quittèrent la rocade pour se diriger vers les hauteurs du Moulin-à-Vent, Sebag reçut un appel de Ménard.

— Tu ne connais pas la meilleure ?

— Pas encore mais je suis impatient.

— J'ai retrouvé la trace d'un ancien barbouze qui pourrait faire un bon suspect. Ils ne sont plus très nombreux en vie, les barbouzes, apparemment. Après la guerre d'Algérie, mon bonhomme, Maurice Garcin, a été membre du SAC, le Service d'action civique, cette sorte de police parallèle du parti gaulliste dissoute en 1981. Il a écrit quelques livres de souvenirs sur son combat à Alger et il a toujours eu un discours très dur sur ses anciens adversaires. Julie a d'ailleurs trouvé sur Internet un texte de lui, assez virulent, limite diffamatoire. Garcin a aussi fait partie d'une association pour la mémoire des victimes de l'OAS. Ils ont obtenu en 2008 qu'un tribunal exige la destruction d'une stèle identique à celle de Perpignan.

— Et c'est quoi la meilleure ?

— Castello ne veut pas d'un entretien par téléphone, il veut que je rencontre Garcin personnellement. Et tu sais où il habite ?

— C'est une devinette que tu me poses ?

— Absolument !

Sebag n'eut pas besoin de réfléchir très longtemps.

— C'est facile, non ?

— Dis voir...

— Ton Garcin a mené une action contre une stèle de l'OAS à Marignane. On peut donc penser qu'il habite une ville près de la Méditerranée ?

— Pas mal vu...

— Une grande ville ?

— On peut le dire…

— Et Castello souhaite t'envoyer là-bas en espérant faire d'une pierre deux coups ?

— C'est-à-dire ?

— Il aimerait que tu en profites pour faire un nouveau coucou à l'un de tes copains là-bas, un copain du genre historien ?

— Bravo, t'es le plus fort.

— Eh bien ! J'espère que tu commences à apprécier le pastis et la bouillabaisse et que tu as trouvé là-bas un bon hôtel.

— Toi, tu m'épateras toujours. T'es le roi des énigmes. Si seulement tu pouvais trouver un meilleur suspect avant que je parte…

— À quelle heure, ton prochain train pour Marseille ?

— À 16 h 52.

— Ça va être juste mais on va faire le maximum. Sinon, bon voyage !

Après avoir raccroché, Sebag vit que Molina affichait une mine réjouie.

— Ménard repart à Marseille ? demanda-t-il. Le veinard… J'espère qu'il s'est dégotté une petite maîtresse là-bas.

— Ce n'est pas le genre…

Molina soupira, découragé.

— Tu crois qu'il faut un genre pour avoir une maîtresse ? Et ce serait quoi, ce genre, selon toi ?

Heureusement, ils étaient arrivés au Moulin-à-Vent. Molina trouva une place sur les Ramblas du Vallespir à deux pas de l'appartement de Martinez et Gilles prit soin d'oublier la question de son collègue.

Sebag passa un après-midi fastidieux et interminable. Il avait de la peine à évacuer sa récente déception. Et surtout, il ne parvenait pas à l'accepter. Pourquoi donc avait-il cru si fort à cette histoire de voitures ? Clio blanche ou Seat de la même couleur, immatriculation en Espagne : il ne s'agissait finalement que d'une simple coïncidence ?

Le travail qu'il accomplissait ne parvint pas à lui changer les idées. L'enquête de voisinage représentait ce qu'il détestait le plus dans la routine de son métier de flic. Jamais, en fac de droit comme à l'école de police, il n'avait imaginé qu'il aurait un jour besoin de développer les mêmes techniques et les mêmes qualités qu'un VRP pour parvenir à se faire ouvrir la porte d'un appartement. Il y avait bien longtemps que la seule présentation d'une carte tricolore ne suffisait plus à convaincre les gens de l'écouter et de le recevoir. Il fallait toujours expliquer, persuader, convaincre. Et accompagner parfois l'argumentation d'un cours rapide de droit français : gavés de séries américaines, les gens exigeaient bien souvent la présentation d'un mandat rien que pour répondre à un bonjour aimable.

Sebag et Molina arpentèrent ainsi pendant de longues heures les allées et les escaliers du Moulin-à-Vent. Pour gagner du temps, ils s'étaient séparés mais la corvée ne s'en révélait que plus pénible.

Vers 17 heures, au moment où il commençait à désespérer, Sebag reçut un SMS de son collègue : « Du nouveau. Rejoins-moi, 2 rue du Perthus. » Il remisa son téléphone dans sa poche et salua sommairement la petite vieille qui venait de l'entreprendre sur le récit de sa vie, de son enfance en Cerdagne jusqu'à sa retraite dans ce quartier qu'elle détestait. Il descendit quatre à quatre les marches de son immeuble et déboucha dans l'avenue d'Amélie-les-Bains. Il lui suffit de prendre sur sa gauche. Il aperçut alors à cent mètres Jacques discutant avec un petit homme bedonnant.

Molina fit rapidement les présentations :

— Charles Mercader habite au deuxième étage de cet immeuble et il adore faire des mots croisés sur son balcon.

L'homme lissa ses moustaches brunes d'un air satisfait.

— S'il vous plaît, monsieur, racontez à mon collègue ce que vous m'avez dit.

Charles Mercader croisa ses mains grassouillettes sur son ventre rebondi et ne se fit pas prier davantage.

— L'autre jour, je me tenais sur ma loggia quand j'ai vu une voiture stationnée juste en dessous démarrer comme pour le départ d'une course de Formule 1. Le type a fait hurler son moteur puis crisser ses pneus sur la chaussée. Il a tourné au coin de la rue dans la direction de l'église Saint-Paul et, presque tout de suite après, il y a eu comme un choc. J'ai pensé qu'il n'y avait que de la tôle froissée et j'ai poursuivi mes mots croisés mais une dizaine de minutes plus tard j'ai entendu les sirènes des pompiers. Alors je suis descendu voir. À ce moment-là, j'ai pensé évidemment que c'était mon chauffard à l'origine de l'accident mais je m'étais trompé : c'était une camionnette qui avait percuté un scooter. D'ailleurs, le gamin, le pauvre, il est mort.

Molina l'empêcha de se répandre en lamentations.

— Et que pouvez-vous dire à mon collègue sur cette voiture ?

— C'était une petite Clio blanche dont la plaque était espagnole.

Molina souriait aux anges, satisfait de son témoin.

— Je connais une petite Séverine qui va être fière de son papa.

Sebag ferma les yeux et imagina le visage heureux de sa fille. Mais curieusement, il ne parvenait pas à se sentir soulagé. Molina montrait davantage de joie.

— En plus, on a découvert ce témoignage en travaillant sur le meurtre de Martinez, jubila-t-il. Cardona ne pourra pas t'accuser d'avoir cherché à le doubler : du coup, tu ne lui dois rien ! Il va l'avoir dans l'os bien profond, ce connard.

La moustache de Charles Mercader frémit et ses extrémités s'inclinèrent. Les propos de Molina le troublaient.

— Il y a un souci ? osa-t-il demander. Je ne vais pas avoir d'ennuis ?

— Mais non, absolument pas, monsieur Mercader, vous avez été parfait. Tout concourt à nous faire penser que votre conducteur est à l'origine de l'accident qui a provoqué la mort de ce gamin. Ses parents seront heureux que la lumière soit faite.

Les moustaches du témoin se relevèrent d'étonnement.

— Vous croyez vraiment ? Un petit vieux comme lui ?

— Pardon ? firent en chœur les deux policiers.

— Vous avez vu le conducteur ? demanda Molina.

— Je l'ai vu avant qu'il monte dans sa voiture. J'étais accoudé à la rambarde de mon balcon. Vous ne le répéterez pas à ma femme, mais soit dit en passant, j'étais en train de me griller une petite cigarette lorsque j'ai aperçu le petit vieux qui marchait. Enfin, je devrais pas le traiter de petit vieux, il devait avoir mon âge, mais, quand même, il se tenait plus courbé.

— Sans indiscrétion, vous avez quel âge ? demanda Molina.

— Soixante-douze ans, monsieur, répondit fièrement Mercader. Et je peux vous dire que je me déplace plus facilement que lui. Il semblait vouloir trottiner mais il n'y arrivait pas vraiment. Nous ne sommes pas égaux face à la vieillesse, n'est-ce pas ?

Sebag le coupa sans ménagement.

— Il venait d'où, cet individu ?

— De l'avenue d'Amélie, comme vous. Il a tourné par ici en venant de la droite. Tout pareil à vous.

— Et vous êtes bien sûr qu'il s'agissait d'une Clio ?

— Pour être sûr, je suis sûr ! J'en conduis une depuis dix ans. Si je savais pas les reconnaître, ce serait grave, quand même.

Sebag, perplexe, sortit son carnet et nota ces derniers renseignements. Ils prirent la déposition du témoin, la lui firent signer et reprirent en voiture la direction du commissariat.

Ils mirent une trentaine de minutes à parcourir les deux kilomètres qui séparaient le Moulin-à-Vent du centre-ville. Depuis quelques mois, Perpignan possédait des embouteillages dignes d'une capitale régionale. Les alentours de la gare, surtout, se congestionnaient tous les soirs. Sebag fut tenté d'abandonner son collègue à son triste sort et de rejoindre le commissariat à pied mais il se contenta de lui demander de couper la radio pour mettre fin aux bouffonneries qui sévissaient sur les ondes à cette heure-ci.

À regret, Jacques éteignit la radio et Sebag put se

concentrer sur leur affaire. Mais il ne parvint pas à emboîter comme il l'aurait souhaité tous les éléments nouveaux recueillis dans la journée.

Ils se garèrent enfin sur le parking de la HLM, surnom donné au commissariat pour la tristesse et la décrépitude de son rectangle de béton. À peine entré dans le bâtiment, Molina insista pour qu'ils passent tout de suite « saluer » le lieutenant Cardona. Sebag ne voulut pas le contrarier mais il sentait que ce n'était pas une bonne idée.

Ils le trouvèrent dans son bureau, assis près d'une fenêtre entrouverte par laquelle s'échappaient les volutes de sa cigarette.

— Tiens, voici les as de la police perpignanaise ! Ceux qui prétendent résoudre toutes les énigmes, y compris celles qui n'existent pas.

— Tu ne crois pas si bien dire, répliqua Molina.

Il lui résuma en quelques mots hargneux leur rencontre avec Charles Mercader. Cardona prit quelques secondes de réflexion avant de répliquer :

— Vous me prenez pour un con ou quoi ? C'est ça, votre scoop ?

— Notre témoin a vu la voiture dont parle le chauffeur de la camionnette, argumenta Molina.

— Votre témoin, il a vu une voiture, ça, c'est sûr, mais il a pas vu l'accident.

— Tu chipotes, s'énerva Molina. Il a vu une voiture démarrer en trombe et partir en direction des lieux de l'accident. Puis il a entendu le choc.

— Entendre, ce n'est pas voir. Votre témoin, il a vu la voiture mais pas l'accident. Les miens, ils ont vu l'accident mais pas la voiture. C'est ballot !

— Un seul de tes témoins était là au moment de

l'accident, intervint Sebag, les autres sont arrivés juste après. Et d'où il se tenait, ce seul témoin ne pouvait pas voir la voiture survenir sur la droite de la camionnette.

Molina enchaîna :

— Et tu ne trouves pas que c'est une drôle de coïncidence, peut-être, que Mercader ait vu une Clio blanche immatriculée en Espagne tout comme la voiture décrite par le chauffeur de la camionnette ?

Loin de paraître convaincu, Cardona laissa s'affirmer sur ses lèvres un sourire goguenard. Il ouvrit un tiroir et sortit un dossier avec une extrême lenteur. Il le posa bruyamment sur le bureau.

— Et tu peux me dire où c'est marqué dans le dossier que cette fameuse Clio portait une immatriculation espagnole ? J'ai ici le PV d'interrogatoire de Pascal Lucas. Vas-y, trouve-moi une mention de la plaque espagnole !

Molina resta bouche ouverte et se tourna vers Sebag.

— Pascal Lucas ne l'a pas mentionnée dans son premier interrogatoire, expliqua celui-ci. C'est à moi qu'il a donné l'info.

Cardona saisit la balle au bond.

— Et il te l'a donnée après un entretien informel que tu n'étais pas censé avoir avec lui, n'est-ce pas ?

— C'est exact, mais cela n'enlève rien à l'importance de cette info. Tu ne peux pas l'écarter comme ça.

— Non, bien sûr, se gaussa Cardona. À moi, Lucas ne dit pas tout, mais à toi, évidemment, il confie l'entière et exacte vérité. Ce mec-là est bourré du matin au soir. Il a trouvé un pigeon, prêt à croire n'importe quel bobard, alors il s'est mis à dire ce qui l'arrangeait. Mais méfie-toi, Sebag, ce mec est en train de te faire cocu !

La mauvaise foi de Cardona avait énervé Sebag et ce dernier mot l'électrisa. À sa grande surprise, il sentit son sang s'échauffer dans ses veines. C'était ridicule, il en avait conscience, un mot aussi vulgaire et banal ne devait pas avoir cet effet. Pourtant, lui, d'ordinaire si pondéré et si calme, fut pris d'une envie folle d'attraper Cardona par le col.

Il ne résista pas.

Par-dessus le bureau, il agrippa le haut de sa chemise d'une main ferme et tourna d'un bon quart de tour. Cardona tenta de protester mais le poing serré de Sebag lui comprimait le larynx.

— Écoute-moi bien, connard, on vient de t'apporter sur un plateau un témoignage important, peut-être pas capital, c'est vrai, mais important. Il va figurer dans notre dossier puisque nous l'avons obtenu au cours de notre enquête sur le double meurtre. Il est donc parfaitement légal. Tu as bien compris, LÉGAL !

Sa main droite lui faisait mal mais il resserra encore son emprise et abaissa légèrement son bras, obligeant Cardona à s'incliner vers le bureau.

— Je vais donc faire une note tout aussi officielle, comme quoi je t'ai bien transmis ce témoignage. Alors maintenant, je te conseille de reprendre toi-même sérieusement l'enquête et d'aller cette fois jusqu'au bout sans rien négliger. Parce que moi aussi je vais continuer. Que ça te plaise ou non, cette bagnole existe et je peux trouver d'autres témoins. Si j'en trouve, je transmets direct l'info au grand patron, c'est clair ?

Le buste penché en avant, Cardona s'efforça de relever la tête pour jeter un regard noir. Sebag serra encore davantage pendant quelques secondes avant de relâcher progressivement.

Cardona se redressa et se massa le cou. Ses joues étaient cramoisies mais son front tirait plutôt sur le vermillon. Après avoir rabattu en arrière une mèche blonde et grasse, il leva un index menaçant.

— Ne refais jamais cela, Sebag, jamais.

— Je te le promets, Cardona. Mais ne me parle plus comme cela. Jamais.

Molina suivit silencieusement Sebag jusqu'à leur bureau. Mais une fois la porte refermée, il ne put s'empêcher de s'esclaffer.

— Putain, comment tu lui as rivé son clou à ce con !

Il pendit son blouson au portemanteau accroché derrière la porte avant d'ajouter plus gravement :

— Je crois qu'il a été surpris par ta réaction. Moi aussi d'ailleurs…

Il attendit un commentaire qui ne vint pas.

— Je ne t'avais jamais vu comme ça.

Sebag lui accorda un vague rictus.

— Ça t'a fait du bien, au moins ?

Sebag se laissa tomber sur son fauteuil. Il déploya ses jambes sur le bureau et appuya ses bras sur les accoudoirs. Puis il hocha lentement la tête.

— C'est pas mal comme impression.

— Tu vois, ça fait des années que je te le dis : faut pas hésiter à se lâcher, des fois.

— Pourtant, la colère est mauvaise conseillère.

Molina plissa le front. Ses sourcils bruns plongèrent vers ses yeux qui se fermèrent à demi.

— Que se passe-t-il ? s'inquiéta Sebag.

— Ben, je réfléchis.

— Je vois bien que tu réfléchis. Ça te donne toujours cet air étrange… Mais tu réfléchis à quoi ?

— À ce que tu m'as dit.

— J'ai dit un truc spécial ?

— Que la colère était mauvaise conseillère.

— Et alors ? Tu connais l'expression, quand même ?

— D'habitude, tu n'utilises jamais un proverbe dans son sens premier : il faut toujours que tu le détournes.

— Ah oui, c'est vrai, tu as raison.

Il chercha une manière de rebondir et de ne pas laisser son collègue sur sa faim. Il trouva une idée. Pas terrible mais ça ferait l'affaire.

— Cette histoire ne valait même pas la peine de faire un bon mot.

— Ah bon ?

— Oui, cette dispute avec Cardona n'a aucun intérêt : on peut dire que « ça ne casse pas trois pattes à un connard ».

La bouche de Molina s'étira jusqu'à ses oreilles. Il était aux anges.

— Eh bien voilà, je suis rassuré !

— Pourquoi ? Tu la trouves bonne ?

— Non, justement. Là, c'est comme d'habitude !

Sebag regardait s'allumer les lampadaires de la ville. Il n'était que 18 heures mais le passage récent à l'heure d'hiver avait brutalement raccourci les après-midi. Il se demandait s'il devait annoncer à Séverine les progrès de son enquête sur l'accident de Mathieu. Après réflexion, il décida de n'en rien faire. Ce n'était pas encore fini, il valait mieux attendre. Et si elle posait des questions, il se contenterait de lui révéler que les choses avançaient et qu'il avait maintenant bon espoir.

Des images de Clio et de Seat blanches se mirent

à tourner dans sa tête. Il s'efforça de penser à autre chose mais n'y parvint pas. Le téléphone de son bureau sonna en même temps que celui de Molina. Jacques fut plus prompt à décrocher. Il ne dit pas un mot, se contentant d'écouter en faisant des grimaces.

— Merde ! lâcha-t-il sobrement en raccrochant.

— C'est grave ?

— Plutôt. Le président du Cercle pied-noir a été agressé. Un coup de couteau. Il a été transporté à l'hôpital. Avant de s'enfuir, ses agresseurs lui ont laissé un mot.

Molina se leva, prit son blouson et l'enfila.

— Sur le mot, y avait écrit quelque chose comme : « Mort aux pieds-noirs ».

— Merde !

— C'est ce que je viens de dire, ouais…

— C'est un bon résumé, effectivement !

CHAPITRE 23

Dans un box du service des urgences de l'hôpital de Perpignan, Guy Albouker grimaçait de douleur sur son brancard. Ses yeux apeurés se réfugiaient dans leurs poches rondes et gonflées.

Sebag interrogea du regard la jeune femme médecin, une petite brune à la chevelure ondoyante bridée par une série d'élastiques multicolores. Ils se connaissaient de vue pour s'être croisés plusieurs dimanches matin sur des courses dans le département. Le nom de la jeune femme figurait en noir sur sa blouse blanche. Le docteur Morgane Davier montra la plaie recousue au niveau de l'abdomen.

— La lame est entrée ici. De quelques centimètres, pas plus. Elle n'a touché aucun organe, seulement un peu de gras. À mon avis, les agresseurs ont seulement voulu faire peur.

— De ce côté-là, c'est réussi, gémit Albouker.

La jeune toubib lui posa la main sur l'épaule.

— Je vous fais une ordonnance, un arrêt de travail de trois jours, et après vous pourrez sortir. Votre femme vient d'arriver, elle vous ramènera.

Elle tendit la main à Sebag.

— Je vous laisse l'interroger. À un de ces dimanches, peut-être...

Elle s'éloigna d'un pas sautillant. Un autre patient attendait ses soins. Les infirmières avaient évoqué devant eux une blessure accidentelle à la tronçonneuse. Sebag en frémit.

— Elle est sympa, n'est-ce pas ? fit Albouker.

Le blessé retrouvait quelques couleurs.

— Et compétente, ajouta le président du Cercle pied-noir en caressant son pansement. J'ai l'impression qu'elle a fait ça bien. Je ne devrais pas avoir une grande cicatrice.

Sebag se tourna vers lui.

— Racontez-moi ce qui vous est arrivé.

— Je venais de quitter Mme Chevalier. C'est une vieille dame de chez nous qui habite un immeuble au Bas-Vernet. Elle fait partie de notre Cercle depuis quarante ans. Elle est malade en ce moment et ne peut pas sortir. Alors, j'avais fait deux, trois courses pour elle et je les lui avais apportées. C'est en redescendant de son appartement que j'ai été attaqué. Dans le hall. Ils devaient m'attendre.

— Ils ?

— Deux hommes, d'après ce que j'ai vu. Mais tout est allé si vite…

— Comment étaient-ils ?

— Taille moyenne tous les deux, un mètre soixante-quinze, je pense. L'un plus large que l'autre. Le plus baraqué avait une barbe. Sous leurs blousons, ils portaient des sweats avec des capuches.

— Vous pourriez m'en dire plus sur leurs tenues ?

— Le barbu avait un blouson de cuir et un sweat rouge, l'autre un blouson de toile avec un sweat gris sur lequel était écrite une série de mots anglais. Des mots pour décorer, pas pour avoir un sens précis. Vous voyez le genre ?

Sebag voyait très bien. Son fils ne s'habillait pas autrement.

— Des jeunes ?

— Assez jeunes, oui, mais je n'en suis pas très sûr. Tout s'est vraiment passé vite. J'ai été surpris, je n'ai pas eu le temps de comprendre ce qu'il m'arrivait qu'ils étaient déjà partis. Et puis, leurs yeux étaient cachés par des lunettes de soleil.

— Ils ont dit quelque chose ?

— Le barbu a crié un truc comme « Saleté de pied-noir » pendant que l'autre me plantait avec son couteau. Après, je me suis affalé sur le carrelage du hall. Ils m'ont donné quelques coups de pied avant de s'enfuir.

— Quelle heure était-il ?

— Environ 18 heures.

Molina entra à ce moment-là dans le box. Il venait de s'entretenir avec les pompiers qui avaient pris le blessé en charge. Sebag poursuivit ses questions.

— Ils vous ont laissé un mot, une lettre, je ne sais pas comment on peut dire…

Albouker désigna sa veste sur le dossier d'une chaise.

— Dans la poche intérieure droite.

Molina était le plus proche. Il fouilla et extirpa de la poche un papier froissé de la taille d'une demi-feuille A4. Il le déplia avec précaution et le tendit à Sebag. Le texte contenait trois phrases lapidaires et deux fautes d'orthographe. Il était composé de lettres découpées dans un journal puis collées. Pas très original. Sebag crut reconnaître la typographie du journal local. Il lut à haute voix :

« On vous a chassé d'Algérie. On aurait dû tous vous tuer, bande d'assassins. Il n'est pas trop tard. Morts aux pieds noirs. »

— Ce n'est pas que ça me réjouisse, mais je ne me trompais pas tant que ça, commenta Albouker avec sur ses lèvres comme un sourire d'excuse. On en veut aux pieds-noirs assassins, ça veut dire OAS. Encore des gens qui font dans l'amalgame facile. Et quand je pense que c'est tombé sur moi, moi dont les parents militaient à la SFIO…

Sebag resta songeur. Il ne savait pas comment interpréter ce dernier événement. Et surtout comment le relier aux autres. Les deux meurtres, la destruction de la stèle. Fallait-il d'ailleurs absolument y voir un lien ?

— Vous aviez déjà reçu des menaces auparavant ?

— Personnellement, non. Mais nous avons déjà reçu au Cercle quelques courriers désagréables, ces dernières années.

— Vous les avez conservés ?

— Non, je ne crois pas. S'il avait fallu s'inquiéter chaque fois…

— Pour en revenir à vos agresseurs du jour, vous ne pouvez rien nous dire de plus sur eux ?

Albouker hésita.

— C'est-à-dire que…

— C'est-à-dire que quoi ? le pressa Sebag.

— Je ne sais pas comment le formuler. À part reprendre une phrase célèbre de Coluche : « Ils n'étaient pas franchement louches mais franchement basanés ! »

— Type maghrébin ?

— Probablement. J'ai eu l'impression qu'ils en avaient l'accent également.

— Ils n'ont pas dit grand-chose...

— C'est pour cela que je parle plutôt d'une impression.

— Qu'est-ce que vous avez fait après que vos agresseurs sont partis ?

— J'ai appelé les pompiers, puis le commissariat.

— Pourquoi ne pas m'avoir téléphoné à moi aussi ? Je vous avais donné ma carte.

— Je ne l'avais pas sur moi.

Sebag s'adressa ensuite à Molina :

— Les pompiers t'ont dit quelque chose ?

— Ils ont reçu l'appel à 18 h 07 et ils étaient sur place à 18 h 16. Ils n'ont rien remarqué d'anormal. Ils ont trouvé M. Albouker seul dans le hall, appuyé sur une marche de l'escalier. Il était lucide et ne semblait pas trop souffrir. Ils ont vu tout de suite que la blessure était superficielle.

— Des nouvelles de la patrouille qu'on a envoyée sur place ?

— Les agents sont arrivés sur zone à 18 h 27. Ils n'ont rien vu de suspect mais il était trop tard sans doute. Ils n'ont rien trouvé d'anormal non plus dans le hall. Tu crois qu'il faut qu'on envoie la scientifique ?

— C'est inutile. Après le passage des pompiers, de nos collègues et sans doute de quelques habitants de l'immeuble, ils ne pourront rien faire de sérieux.

Une aide-soignante entra dans le box avec l'ordonnance et l'arrêt de travail signés par le médecin. Sur ses talons apparut Marie Albouker. Elle avait le visage défait et s'effondra dans les bras de son mari.

— Papa, t'as un SMS.

La voix de Séverine sortant de la poche de Sebag fit sursauter tout le monde. Molina dévisagea son collègue comme s'il avait laissé échapper un vent incongru. Sebag sortit son téléphone en s'excusant. Il avait un message de Claire qui lui demandait quand il comptait rentrer. « D'ici une petite heure », écrivit-il de son index maladroit.

Albouker tapotait le dos de sa femme.

— Excuse-moi, implorait le président du Cercle. Je suis désolé de t'avoir fait si peur...

Marie Albouker se redressa pour se moucher.

— Ce n'est pas ta faute, voyons.

— Non, bien sûr. Mais quand je te vois comme ça, je me sens coupable.

— Tu es un idiot.

— Tu as mis du temps pour t'en apercevoir.

Sebag s'éclaircit la voix pour rappeler sa présence.

— Je crois que nous avons fini de vous embêter, dit-il. Je rédigerai le procès-verbal de votre agression demain matin et je viendrai vous le faire signer. Vous serez chez vous, demain ?

— Je suis en arrêt maladie, je ne vais pas bouger.

— Je vous téléphonerai avant, de toute façon.

De retour dans leur voiture, Molina ne rata pas l'occasion de le taquiner.

— Alors, tu la changes quand, ta sonnerie ?

— T'as changé la tienne, toi ?

— Non, pourquoi ?

— Devine...

Molina s'étendit une fois de plus sur les mérites et les défauts de leurs sonneries respectives. Mais Sebag le laissa disserter. Il avait enfin l'impression de commencer à comprendre où pouvait mener cette histoire de voitures. Clio, Seat. Et s'il ne s'agissait pas d'une coïncidence ? Une idée avait germé, qu'il laissa pousser avant d'oser la contempler. Oui, bien sûr, c'était possible… Ils avaient bêtement raté l'évidence et son hypothèse de la journée lui semblait maintenant toujours valable.

Redoutant que les sarcasmes de Molina ne l'éteignent d'un souffle comme la simple flamme d'une vulgaire bougie, il décida de la garder pour lui. Il lui fallait encore y réfléchir, l'étayer, l'argumenter. Demain, il y verrait plus clair.

Oui, demain il serait bien temps d'en reparler.

CHAPITRE 24

Il arpentait avec peine les ruelles escarpées du village de Cadaqués. Pour admirer une ouverture sur la Grande Bleue entre deux façades blanches et reprendre son souffle avant un secteur dangereux pour ses vieilles jambes, il fit une pause sur le chemin de l'église Santa-Maria. Des dalles de schiste gris s'étalaient sur le sol, mais, dès que la pente s'accentuait, elles cédaient la place à des morceaux d'ardoise plantés dans le ciment. Les architectes avaient imaginé cette astuce pour éviter aux piétons de glisser les jours de pluie. Pour le vieil homme, toutefois, ces aspérités aléatoires constituaient autant de pièges et de risques de chute.

Il aurait l'air malin de se casser quelque chose maintenant !

Le soleil descendait vite. Il disparaîtrait bientôt derrière la barrière montagneuse qui avait isolé pendant des siècles Cadaqués du reste de la Catalogne. Jusqu'aux années cinquante, on n'accédait au village que par la mer.

Il atteignit enfin le parvis de l'église. La vue se révélait décevante. Il avait espéré une vision à 180° sur l'horizon mais il dut se contenter d'une petite ouverture bordée d'un côté par des terrasses et des toits de tuiles rondes. Au loin, il apercevait malgré tout un rocher brun et pointu qui émergeait des flots telle une canine unique dans la bouche d'un miséreux.

Jean s'assit sur un banc et réchauffa son visage aux derniers feux du jour. Quand la lumière s'éteignit, il se leva et descendit vers le port.

En bord de mer, le soleil baignait encore les terrasses des cafés. Quelques touristes français, espagnols et allemands y savouraient le retour du beau temps après une semaine de pluie et de vent. Sur la plage de cailloux, un jeune chien fou poussait un ballon entre les barques échouées des pêcheurs. Le vieux longea la plage et poursuivit sa marche vers l'est sur la route qui longeait le bord de mer. Des maisons de trois étages, sagement alignées, y brillaient de toute leur blancheur. Régulièrement enduites de chaux, elles témoignaient de l'aisance actuelle du village devenu un haut lieu touristique de la Costa Brava.

Il appréciait le site bien que les raisons de son déplacement n'aient rien, absolument rien, à voir avec le tourisme.

La rue serpentait le long de la mer. Il avançait d'un pas plus assuré sur le bitume. Il consulta un plan affiché sur un mur. Il avait déjà dépassé *Es Poal*, puis *la playa es Pianc*. *L'avinguda Rahola* n'était plus très loin.

Il marqua une halte devant la fine silhouette d'une femme de métal. Une jarre sur la tête et la chevelure dressée par le vent comme une oriflamme, la statue tournait le dos aux maisons et regardait vers le large. Il posa ses fesses sur un large banc de pierre encore tiède de soleil. Blotti autour de son église, le village enroulé sur sa butte attendait la nuit. L'homme sortit de son manteau le petit appareil photo qu'il avait acheté à La Jonquère avant de partir. Il se mit à mitrailler autour de lui.

Après avoir réalisé une dizaine de clichés au hasard, il se remit debout et recommença à arpenter l'avenue. Mais cette fois-ci, il s'arrêtait souvent pour faire des photos. Pas de la mer, pas du village, mais des maisons qui bordaient la chaussée.

Il était arrivé dans le secteur le plus huppé du village. Le mur continu de façades étroites et blanches avait cédé la place à de luxueuses villas en partie dissimulées par de hauts murs de pierres plates. Ces résidences pour personnes aisées déployaient à leur premier étage de somptueuses terrasses avec vue imprenable sur la mer.

Jean fit mine d'apprécier un splendide figuier de Barbarie qui parvenait à étaler ses raquettes piquées d'épines jusqu'à trois mètres de hauteur. Il prit de nombreuses photos, glissant peu à peu vers la villa voisine. Une des plus chics du quartier. L'appartement qu'il occupait à Buenos Aires aurait tenu sur le tiers seulement de sa terrasse.

Le vieil homme repéra trois caméras autour de la bâtisse qui devait disposer également d'un système d'alarme sophistiqué. Il eut la confirmation de ce qu'il pressentait : ce n'était pas à son domicile qu'il pourrait atteindre sa troisième cible. Il n'entrerait pas ici aussi facilement que dans l'appartement de Martinez. Et cette cible, il le savait, se montrerait autrement plus coriace que les deux autres lascars. Qu'elle soit ou non au courant de ce qui était arrivé à ses anciens complices.

Sa bouche sans lèvres s'entrouvrit pour un sourire malicieux. Il avait un plan de rechange. Évidemment.

Les années de guerre lui avaient appris la prévoyance. Une seule arme en main mais toutes les solutions dans la tête, telle avait été la clé de sa réussite. Hier dans les rues d'Alger, aujourd'hui dans celles de Cadaqués.

Et puis, il était prêt à tout. Bien sûr, il préférrerait réussir cette dernière mission sans accroc pour repartir mourir – le plus tard possible – auprès de sa Gabriella chérie. Il aimerait tant la voir grandir… Mais sa détermination ne connaîtrait pas de faiblesse. C'était une question d'honneur. Il le devait à tous les combattants que ces salauds avaient trahis.

Il le devait à leur mémoire.

Il le devait à son idéal.

Il le devait à sa jeunesse.

Il le devait. Un point, c'est tout.

CHAPITRE 25

— Ça change de la salle de réunion du commissariat, pas vrai ?

Molina se montrait fier de son idée. Sebag le félicita en levant bien haut son espresso. Castello étant en déplacement à Montpellier pour un séminaire régional des commissaires, Molina avait proposé à ses collègues de tenir au Carlit leur réunion matinale.

— Après tout, nos chefs font leur grand raout dans un hôtel luxueux, on peut bien tenir notre réunion dans un petit bistrot, avait-il argumenté.

Llach, Lambert et Sebag avaient approuvé avec enthousiasme, Julie Sadet avec retenue, Ménard, toujours à Marseille, n'avait pas pu contester. Quant à Raynaud et Moreno, ils n'auraient certainement pas été contre, mais, fidèles à leurs habitudes, ils profitaient de l'absence du patron pour jouer les filles de l'air.

Sebag lampa avec un plaisir non dissimulé l'excellent moka préparé par Rafel. Puis il prit la parole. Tout le monde jugeait naturel qu'il mène les débats en l'absence de Castello.

— Les agents envoyés hier sur les lieux de l'agression d'Albouker n'ont rien ramené. Aucun élément matériel, aucun témoignage non plus sur les deux auteurs. Les relevés sur le message laissé par les agresseurs n'ont rien donné : on n'a trouvé que les empreintes de Jacques et de la victime.

— Décidément, on patauge, se plaignit Joan Llach.

— Difficile de dire le contraire, admit Sebag.

Il choisit d'aborder tout de suite une question qui lui paraissait indispensable pour la suite.

— En quoi cette agression modifie-t-elle nos enquêtes en cours ?

— En rien ! répliqua franchement Llach. À part que la victime est pied-noir, cette agression au couteau n'a rien de commun avec le double meurtre sur lequel nous travaillons.

— Dans la lettre que les agresseurs ont laissée, il y a quand même une allusion directe à... à l'OAS, émit Lambert.

— Une allusion indirecte plutôt, précisa Joan. Si la lettre mentionnait l'OAS, il s'agirait d'une allusion directe. Là, on parle seulement d'« assassins », c'est une allusion indirecte.

— On peut toujours chipoter mais ça ne change rien à ce que je veux dire, insista Lambert.

— Et qu'est-ce que tu veux dire exactement, questionna brutalement Molina. Que tout est lié ?

— Non, je sais pas. Enfin, je veux dire qu'il faut faire attention avant de tout rejeter. Je veux dire avant d'écarter la possibilité que toutes les affaires soient liées.

— Il faut bien essayer d'y voir plus clair pourtant, s'irrita Llach. Et ce n'est pas en mélangeant tout qu'on va y arriver.

Julie Sadet intervint de sa voix posée :

— Tout est lié sans être lié, en fait.

Habilement, elle attendit que tous les regards convergent vers elle pour continuer.

— Je crois qu'on a devant nous d'un côté un double meurtre et de l'autre des gens qui cherchent à profiter de cette affaire pour semer la zizanie sur Perpignan. Les deux affaires sont distinctes mais sont liées également : sans les assassinats, il n'y aurait sans doute pas eu de violences sur Albouker et de dégradation sur la stèle de l'OAS.

Le silence qui suivit montra que les inspecteurs trouvaient pertinente l'argumentation de leur nouvelle partenaire.

— On butait l'autre jour sur la coïncidence qui nous paraissait étrange, réfléchit Molina à haute voix. Mais selon ton hypothèse, il n'y aurait pas vraiment de coïncidence.

— Je trouve cela intéressant, confirma Llach en cherchant l'approbation dans les yeux de Sebag.

Celui-ci hocha la tête pensivement. Oui, il trouvait l'idée attirante. Un élément cependant le gênait. Une question de chronologie. Le meurtre de Martinez avait été découvert un lundi et révélé par la presse le mardi. La destruction de la stèle était intervenue, elle, dès la nuit du mercredi au jeudi, avant même que l'information sur l'inscription « OAS » trouvée chez Martinez ne circule dans la ville. Si des gens voulaient semer la panique dans la communauté pied-noir de la ville, ils avaient été bien informés et avaient réagi vraiment très vite. Sebag préféra garder pour lui ses réserves et aborda les autres thèmes. Il transmit à ses collègues les rapports que Castello lui avait laissés. L'autopsie d'André Roman confirmait qu'il avait été tué d'une balle dans le cœur – la seconde balle tirée – et l'analyse balistique certifiait que l'arme utilisée était bien un Beretta 34 de calibre 9 mm, la même arme que celle utilisée pour tuer Martinez.

— À part cela, j'ai fait le point avec François au téléphone, ce matin. Il y a du nouveau à Marseille : il devait rencontrer son barbouze, mais le gars a disparu depuis plusieurs jours.

Les policiers ouvrirent de grands yeux surpris.

— Ne nous emballons pas trop vite : Maurice Garcin est âgé de quatre-vingt-un ans, il souffre de la maladie d'Alzheimer et c'est de la maison de retraite où il vit qu'il a disparu. Ou plutôt qu'il a fugué. Il paraît que cela lui arrive souvent. D'après ses deux fils, que François a contactés, Garcin vit très mal sa déchéance. D'où ses escapades à répétition.

— Si le type est gâteux, il n'est plus suspect, alors ? interrogea Llach.

— Il ne l'a jamais été vraiment, c'est un témoin comme bien d'autres. Enfin... quand je dis bien d'autres... on n'en a pas tant que ça en fait. N'est-ce pas, Julie ?

— C'est vrai, reconnut la jeune femme. Parmi les anciens barbouzes encore en vie que nous avons répertoriés avec François, Garcin nous a paru le seul à avoir conservé une haine solide de l'OAS pendant un demi-siècle.

— À défaut du père, François rencontrera les deux fils aujourd'hui. Il verra avec eux quel est son état de santé exact. La maladie d'Alzheimer est progressive, on n'est pas sénile du jour au lendemain. Surtout qu'il y a des traitements aujourd'hui, je crois, qui atténuent les effets.

— Et s'il n'était pas du tout malade ? suggéra Llach. On ne peut pas simuler cette maladie ?

— Je ne suis pas très calé sur le sujet, admit Sebag. Je ne sais pas s'il y a des tests ou des examens cliniques irréfutables.

— Ça peut dépendre aussi du degré de la maladie, fit remarquer Julie. Tu as dit qu'il avait encore pas mal de lucidité.

— C'est ce que m'a laissé entendre François, mais si le type est en maison de retraite, c'est qu'il est bien atteint.

— Ça pourrait fonctionner si c'était lui, intervint Lambert. À quatre-vingt-un ans, il a forcément des cheveux blancs.

— Il peut tout aussi bien être complètement chauve, contesta Molina. Il faudra demander à Ménard de vérifier.

— Envoie-lui tout de suite un SMS, proposa Sebag. Ce sera fait.

Molina sortit son portable et pianota sur le clavier. Gilles jugea opportun d'évoquer la question de la voiture du tueur. Il n'avait pas cessé d'y penser depuis la veille. Il voulait voir si certains d'entre eux, avec un regard neuf, parvenaient spontanément aux mêmes conclusions que lui.

— Des témoignages concordants recueillis hier nous permettent de penser que le meurtrier de Roman conduisait une Seat blanche immatriculée en Espagne. Le souci, c'est que le jour du meurtre de Martinez, des habitants du Moulin-à-Vent ont remarqué, eux, dans le voisinage non pas une Seat mais une Clio blanche immatriculée en Espagne.

— Les témoins sont fiables ? questionna Llach. Les deux modèles sont assez proches, si je ne m'abuse.

— *A priori*, on peut leur faire confiance, oui. On a vérifié.

— C'est curieux, commenta simplement Lambert.

— Je ne vois pas ce qu'il y a là de curieux, avança Julie Sadet. Le meurtrier aura changé de voiture. Il y a peu de chances en vérité qu'il ait agi avec son véhicule personnel.

Sebag sourit. La recrue de Castello se révélait de qualité. Elle avait évité le piège dans lequel lui et Molina étaient bêtement tombés la veille.

— Et selon toi, il les trouve où, ses voitures ?

— Dans une agence de location située de l'autre côté de la frontière, tout simplement.

— Mais pourquoi avoir choisi deux modèles si proches ?

— Il n'a pas forcément choisi. Peut-être a-t-il opté chaque fois pour un modèle et une couleur des plus courants afin de ne pas se faire remarquer.

La réflexion parut judicieuse aux inspecteurs. Sebag jubilait.

— C'est exactement la conclusion à laquelle je suis parvenu hier soir. La similitude des modèles et l'im-matriculation en Espagne dans les deux cas nous ont empêchés de voir immédiatement ce qui nous apparaît maintenant comme une évidence. Nous avons cru au départ que les témoins se trompaient et que ce devait être la même voiture. Puis quand nous avons compris que les témoins avaient raison et qu'il y avait bien deux véhicules distincts, nous avons été incapables d'imaginer cette solution au final fort simple.

— Donc le tueur loue ses voitures en Espagne ? résuma Llach.

— Affirmatif, confirma Sebag. On peut même ima-giner que c'est là qu'il réside entre deux forfaits.

— Hop, hop, hop, intervint vigoureusement Molina.

On ne va pas un peu trop vite, là ? Tu pars donc maintenant du principe que le vieux à la Clio, sans doute responsable de l'accident du copain de ta fille, est également le meurtrier ?

— Oui, je pense que c'est possible.

— Quel vieux ? Quel accident ? interrompit Llach.

Sebag leur raconta rapidement la mort de Mathieu.

— Charles Mercader, un habitant du Moulin-à-Vent, nous a confié avoir aperçu un homme âgé d'au moins soixante-dix ans monter dans la Clio. On peut imaginer que le meurtrier était un peu nerveux après son forfait et que dans la précipitation de sa fuite il a grillé un stop.

— Un vieux ? Ce serait donc Maurice Garcin ! s'exclama Lambert. Le barbouze !

— Hou là, hou là, calmons-nous, tempéra Sebag. Que le meurtrier soit âgé, ce n'est pas un scoop ! S'il accomplit une vengeance vieille de plus de cinquante ans, Garcin n'est pas le seul survivant de la guerre d'Algérie.

— On en revient à ce fameux cheveu blanc, alors, remarqua Llach. Castello s'en est occupé ?

— Je ne sais pas, il faudra que je voie Pagès.

— Un papy flingueur et chauffard qui sème ses cheveux partout comme les cailloux du Petit Poucet... C'est pas un peu scabreux, tout ça ?

Molina ne cachait pas sa mauvaise humeur. Sebag ne l'avait pas mis dans la confidence et il s'était vexé.

— Il faut faire attention aux conclusions hâtives, concéda Sebag. Mais c'est en traçant des pistes que l'on avance.

— Ou que l'on fait fausse route !

— Je doutais encore beaucoup hier soir de cette

histoire de voitures et c'est pour cela que je ne t'en ai pas parlé. Mais ce matin, j'en suis pratiquement convaincu. Et même si je vais un peu vite en besogne en attribuant au meurtrier la responsabilité de l'accident, il n'empêche que ce n'est pas idiot de penser que notre homme a loué deux voitures analogues dans des agences espagnoles. Et je te rappelle que je ne suis pas le seul à être parvenu à cette hypothèse. Julie aussi. Sans que je lui souffle quoi que ce soit.

— On va perdre notre temps, grogna encore Molina. Des agences de location en Espagne, il y en a des milliers.

— Si, comme le dit Gilles, le meurtrier s'est installé en Espagne, il n'est sans doute pas basé très loin de la frontière, supposa Julie.

— Et quand bien même ! Du Perthus à Gérone, il y en a au moins plusieurs dizaines... Et sur les quinze derniers jours, chaque agence a dû en louer des dizaines, des Clio et des Seat.

— Ils n'ont sûrement pas beaucoup de clients ayant loué une Clio puis une Seat.

— Si notre type est prudent, il n'est pas allé les deux fois dans la même agence.

— C'est vrai, accorda Julie.

— Et puis de toute manière, ça va être coton pour nous de nous renseigner en Espagne. Il va falloir suivre les voies officielles et ça va prendre des jours et des jours.

Llach qui s'était mis en retrait pendant les derniers échanges se redressa sur sa chaise.

— Un cousin de ma femme travaille chez les *Mossos*. Il pourra nous donner un coup de main. Officieusement, bien sûr. On s'est déjà rendu quelques services mutuels par le passé quand on avait besoin d'aller vite.

Sebag expliqua pour Julie qui ne semblait pas comprendre.

— Les *Mossos*, c'est la police de la Catalogne-Sud. Le nom complet est *Mossos d'Esquadra*.

— La police espagnole, ce n'est pas la *Guardia Civil* ?

Sebag, Molina et Lambert sourirent, amusés. Julie Sadet venait de commettre sa première gaffe. Llach soupira mais consentit à lui faire un rapide exposé.

— La *Guardia Civil* est bien la police espagnole, oui, mais en Catalogne-Sud, elle a progressivement laissé la place aux *Mossos*. Le processus s'est fait sur une vingtaine d'années. Aujourd'hui, la *Guardia* n'a plus compétence que pour les affaires de terrorisme et d'immigration. Tout le reste, y compris les affaires criminelles, est du ressort de la police catalane.

Llach ajouta, non sans fierté :

— C'est l'une des plus anciennes forces de police d'Europe. Elle a été créée au début du XVIIIe siècle.

— Très bien, très bien, je me coucherai moins bête ce soir. Merci, Joan.

— Je téléphone à mon cousin des *Mossos,* alors ? proposa Llach.

— Ce serait bien…

— Et moi, je suppose que je convoque Charles Mercader pour un portrait-robot ? fit Molina à contrecœur.

— Si mon hypothèse est la bonne, Mercader est le seul à avoir aperçu le meurtrier. Je vais essayer de nous faire parvenir une photo de Maurice Garcin. Il faudrait la lui montrer. On va demander à François d'en dégotter une.

Sebag donna le signal du départ pendant que Jacques envoyait un nouvel SMS à Ménard. Llach, Lambert et Julie Sadet se levèrent mais la jeune flic ne suivit pas ses collègues vers la sortie.

— Quelque chose à ajouter, Julie ? lui demanda Sebag.

— Il m'est venu une idée. Une hypothèse, pour employer ton vocabulaire.

— Vas-y, je t'en prie.

— Je me suis dit que le tueur aurait pu ramener sa voiture à une autre agence de location que celle où il l'avait prise. C'est assez courant comme pratique.

— Effectivement, c'est banal. Mais pourquoi l'aurait-il fait ?

— Je ne sais pas. Par commodité ou pour essayer de brouiller les pistes.

— C'est possible. Et où ça nous mène, ce raisonnement ?

— On peut imaginer qu'il ait rendu son véhicule dans une agence française.

Sebag plissa les yeux. Son cerveau calculait toutes les conséquences de cette supposition.

— Ça veut dire qu'on peut dès maintenant suivre cette piste sans attendre la collaboration de nos collègues sud-catalans. Ça veut dire également qu'on ne sera pas submergés par les suspects : il ne doit pas y avoir beaucoup de clients à louer une voiture en Espagne et à la laisser en France. Intéressant. Bravo ! Tu t'en charges, évidemment. Demande à Llach ou à Lambert de t'aider.

Julie Sadet tourna les talons et rejoignit dans la rue ses collègues. Molina rangea son portable dans son blouson.

— Pas mal, la petite nouvelle, remarqua Sebag.

— Ouais.

Sebag dévisagea Molina. Il attendait d'autres commentaires mais rien ne vint.

— Oh, toi, tu fais toujours la gueule ou alors tu vieillis !

— Je ne fais pas la gueule.

— Donc tu vieillis !

— Comment ça, je vieillis ? De quoi tu me parles ?

— Tu n'as rien d'autre à dire sur la jeune et jolie Julie ? Aucune réflexion sur ses beaux yeux, son petit cul, que sais-je encore… ?

— Ah, c'est ça… Ben non !

— C'est bien ce que je dis alors, tu vieillis : t'essayes même pas de la draguer.

— Je ne suis pas aussi lourd que ça. Je tire pas sur tout ce qui bouge, quand même.

— En tout cas, tu essayes…

Molina rigola.

— Oui, c'est vrai, je suis un peu lourd parfois.

— Et là, rien ! Qu'est-ce qui se passe ?

— Je sais pas, je la sens pas, Julie.

— Pourquoi ? Elle ne te plaît pas ?

— Tu plaisantes, elle est super craquante.

— Ben alors ?

— Je ne sais pas. L'instinct du vieux chasseur sans doute. Ce n'est pas une fille à ma portée.

— Elle est trop bien pour toi ?

— Oh, j't'en prie, ne sois pas désagréable. Je m'en suis fait d'aussi bien, voire de mieux encore. Mais je ne la sens pas : elle n'est pas sur le marché, quoi !

— C'est classe comme expression…

— C'est comme ça que je ressens les choses. Et je

les exprime comme je peux. Elle est très… pas distante, non c'est pas ça, mais comme en retrait. Tu peux pas savoir, toi qui n'as pas dragué une femme depuis que tu as rencontré ta Claire à l'université, mais nous, les dragueurs, on ressent ces choses-là. À mon avis, Julie a un copain et elle est très amoureuse. Et sans doute même qu'elle est très fidèle. Si tu vois ce que je veux dire…

— J'ai une petite idée sur la question, oui, répondit Sebag.

Il se demanda soudain à quel moment Claire s'était… remise sur le marché, quels signaux elle avait pu envoyer et quel « prédateur » les avait perçus. Une pointe de jalousie lui vrilla l'estomac, suivie par une autre plus perfide : une pointe d'angoisse. Et aujourd'hui qu'en était-il ? Maintenant que son aventure de l'été semblait terminée – si tant est qu'elle ait existé –, Claire était-elle à nouveau sur ce fameux marché ?

Il leva brusquement la main et commanda un autre café. Encore une petite douceur et il retournerait s'immerger dans l'enquête. Ce serait plus utile que ses éternelles ruminations lancinantes et stériles.

Il téléphona à Gérard Mercier en milieu de matinée.

— Ça tombe bien, j'allais vous rappeler, dit le frère du trésorier du Cercle pied-noir. La photo que vous m'avez envoyée de nos gars autour du lieutenant Degueldre m'a bien aidé. J'ai secoué quelques contacts – de vieux amis – et j'ai du nouveau pour vous. Vous avez de quoi noter ?

Sebag était installé à son bureau, son cahier ouvert devant lui.

— Allez-y, je suis tout ouïe.

— Ils étaient bien quatre à constituer ce qu'on appelait le commando Babelo, du nom de leur chef, ou plutôt de son surnom. Autour de Babelo : Sigma, Bizerte et Omega…

— Vous n'avez que des pseudos ? s'inquiéta Sebag.

— Omega, c'était Bernard Martinez, Sigma, un jeune gars du nom de Jean Servant, et Bizerte… Bizerte, vous avez déjà deviné, je suppose ?

Sebag se souvint qu'André Roman avait passé une partie de son enfance dans cette ville du nord de la Tunisie.

— Ils ne se sont pas foulés pour trouver leurs pseudos, s'amusa-t-il.

— C'était plus un jeu qu'une véritable nécessité. D'autant que chez les pieds-noirs tout finissait toujours par se savoir. Mais les pseudos donnaient à certains groupes l'impression d'être dans la Résistance.

La comparaison fit sursauter Sebag mais il se garda de tout commentaire qui aurait pu froisser l'ancien de l'OAS.

— Et Babelo ?

— Ça vient de Bab-El-Oued, la « Porte de la Rivière » en bon français. C'était un quartier européen et populaire du nord d'Alger. C'était aussi un des bastions de l'OAS. Le chef en était issu.

— Et son vrai nom, vous l'avez ?

Le silence, seul, lui répondit.

— Allô, vous êtes toujours là ?

— Oui, oui, je suis là.

— Vous l'avez, ce nom, ou vos « contacts » ne vous l'ont pas donné ?

— Si, si, ils me l'ont donné. Mais à une seule condition.

— Laquelle ?

— Que je le garde pour moi. Babelo, d'après eux, n'apprécierait pas d'être dérangé par la police pour de si vieilles histoires.

— N'importe quoi ! Vous leur avez dit qu'il s'agissait surtout de lui sauver la vie ?

Mercier ricana.

— Ça ne les a pas impressionnés : ils m'ont répondu qu'il serait de taille à se défendre.

— C'est ridicule. Il faut que je le contacte. Vous devez me donner son nom.

Gérard Mercier se rebiffa :

— Je ne dois rien ! Je vous ai prévenu dès le départ que, si je vous aidais, c'était avant tout pour protéger les gars de chez nous. Et puis, de toute façon, Babelo n'est pas de votre ressort : il n'est pas rentré en métropole après l'indépendance et aujourd'hui encore il ne vit pas en France.

— Il vit où ?

— Ailleurs… Rassurez-vous, j'essaierai de le contacter moi-même et il sera sur ses gardes.

Sebag s'avoua vaincu pour le moment. Il ne devait pas braquer son interlocuteur car il avait d'autres questions à lui poser. Il relut ses notes.

— Et notre dernier lascar… Jean Servant, c'est ça ?

— C'est ça, oui. Mais lui non plus n'est pas de votre ressort.

— Allons donc ! répliqua-t-il, gagné par l'agacement.

— Lui non plus n'est pas rentré en France après la guerre, expliqua Mercier. Il n'en a pas eu l'occasion. Il est mort à Alger. Il a été tué dans l'explosion d'un bar en juin 1962.

Sebag nota ces informations. L'enquête tournait court : il n'y avait plus qu'une victime potentielle et il ne pourrait rien faire pour elle. Il en éprouvait à la fois du dépit et du soulagement.

— Bon ! Essayons d'en savoir plus sur les mobiles du meurtrier. Vous avez une idée des actions commises autrefois par le commando Babelo ?

— Le groupe de Babelo faisait partie des fameux commandos Delta qui dépendaient directement du lieutenant Degueldre, le principal organisateur opérationnel de l'OAS.

Mercier eut un tremblement infime dans la voix en prononçant le nom de Degueldre.

— C'était un groupe très actif qui a réalisé des actions spectaculaires et audacieuses…

— J'ai cru comprendre, oui, ironisa Sebag.

« Des choses horribles », avait dit Mathilde Roman avant d'évoquer l'assassinat du policier français et d'Arabes inoffensifs. Mercier fit mine d'ignorer la remarque de Sebag.

— Ils ont commencé par des piratages de la radio d'Alger. On aimait bien ce type d'opérations. On coupait les émissions de la radio officielle qu'on remplaçait par les nôtres. Nos compatriotes avaient alors droit à un vrai programme d'information qui les changeait du discours gouvernemental.

— Mais le groupe de Babelo ne s'est pas limité à cela, n'est-ce pas ? le brusqua Sebag.

Il sentit aussitôt une gêne à l'autre bout du fil. Il dut relancer à nouveau Mercier.

— Allô, vous êtes toujours là ?

— Je suis toujours là. Je réfléchis aux mots pour

vous expliquer ce que vous ne pourrez pas comprendre…

— Je peux essayer.

— Je ne doute pas de votre bonne volonté, soupira Mercier, mais il s'agit surtout de replacer le tout dans son contexte historique. Même si elle ne disait pas son nom, la guerre d'Algérie était une vraie guerre, une guerre civile en quelque sorte, une guerre terrible surtout.

Il marqua une courte pause.

— Rappelons d'abord que c'est le FLN qui a ouvert les hostilités en novembre 1954. Et les fellaghas ne se sont jamais contentés de s'en prendre aux cibles militaires. Ils ont tué des civils, des femmes et des enfants aussi. Égorgés, éventrés. Vous avez dû en voir dans votre métier, des cadavres, mais combien de corps avez-vous découverts avec leurs couilles dans la bouche ? Purée… Ça fait un drôle d'effet, je peux vous le garantir…

Son débit s'accélérait progressivement.

— Personnellement, j'avais vingt-deux ans quand j'ai pris contact avec l'OAS. J'avais la haine, à l'époque, on a tous eu quelqu'un de proche assassiné par le FLN. Ça n'incite pas à la clémence, je peux vous le dire.

Son accent pied-noir avait repris le dessus à mesure de son échauffement.

— C'était la guerre. Et en période de guerre, les repères et les valeurs ne sont plus les mêmes qu'en temps de paix. Quand tout est calme, c'est facile d'avoir des idées généreuses et de grands principes moraux. En période de guerre, c'est une tout autre affaire…

— Tout ça pour dire ? le pressa encore Sebag.

— Tout ça pour dire que le groupe de Babelo n'a pas commis que des actions sympathiques comme le piratage de la radio.

— Il y a eu l'assassinat d'un policier français par exemple ?

— Par exemple. Je vois que vous êtes déjà bien informé.

— Je n'ai ni son nom, ni la date.

— Il s'agissait de l'inspecteur Michel. Exécuté à Alger en décembre 61.

Sebag apprécia le choix des termes. « Exécuté »... C'était autre chose que « tué » ou « assassiné ».

— Ils ont aussi « exécuté » des ouvriers arabes sans défense.

Gérard Mercier souffla ostensiblement.

— Je vous avais dit que vous ne pourriez pas comprendre.

— J'ai du mal, effectivement.

— Je crois savoir à quelle opération vous faites allusion. En novembre 61, les hommes de Babelo ont attendu les ouvriers à la sortie d'une usine d'embouteillage et les ont mitraillés sans sommation. Il y a eu six morts. Les ouvriers n'étaient pas armés, ils n'étaient pas forcément membres du FLN. Ils étaient arabes, à l'époque ça nous suffisait.

Il prit une profonde inspiration.

— Des opérations comme celle-ci, il y en a eu de nombreuses et même des pires. Des femmes et des enfants ont été tués de la même façon. C'est vrai qu'il nous suffisait qu'ils soient arabes. Comme il suffisait aux fellaghas que nous soyons européens pour nous tirer dessus. Je vous ai dit : c'était la guerre. Pour

300

ma part, j'ai piégé des voitures et placé des bombes dans des cafés arabes. J'ai été condamné, j'ai fait de la prison, j'ai payé.

Mercier se racla la gorge avant de poursuivre :

— Parce que nous, nous avons payé. On a perdu notre combat et l'Histoire, du coup, nous a donné tort. Elle est toujours chienne, l'Histoire, avec les perdants. Elle a fait de nos actions des crimes et de celles de nos adversaires des hauts faits de guerre. Les anciens fellaghas sont devenus ministres et nos combattants des parias qui n'ont même pas le droit d'avoir des monuments publics à leur mémoire. Pourtant nous n'avons pas fait pire que le FLN.

— Œil pour œil, dent pour dent, c'est assez classique finalement, résuma Sebag. Au début, vous avez parlé d'actions spectaculaires et audacieuses... Pour l'instant, je n'ai rien vu de tel.

— Le groupe de Babelo a été à la pointe du combat contre les barbouzes. Vous avez entendu parler des barbouzes ?

— Depuis peu mais je sais maintenant qui ils étaient.

— Des combattants aguerris et puissamment armés. Ils ont plastiqué des bars, assassiné des combattants, torturé certains d'entre nous. Ils n'ont pas fait de quartier...

— Vous non plus.

— C'est exact, confirma Mercier avec une fierté intacte dans la voix. Ils ne sont pas restés longtemps à Alger. Trois mois après leur arrivée – et malgré des renforts – ils sont tous repartis en métropole.

— Ceux qui étaient encore en vie.

Les autres aussi, se moqua Mercier. Je peux

vous garantir que leurs corps n'ont pas été enterrés chez nous.

Sebag nota encore quelques mots puis relut rapidement ce qu'il avait écrit depuis le début de la conversation. Puis il demanda à Mercier ce qui, dans les actions du commando Babelo, aurait pu susciter une vengeance à retardement.

— À mon avis, rien. Ou alors tout ! Je veux dire par là que je ne vois rien de particulier dans leurs actes qui puisse expliquer ça.

— Une vengeance d'anciens barbouzes est envisageable selon vous ?

— Vous m'auriez posé la question il y a quarante ans, je vous aurais sans doute répondu oui, mais aujourd'hui ! Pourquoi aujourd'hui ?

— Certains barbouzes en ont toujours voulu à l'OAS.

— Comme nous en avons toujours voulu à de Gaulle et au FLN. C'est toujours dans le camp des perdants qu'on trouve les revanchards. Mais je vous repose ma question : pourquoi aujourd'hui ?

— Parce que avant, le meurtrier ignorait les responsabilités des Martinez, Roman et autres... Babelo !

— Sans être sur la place publique, elles n'étaient pas secrètes. Il ne fallait pas cinquante ans d'enquête pour les mettre au jour. Et quand bien même ! Ça fait un demi-siècle ! Qui peut conserver une haine aussi tenace après tout ce temps ? Non, si vous voulez mon avis, les seules haines vraiment tenaces, on les trouve...

Gérard Mercier s'arrêta soudain.

— Oui ? tenta Sebag.

— Non, rien. Je me laisse emporter par la passion et j'allais débiter des conneries.

— Allez-y, dites-moi. Je vous donnerai mon sentiment.

— Ce ne sont que des supputations sans intérêt.

— Pas forcément.

— Si, forcément. Si j'ai tort, c'est une connerie. Si j'ai raison, c'en est une plus grosse encore.

Mercier s'efforça de ricaner mais son rire sonna faux.

— Ne me laissez pas sur ma faim, essaya encore Sebag.

— N'insistez pas. Je crois que j'ai déjà pas mal fait avancer votre enquête. Vous m'avez déjà tiré les vers du nez plus que je ne le souhaitais. Vous êtes redoutable, lieutenant Sebag. Au revoir.

Sur cette basse flatterie, il raccrocha. Sebag, perplexe, inscrivit une suite de points d'interrogation à la fin de ses notes. Puis il s'empara de la photo des quatre hommes du commando et posa un œil neuf sur le fameux Babelo. Plus âgé que ses trois complices, il portait avec fierté – et peut-être une certaine suffisance – un costume chic et élégant. D'une pochette sortait un foulard de couleur claire. Les cheveux gominés et coiffés en vagues vers l'arrière découvraient un front large et rectangulaire. Il avait des sourcils droits, un nez long coincé entre des pommettes saillantes ; une fine moustache protégeait un sourire enjôleur. Le type avait du charme et un charisme évident. Sebag fit une promesse :

— Mon cher Babelo, qui que tu sois, où que tu sois et quoi que tu en penses, je vais te trouver. J'espère seulement que ce sera avant ta mort.

Plus tard dans la matinée, Sebag reçut un appel de Ménard.

— Je sors de l'entretien avec les fils Garcin. Ils confirment que leur père ne s'est jamais tout à fait remis de la guerre d'Algérie et qu'il en veut toujours aux pieds-noirs en général et à l'OAS en particulier. Ils l'ont toujours entendu dire que les criminels de l'Algérie française s'en étaient trop bien tirés, que la République avait été trop laxiste avec eux et qu'elle aurait dû en fusiller bien davantage. Mais d'après eux encore, ce n'était là que des mots. Jamais il ne serait passé à l'acte. Et puis, de toute façon, il en est aujourd'hui physiquement incapable.

— Qui le dit ? Ses fils, toujours ?

— Oui, bien sûr.

— Ce serait bien que tu puisses t'entretenir avec les médecins de la maison de retraite pour avoir leur avis. Savoir, par exemple, si on peut simuler une maladie d'Alzheimer.

— OK, je vais tâcher de les voir cet après-midi.

— Il fait souvent des fugues, le vieux ?

— Régulièrement. Il dit qu'il part en campagne.

— En campagne ? C'est ambigu comme terme !

— C'est aussi ce que j'ai pensé. Mais les fils, eux, disent que non. C'est un mot qu'il a toujours employé à tort et à travers. Il l'utilisait aussi lorsque la famille partait en vacances.

— Ça fait combien de temps qu'il est en fugue, cette fois-ci ?

— Trois jours.

— Dimanche donc, le jour de l'assassinat de Roman. Vers quelle heure ?

— Il n'était plus là au moment du petit déjeuner qui est servi à 7 heures.

— Et au moment de la mort de Martinez, tu as pu vérifier où il était ?

— Il était en fugue également.

— Depuis longtemps ?

Non, là il ne s'est absenté qu'une journée.

— Il s'absente si souvent que ça ?

— Trois ou quatre fois par mois en moyenne. Parfois quelques heures, parfois quelques jours.

— Ce sont de longues promenades, en fait...

— En quelque sorte.

— On rigole mais on ne peut pas encore exclure qu'il s'agisse de promenades meurtrières. Tu as pu te procurer une photo de lui ?

— Oui, les fils de Garcin m'ont passé une photo de leur père. La plus récente. Je la photographie tout de suite avec mon iPhone et je vous l'envoie par mail. La qualité n'est pas extra mais ça peut servir quand même.

— Ça marche. Je l'attends.

Miracle des technologies modernes, la photo s'afficha sur son écran d'ordinateur trois minutes seulement après qu'il eut raccroché. Malgré son âge et sa maladie, Maurice Garcin avait gardé une silhouette mince et une certaine prestance. Dans ses yeux bleu pâle brillaient encore les lumières des fortes passions. Bordé d'une chevelure blanche clairsemée par les ans, son visage carré et ridé comptait plus d'oueds asséchés que l'ensemble du djebel algérien.

Sebag rappela aussitôt Ménard. Il avait oublié un détail.

— Si tu pouvais t'arranger tout à l'heure pour récupérer un cheveu de Garcin. Sur l'oreiller de son lit peut-être ou sur un peigne dans sa salle de bains. On pourra comparer son ADN à ceux des cheveux déjà retrouvés.

« Ceux ou celui ? » se demanda Sebag. Telle était bien la question principale. Il tenta de joindre le chef de la police scientifique. Comme celui-ci ne décrochait pas, il laissa un message. Mais il savait bien qu'il devrait le relancer : Pagès ne rappelait jamais.

Sebag imprima la photo. Molina pourrait la montrer dans l'après-midi à Charles Mercader, son témoin. Il n'avait pas pu le rencontrer ce matin-là, le retraité ayant un rendez-vous pris de longue date avec son cardiologue. Sebag s'étira longuement puis il se leva. Il se rendit dans le bureau voisin où Llach et Julie enchaînaient les coups de téléphone aux agences de location.

— On a déjà fait toutes celles de Perpignan, lui expliqua Julie. On attaque maintenant les agences de Narbonne. On a choisi de remonter le long de la ligne de chemin de fer : on imagine qu'après avoir rendu sa voiture, le tueur n'avait pas d'autre solution que de prendre le train pour retourner en Espagne.

— Cela me semble une excellente supposition.

Sebag les abandonna sur ce compliment. Il emprunta sa voiture de fonction pour aller prendre des nouvelles de Guy Albouker. Il trouva le président du Cercle pied-noir confortablement installé dans un large fauteuil, les pieds posés sur un pouf. Il avait passé une robe de chambre par-dessus sa chemise et son pantalon et lisait une revue de la communauté. Il semblait bien se remettre de son agression.

— La nuit a été un peu difficile. La blessure me

faisait souffrir chaque fois que je me retournais dans le lit. Mais ce matin, ça va. J'ai pu faire une petite promenade dans le quartier.

— Et psychologiquement, ça va ?

Ce fut sa femme qui répondit.

— Il est moins choqué que je ne le craignais.

Albouker se redressa sur son fauteuil en grimaçant. Son visage se durcit.

— Le corps va bien et la tête aussi. C'est le cœur qui a mal. Je croyais que c'était fini tout cela, l'hostilité, les rancunes, la haine. On dirait que le temps passé n'a rien changé. Nous sommes toujours les méchants de l'Histoire.

— Arrête, ça ne sert à rien, tenta de le calmer Marie.

— Arrête, arrête… Justement, j'aimerais bien, moi, que ça s'arrête un jour. Mais c'est toujours le même ostracisme dont nous sommes victimes. Qu'on me poignarde, passe encore, ce n'est que de la bidoche, ça va cicatriser, mais que l'on me traite, moi, d'assassin, je ne le supporte pas. Personne n'a tué dans ma famille.

Il posa sa main sur son ventre.

— On nous reproche souvent de ressasser notre amertume mais vous savez pourquoi nous ne parvenons pas à guérir, monsieur Sebag ?

— Oui, vous me l'avez dit l'autre samedi. Guérir, c'est disparaître. Disparaître en tant que communauté.

— J'ai dit ça, moi ? Purée… c'est que j'en dis, des âneries, parfois.

Il se retint de sourire, il n'avait pas terminé sa colère.

— Vous savez ce qui rend notre drame à nul autre pareil ? Oui, je sais, j'exagère… Disons ce qui le rend si différent de bien d'autres drames vécus par bien d'autres peuples ? Eh bien, c'est qu'aujourd'hui, l'Histoire n'a pas changé. Elle est restée figée. Les méchants nous sommes, les méchants nous restons. La vérité, elle n'a pas été rétablie. Les gens ne veulent pas voir que nous sommes avant tout des victimes. D'accord, certains pieds-noirs ont été des bourreaux, mais collectivement, nous sommes des victimes ! La France doit nous rendre cette justice. Nous n'étions pas des colons racistes, encore moins des assassins. C'est pas de Gaulle qui nous a trahis, c'est la France ! Et aujourd'hui, ça continue.

Marie Albouker s'assit à côté de son mari et lui prit la main sans dire un mot. Elle savait qu'en parlant elle ne ferait qu'envenimer les choses.

— Il faut que nous laissions éclater notre colère encore et encore. Sinon, on va tous en crever de garder ça en nous. Mon père en est mort, lui. Ulcère et cancer. Un joyeux cocktail. Merci, la France ! Je le pleure encore souvent, mon père, parce que je n'ai même pas une tombe pour me recueillir en pensant à lui. Et vous savez pourquoi ?

Sebag fit un non de la tête. Lui aussi préférait ne rien dire.

— Mon père, comme beaucoup de pieds-noirs de sa génération, il a pas voulu être enterré sur le sol du pays qui l'avait trahi. Mon père, on a brûlé son corps et j'ai dispersé ses cendres dans la Méditerranée. Telle était sa dernière volonté. Il espérait que le courant le porterait sur les rives de l'Algérie. Et je veux croire que c'est ce qui s'est passé. Parce que s'il n'y a pas de justice dans ce monde, il faut penser qu'il y en a une au moins dans l'autre.

Il se recala dans son fauteuil, épuisé. Sa diatribe était enfin terminée. Sa femme tapota doucement sa main.

— Tu sais, M. Sebag n'y est pour rien, lui.

— Eh, je sais bien, tiens, qu'il y est pour rien, l'inspecteur. Mais c'est lui qu'était là, tant pis pour lui.

Marie Albouker adressa à Sebag un petit sourire d'excuse.

— Vous n'êtes sans doute pas encore au courant ? lui demanda-t-elle timidement.

— Au courant de quoi ?

— Pour cet après-midi.

— Quoi, cet après-midi ?

— La manifestation…

— Les associations pieds-noirs organisent un rassemblement tout à l'heure à 17 heures devant le Castillet, précisa le président du Cercle. Je n'en suis pas l'instigateur mais je n'ai pas désapprouvé. Jean-Pierre Mercier, mon trésorier, a rencontré dès hier soir les responsables d'autres associations pieds-noirs et ils se sont mis d'accord pour manifester notre mécontentement. Vous comprenez…, deux meurtres contre des pieds-noirs, la destruction de la stèle et puis mon agression, la communauté se devait de réagir.

Sebag ressentit de la contrariété. Cette initiative n'était pas de nature à apaiser les esprits.

— La préfecture est au courant ?

— Il y a beaucoup de spontanéité dans cette action, beaucoup d'improvisation. Tout s'est décidé très tardivement. Mais je crois qu'à l'heure qu'il est, oui, le préfet est prévenu.

— Vous pensez que ce type d'action va contribuer à calmer le jeu ?

— Ce n'est pas forcément le but.

— Merci de le reconnaître. Et vous pensez que de réagir collectivement à des agressions dirigées essentiellement contre l'OAS va aider les gens à faire le distinguo entre votre communauté, comme vous dites, et cette organisation criminelle ?

Albouker se renfrogna.

— Depuis cinquante ans, personne n'a voulu le faire, ce distinguo ! Alors un peu plus, un peu moins, c'est kif-kif.

— J'espère que, dans votre état, vous ne prendrez pas le risque d'y aller, quand même.

— Vous pouvez être tranquille, le rassura Marie Albouker. Pas question que je le laisse sortir.

Sebag les salua rapidement. Sur le trottoir, il appela la directrice de cabinet du préfet sur son portable. Avertie par les RG, Sabine Henri était déjà au courant.

— Nous allons mettre les moyens pour éviter que cette manifestation ne dégénère. Les organisateurs ont demandé à être entendus. Le préfet lui-même les recevra. En l'absence du commissaire Castello, j'aimerais que vous assistiez à cette réunion pour nous faire part des progrès de l'enquête. Car il y a des progrès, n'est-ce pas ?

— Disons que nous avançons pas à pas et que nous suivons des pistes intéressantes.

La directrice de cabinet éclata de rire.

— J'espère que vous saurez nous présenter le dossier de manière plus attrayante. Et surtout votre travail de manière plus positive. Vous n'ignorez pas qu'aujourd'hui les policiers doivent également maîtriser l'art de la communication.

— J'ai entendu dire, oui, que le faire-savoir remplaçait trop souvent le savoir-faire.

— Bravo pour la formule. J'espère que vous en trouverez d'autres d'ici à ce soir. Et surtout des plus appropriées. Je doute que celle-ci convienne à nos interlocuteurs.

— Je ferai mon possible.

— J'y compte bien, lieutenant Sebag, j'y compte bien. Et le préfet aussi. À tout à l'heure.

Sebag raccrocha et ne put retenir un juron.

— Bordel de merde !

À côté de lui, une vieille dame qui laissait déféquer son chien sous les pins sursauta. Elle lui jeta un regard noir et s'éloigna rapidement. Son bichon la suivit à regret en laissant échapper un odorant chapelet de boudins noirs.

CHAPITRE 26

El-Biar, le 15 mars 1962

Les deux voitures roulent à vive allure sur la route de Ben-Aknoun qui sépare le village d'El-Biar d'Alger. Une Peugeot 403 noire ouvre la marche. À l'intérieur, Omega conduit en silence, les mains crispées sur le volant. À chaque opération, il devient plus nerveux.

À l'arrière, Sigma n'arrête pas de se poser des questions. L'une d'elles filtre enfin de ses lèvres :

— Pourquoi eux ?

Assis à côté du chauffeur, Babelo se retourne.

— Les centres sociaux ont été fondés par une communiste, leurs membres sont tous des propagandistes. Ils répandent dans les villages la parole du FLN. Ce sont des gens comme eux qui ont permis à l'insurrection de gagner tout le pays.

— Il y a des Européens avec eux...

La bouche du chef de commando se tord en une moue méprisante.

— Des communistes, des gaullistes et des libéraux. Autrement dit, des traîtres !

Les voitures quittent la nationale pour emprunter la longue allée de palmiers qui conduit au site de Château-Royal.

— Les négociations avancent trop vite à Évian,

explique encore Babelo. De Gaulle s'apprête à brader l'Algérie aux fellaghas. Nos ordres sont clairs. Il faut frapper fort et dans tous les camps. Le général Salan l'a rappelé encore hier : on ne fait pas la guerre avec des enfants de chœur.

Il fixe successivement ses trois compagnons et rajuste le foulard dans la poche poitrine de son veston.

— Nous ne sommes pas des enfants de chœur !

Les deux voitures s'arrêtent devant les vieux bâtiments de Château-Royal. Babelo, Sigma et Bizerte descendent de la 403, trois autres hommes sortent du second véhicule, une 203 de couleur beige. Il y a Richard Caceres, Paul Tanguy et Antoine Hernandez. Des hommes de confiance – pas des enfants de chœur, eux non plus – qui ont participé quelques semaines auparavant avec Degueldre et le commando Babelo à l'attaque de la villa des barbouzes.

Les chauffeurs effectuent un demi-tour pour se mettre en position de départ. Il est 10 h 30.

Armés de pistolets et de mitraillettes, les six combattants de l'OAS pénètrent dans la cour desservant les différents bâtiments de Château-Royal. Ils croisent un employé qui descend un escalier. De lourds dossiers pèsent dans ses bras.

— Qu'est-ce que vous faites ici ? demande l'employé sans se démonter.

— Un contrôle d'identité, répond Babelo.

— Mais il n'y a rien à contrôler ici !

Sous la menace de leurs armes, Tanguy et Caceres lui intiment l'ordre de les suivre. L'homme n'hésite pas longtemps et se laisse conduire jusqu'à une porte vitrée au-dessus de laquelle un panneau indique « Bureaux administratifs ».

— Personne ne bouge et tout ira bien, commande Tanguy aux trois secrétaires assises à leur bureau tandis que Caceres, sans un mot, arrache les fils du central téléphonique.

Babelo, Bizerte et Sigma suivent un long couloir. Ils ont bien préparé leur mission et savent où ils vont. Ils stoppent face à une porte derrière laquelle se tient une réunion des inspecteurs de secteur des Services sociaux et éducatifs. Ils poussent brutalement la porte.

— Debout, mains en l'air, vous vous mettez contre le mur, ordonne le chef du commando d'une voix ferme mais aimable.

Les inspecteurs sont une vingtaine. Ils obéissent. Sigma contrôle qu'aucun d'eux ne porte d'arme. Babelo les observe un à un puis déclare en souriant :

— N'ayez pas peur : on ne vous fera rien. Il s'agit simplement de faire un enregistrement.

Les inspecteurs croient qu'on va seulement les obliger à participer à une émission clandestine de radio à l'occasion d'un des nombreux piratages qu'effectue l'OAS. Comme prévu, l'atmosphère se détend aussitôt. Babelo balaye une poussière sur son col de veston avant de sortir une feuille de la poche intérieure. Il commence à égrener une liste de noms :

— Feraoun Mouloud. Marchand Max. Basset Marcel…

Sept noms au total, six personnes présentes. Un seul manque à l'appel.

— Nous l'attendions, il est en retard, explique un des inspecteurs.

— Ce n'est pas grave, fait Babelo. Vous allez me suivre, s'il vous plaît.

L'un des six hommes désignés lève la main comme à l'école.

— Je peux prendre mes lunettes ?

— Faites, accorde Babelo avec courtoisie.

L'inspecteur, un Arabe d'une cinquantaine d'années, attrape une paire de lunettes posée sur la table de réunion. Il la range dans une poche sur le devant de sa veste. Les six hommes suivent alors le commando jusque dans la cour.

Antoine Hernandez a installé deux fusils mitrailleurs sur leur pied aux deux extrémités de la cour. Parfait pour un tir croisé. Quand les inspecteurs comprennent ce qui les attend, il est trop tard. Ils ne peuvent plus fuir. Babelo, Sigma et Bizerte serrent de près leurs prisonniers. Tanguy et Caceres les ont rejoints. Ils s'installent derrière les mitrailleuses.

Babelo ordonne aux inspecteurs de se placer dos au mur. Les six condamnés obtempèrent.

Et la fusillade commence. Elle est longue et intense. Le staccato furieux des mitrailleuses couvre les cris et les suppliques des inspecteurs.

Tanguy et Caceres visent volontairement bas. Ils touchent d'abord les jambes et, quand les corps s'affaissent, ils percent les ventres, puis les cœurs. Mouloud Feraoun tombe le dernier. L'Algérie qui n'est pas encore née à Évian vient de perdre un de ses plus grands écrivains.

Quand la fusillade s'arrête enfin, Babelo tend la main à Sigma. Le jeune homme lui passe son pistolet. Le chef du commando s'approche des cadavres. Posément, il inflige à chaque condamné un coup de grâce superflu. Avant de rendre, brûlante, l'arme à Sigma.

Arrivés longtemps après le départ tranquille du commando, les policiers ramassent dans la cour de Château-Royal plus de cent douilles de 9 mm, soit une vingtaine de balles par homme abattu. En évacuant sans ménagement le corps de l'inspecteur arabe, ils perçoivent un faible craquement provenant d'une poche de veste. Les policiers viennent de briser la paire de lunettes qui, miraculeusement, avait survécu à la fusillade.

CHAPITRE 27

Deux cent cinquante pieds-noirs criaient leur colère et leur inquiétude place de la Victoire à Perpignan. Les murs de brique du Castillet, l'ancienne porte médiévale de la ville, réverbéraient leurs slogans, donnant du coffre et de l'ampleur à leurs éternelles revendications...

« Justice pour les rapatriés ! »

« Non à la déformation de l'Histoire ! »

« Indemnisation ! »

« Pitié pour nos cimetières, nos tombes et nos stèles ! »

Heureux et fiers de sentir leur force, les anciens Français d'Algérie semblaient prêts à s'époumoner jusqu'à ce que mort s'ensuive. Légèrement en retrait, Sebag observait la scène depuis un petit pont de pierre qui surplombait la Basse. D'où il était, le lieutenant de police ne voyait que des cheveux blancs ou des crânes chauves flotter et briller sous les banderoles improvisées. Il repensa à la phrase prononcée par Albouker lors du couscous : « D'ici dix à vingt ans, nous serons tous morts et il en sera fini de notre communauté. »

Attablés à la terrasse d'un café, quelques jeunes adultes contemplaient la manifestation avec une curiosité non dissimulée. À l'ombre d'un Abribus, un groupe de garçons maghrébins affichaient des mines goguenardes.

Sebag vit un inspecteur des RG s'approcher discrètement pour les surveiller. Il suffirait d'une étincelle pour que les haines ancestrales s'expriment à nouveau.

Depuis le matin, Sebag pensait sans cesse à la réunion de la fin d'après-midi en préfecture. Il rappelait régulièrement ses équipes mais aucun progrès n'avait été réalisé durant la journée. Julie et Joan avaient contacté toutes les agences de location de voitures de Narbonne, de Béziers et de Carcassonne. Sans résultat. Ils continuaient de remonter les lignes de chemin de fer, l'un vers Toulouse, l'autre vers Montpellier. Leur énergie et leur conviction, toutefois, s'amenuisaient à mesure qu'ils s'éloignaient du pays catalan.

L'entretien de Molina avec Charles Mercader n'avait pas été non plus couronné de succès. Le témoin se révélait décevant. Jacques avait étalé devant lui une dizaine de photos d'hommes âgés et, après de longues minutes d'hésitation, il avait fini par extraire du tas le portrait de Maurice Garcin. Mais l'espoir avait été de courte durée. « C'est possible », « Je ne peux pas exclure », « C'est celui qui s'en rapproche le plus », avait-il dit avant de conclure par un désappointant : « Je ne sais plus. » Molina avait tenté ensuite de lui faire établir un portrait-robot mais ses souvenirs, trop friables, lui avaient tout juste permis de détailler un visage carré, un nez court et fort et des sourcils bruns malgré les cheveux blancs. La simple rigueur policière aurait dû leur interdire d'appeler portrait-robot cette vague esquisse. Mais c'est pourtant ainsi que Sebag s'apprêtait à la présenter au préfet.

Le soleil déclinant n'éclairait plus que le sommet du Castillet, sa terrasse crénelée, sa petite tourelle et son drapeau catalan. Les pieds-noirs étaient près de trois cents maintenant et commençaient à s'organiser. Ils placèrent en tête la plus grande des banderoles. Sur un drap blanc accroché à deux manches de balais, les mots « Honneur et Justice » s'inscrivaient à la peinture rouge et noir. Préparée dans l'enthousiasme et la précipitation, elle comportait une rature au niveau du deuxième « n » de « honneur ». Derrière cette banderole se dressaient une dizaine de cartons, certains reprenant les principaux slogans du rassemblement, d'autres affichant fièrement les anciens blasons des villes de l'Algérie française.

La manifestation s'ébranla pour s'engager dans le boulevard Clemenceau. Il avait été convenu que le cortège effectuerait une petite boucle par la place de Catalogne avant de revenir vers la préfecture. C'est à ce moment-là qu'une délégation serait reçue.

Sebag reconnut Jean-Pierre Mercier en tête de manifestation, encadré par René l'Oranais et Roger l'Algérois, les deux compères de la couscous-party. Tous trois affichaient une mine sombre et un air grave. Ils n'accordèrent qu'un sobre signe de tête au lieutenant, l'humeur n'étant plus aux agapes, aux politesses et aux disputes culinaires. Le cortège avançait d'un pas lent et lourd sous les sourires amusés des badauds. Davantage habitués aux manifestations de fonctionnaires et d'agriculteurs, les Perpignanais suivaient le passage du cortège avec une sorte d'indifférence moqueuse comme s'ils assistaient à une démonstration folklorique et désuète.

Pour la dixième fois de la journée, Sebag tenta de joindre Jean Pagès, tant au commissariat que sur son téléphone portable. En vain. Il fut tenté d'appeler Elsa Moulin mais il savait la jeune femme en repos et il renonça à la déranger.

La manifestation vira devant le haut bâtiment des Dames de France. Construit au début du XXᵉ siècle à la place d'anciens remparts, l'immeuble prestigieux et moderne avait accueilli des magasins prospères et employé jusqu'à trois cents personnes avant de devoir fermer ses portes dans les années quatre-vingt. Les entrées étaient restées murées pendant plus de dix ans. Puis le bâtiment avait été rénové grâce à la municipalité. Depuis 2003, la magnifique coupole de verre qui éclairait son toit abritait à nouveau des magasins en vogue, dont un célèbre « agitateur de curiosité ».

Après avoir dépassé la place de Catalogne, les manifestants se détendirent un peu. Les slogans s'essoufflèrent et furent remplacés par des conversations amicales et même quelques rires ici ou là. Le plaisir pour les rapatriés d'être ensemble, de se sentir en nombre et en force, leur fit oublier durant quelques instants les raisons de leur colère.

La détente s'arrêta brusquement lorsqu'ils approchèrent de la préfecture. Les manifestants se souvinrent alors de leurs revendications et les reprirent à pleine voix. Un vent léger et froid soufflait dans la nuit tombante sur le quai Sadi-Carnot. Phares allumés, une voiture s'arrêta près du rassemblement. Un manifestant se détacha du groupe pour ouvrir le coffre. Il en sortit de vieilles casseroles et de grosses cuillères qu'il se mit à distribuer. Un concert infernal et métallique éclata aussitôt devant l'immeuble austère de la préfecture. Comme Alger autrefois, Perpignan se mit à résonner de colère.

Sebag n'entendit pas son portable mais il le sentit vibrer dans sa poche. Le nom de Julie Sadet s'afficha sur l'écran. Le vacarme des casseroles recouvrit la voix et empêcha Sebag de comprendre ce que lui disait sa collègue. Il n'avait perçu qu'un seul mot. Un mot plein d'espoir et de promesses. Un mot clé et attendu dans toutes les enquêtes de police.

— Nous avons du nouveau, répéta Julie quand Sebag se fut éloigné d'une cinquantaine de mètres de la manifestation. Après Narbonne, Béziers, Sète et Carcassonne, nous avons enfin une piste à Montpellier. Dans une agence de location près de la gare, un certain Manuel Esteban a abandonné dimanche soir son véhicule – une Seat blanche – qu'il avait loué la veille au soir à Figueras.

Dimanche... le jour du meurtre de Roman.

— Comme c'était dimanche, l'agence de Montpellier s'est contentée de récupérer le véhicule le lendemain matin, poursuivit Julie. Personne n'a pu voir le client et ils n'avaient aucun détail sur lui. Joan a donc contacté l'agence de Figueras. Il y est allé au flan sans se soucier des règlements. Les Catalans n'ont pas fait de chichis : ils lui ont dit ce qu'ils savaient. Que Manuel Esteban est né le 25 avril 1942 et qu'il leur a présenté un permis de conduire établi à Madrid en 1962.

— Et il est né où, cet Esteban ?

— À Madrid toujours.

— Il est de nationalité espagnole, alors ?

— Tout à fait. Ça pose un problème ?

Gilles ne répondit pas tout de suite. Il ressentait une petite déception. Il ne s'attendait pas à cela. Il s'était imaginé que le suspect serait un citoyen français et qu'il aurait un lien évident avec l'Algérie coloniale. Et s'ils avaient fait fausse route ? L'idée de Julie n'était peut-être pas si bonne que cela. Pourtant une Seat blanche... Louée le jour du meurtre. Il ne pouvait s'agir d'une coïncidence.

Julie avait suivi le cheminement de ses interrogations.

— Depuis ce matin, nous avons contacté soixante-cinq agences de location. Trois d'entre elles seulement avaient réceptionné une voiture louée en Espagne. Mais ni le modèle, ni la date ne correspondaient.

— Manuel Esteban n'a pas loué d'autres voitures dans l'agence ? Une Clio blanche par exemple ?

— Non. Si c'est bien notre homme, il a dû changer d'agence comme le supposait Jacques ce matin. Maintenant qu'on a son nom, cela ne devrait pas être difficile de trouver l'autre agence.

— À condition qu'il ne leur ait pas présenté de faux papiers !

— Et quand bien même... ça n'empêcherait pas forcément de remonter sa piste. Il n'a sans doute pas trente-six identités différentes. Il a pu louer une Clio avec les mêmes faux papiers.

Julie Sadet était une fonceuse qui ne laissait pas certaines interrogations paralyser son action. Cette qualité plaisait à Sebag qui se trouvait lui-même trop souvent hésitant.

— Tu as raison. C'est une piste sérieuse. La première. Je vais donner l'info dans quelques minutes en préfecture. Ça tombe bien, on n'aura pas de mal à avoir le soutien du préfet pour faire accélérer les choses avec l'Espagne.

— Ça tombe bien aussi pour toi.

— C'est bien pour tout le monde si le préfet est satisfait. Mais le plus important, c'est qu'on a enfin un espoir de conclure positivement cette affaire. Il faut mettre la main sur ce Manuel Esteban. La balle sera aussi dans le camp de la police espagnole.

— La police espagnole et la police sud-catalane. Les *Mossos d'Esquadra* !

— C'est bien, tu apprends vite.

— J'ai passé la journée avec Joan, ça vaut une formation accélérée, expliqua-t-elle. À propos de Joan justement, il a pris les devants et il est au téléphone avec son copain des *Mossos*. L'enquête sur Manuel Esteban devrait débuter officieusement dès ce soir de l'autre côté des Pyrénées.

— C'est parfait. Vous êtes des champions !

— Merci, chef, répondit Julie avec un brin d'ironie.

Avant de ranger son téléphone, Sebag le mit en mode silencieux. Il ne faudrait pas qu'il sonne de manière intempestive durant les prochaines minutes. Il se dit que Jacques finalement n'avait peut-être pas tort d'insister pour qu'il change de sonnerie. La voix de Séverine criant « Papa, t'as un SMS » en pleine réunion à la préfecture, voilà qui ne contribuerait guère au sérieux du rapport qu'il avait à faire.

Une trentaine de pieds-noirs patientaient encore sur le quai Sadi-Carnot, attendant la sortie de leur délégation. Gilles Sebag poussa un grand ouf de soulagement en quittant les locaux lambrissés de la préfecture des Pyrénées-Orientales. Il estimait qu'il s'en était bien tiré. Vingt personnes regroupées autour d'une grande table carrée l'avaient écouté avec attention pendant une demi-heure. Il y avait là les responsables des associations de rapatriés, le préfet, la directrice de cabinet et quelques fonctionnaires qu'il ne connaissait que de vue. Sebag n'avait pas autant transpiré sous sa chemise depuis son oral de français du baccalauréat. Mais il n'avait pas perdu son temps. Résumer pour tous ces gens l'affaire qui l'occupait depuis près d'une quinzaine de jours lui avait permis de faire le point aussi pour lui-même : il avait l'impression d'y voir plus clair maintenant, d'autant qu'il avait été obligé pour la circonstance d'éliminer de son vocabulaire et de sa réflexion les points d'interrogation, les « peut-être » et les « sans doute » qui encombraient toujours ses raisonnements.

Anciens combattants de l'OAS, Bernard Martinez et André Roman avaient donc été assassinés pour des crimes commis cinquante ans auparavant lors des derniers mois tumultueux de l'Algérie française. Une victime ou un proche d'une victime se vengeait aujourd'hui sans que l'on ne sache encore la raison d'un tel décalage. Le meurtrier, un homme âgé d'au moins soixante-dix ans, avait atteint deux de ses trois objectifs. La troisième et dernière cible n'était pas encore identifiée, mais, ce que l'on savait d'ores et déjà, c'est qu'elle ne résidait pas en France. On ne devait donc plus redouter un autre meurtre à Perpignan. Sebag s'était alors félicité *in petto* d'avoir évoqué ce point assez tôt dans son exposé. Un soulagement avait parcouru la salle et les mâchoires s'étaient décrispées de part et d'autre de la table.

Le meurtrier avait établi sa base arrière en Espagne et avait fait à deux reprises au moins des incursions en France. Pour ses déplacements, il louait un véhicule en Espagne. Lors du meurtre de Roman, il avait pris une voiture dans une agence de Figueras sous le nom de Manuel Esteban et il l'avait laissée ensuite à Montpellier. De là, il avait pris le train pour repasser de l'autre côté des Pyrénées. Sebag avait longuement insisté sur cette piste nouvelle. « La plus prometteuse », avait-il dit en omettant de préciser qu'elle était aussi la seule sérieuse. Le préfet, à l'issue de la réunion, lui avait promis de peser de tout son poids sur les autorités espagnoles pour qu'elles lancent un avis de recherche sur la personne de Manuel Esteban.

Sebag avait aussi évoqué le nom de Maurice Garcin. Il ne croyait plus trop à cette piste mais son existence donnait du corps à leur enquête. Il avait laissé entendre qu'elle n'était pas forcément incompatible avec celle d'Esteban puisqu'on pouvait très bien imaginer que l'ancien barbouze agissait sous une fausse identité espagnole.

Lors de son premier forfait, l'assassinat de Martinez, le meurtrier avait – sous le coup peut-être d'une certaine panique – provoqué un accident mortel dans le quartier du Moulin-à-Vent. Sebag n'avait pas fait taire toutes ses réserves sur cette hypothèse qui devait encore être vérifiée. Il suffirait pour y parvenir de trouver la trace de la location d'une Clio blanche par le même Manuel Esteban.

Dans la salle de la préfecture, l'ambiance s'était tendue à nouveau lorsqu'il en était arrivé à la destruction de la stèle de l'OAS et à l'agression de Guy Albouker.

— En l'état actuel de l'enquête, rien ne nous permet de relier ces faits déplorables au double meurtre.

En prononçant ces mots, il avait eu comme un pincement au creux de l'estomac : il aurait bien aimé avoir les résultats des analyses ADN sur les cheveux avant de s'avancer ainsi.

— Si votre suspect n'est pas à l'origine de ces actes, alors qui ? avait demandé Jean-Pierre Mercier en s'adressant au préfet plutôt qu'à Sebag.

Et le représentant de l'État s'était contenté de transmettre la question au lieutenant.

Sebag avait reconnu que l'enquête, de ce côté-là, piétinait, qu'il n'y avait eu aucun témoin lors des déprédations au cimetière du Haut-Vernet et que, pour l'agression, les déclarations de la victime n'avaient pas encore permis d'identifier les auteurs. Il déclara avec une assurance forcée qu'à son avis ces agissements émanaient d'individus ayant pour but de semer l'inquiétude dans la communauté pied-noir et la discorde dans la ville. Il en avait profité pour glisser un appel au calme. Le préfet avait apprécié et avait saisi l'occasion de reprendre la parole pour développer cet aspect.

En traversant la Basse à la hauteur de la poste centrale, il laissa échapper un nouveau ouf. C'était si rare qu'il soit content de lui !

Il se souvint de son portable toujours en mode silencieux. Il avait perçu une vibration vers la fin de la réunion. L'écran le lui confirma : il y avait un message.

L'appel provenait de Martine, la jeune fliquette qui assurait l'accueil au commissariat. Elle lui demandait s'il comptait repasser au commissariat avant de rentrer chez lui. Une dame l'y attendait. Bien qu'il ne fût plus qu'à cinq minutes de marche de l'hôtel de police, il rappela Martine.

— J'arrive. C'est qui, cette dame ?

— Mme Vidal. Elle voulait voir le lieutenant Llach, mais il est parti. J'ai pu le joindre sur son portable, il m'a dit que ce serait bien si vous pouviez la recevoir vous-même.

Sebag allait répondre qu'il ne connaissait pas cette dame et qu'il préférait reporter l'entretien lorsque la mémoire lui revint : Josette Vidal était l'amie de Bernard Martinez. Il allongea le pas et ne tarda pas à franchir la porte du commissariat.

Une petite dame brune patientait debout dans le hall. Elle se tenait droite comme un « i » sur ses chaussures à talons. Ses cheveux teints et ses traits maquillés la rajeunissaient d'une bonne dizaine d'années. Elle tendit au lieutenant une main décharnée. Plutôt que de la conduire jusqu'à son bureau, Sebag préféra la faire asseoir dans un box proche du hall où les policiers recevaient les dépôts de plaintes. Il se présenta et posa une fesse sur le bureau.

— Je travaille avec mon collègue Joan Llach sur l'assassinat de Bernard Martinez. Je peux savoir ce qui vous amène, madame Vidal ?

— Je n'arrive pas à savoir à qui appartient l'appartement de Bernard.

Le velouté de son accent catalan atténuait la sécheresse de son ton.

— C'est bien embêtant, j'ai plein de paperasse à régler et je ne sais pas quoi faire, expliqua-t-elle. En plus, je croyais qu'il était propriétaire, moi. Je ne voudrais pas qu'on me réclame un retard de loyer dans quelques mois. Avec ma petite retraite, je ne pourrais pas payer. Et c'est pas avec ce que me laisse Bernard que je vais pouvoir le faire. Povret ! Il n'avait pas grand-chose pour vivre...

— Vous avez dû trouver des quittances de loyer dans ses papiers ?

— Eh non, sinon, je ne viendrais pas vous déranger.

— Et vous êtes sûre qu'il n'était pas propriétaire ?

— Eh oui, pour sûr que je suis sûre. Le notaire me l'a dit et le syndic me l'a confirmé.

— Mais le syndic, justement, il doit le connaître, lui, le propriétaire.

Sebag sentait l'énervement le gagner. Il ne voyait

pas en quoi il pouvait être concerné. Josette Vidal commençait également à s'agacer en constatant l'indifférence du policier pour ses soucis.

— Le syndic me renvoie à une espèce de société anonyme dont je n'ai ni le numéro de téléphone, ni l'adresse. Juste une boîte postale en Espagne. J'ai écrit en laissant toutes mes coordonnées et je n'ai toujours pas de réponse. Alors, je m'inquiète. Est-ce qu'il sera là demain, l'inspecteur Llach ? Il était bien sympathique…

Josette Vidal se retint au dernier moment de rajouter un « lui » vexatoire. Sebag souffla longuement. La paperasserie l'avait toujours rebuté. À la maison, c'était Claire qui s'en occupait. Il ne voyait pas pourquoi il s'intéresserait aux tracas administratifs de Josette Vidal sous le seul prétexte qu'elle était l'amie de la victime d'un meurtre. Cette histoire d'appartement n'était pas du ressort de la police mais du notaire et du syndic. Il s'apprêtait à renvoyer Josette Vidal avec toute la politesse et le respect dus à son âge et à sa situation lorsqu'elle lui mit sous le nez le papier sur lequel elle avait noté le nom de la société propriétaire de l'appartement.

Sebag l'aperçut. Il s'empara de la feuille et relut le nom avec fébrilité. Il n'en croyait pas ses yeux. Il se leva brusquement. Les soucis de Mme Vidal soudain le passionnaient. La vieille dame constata avec plaisir et surprise le revirement du policier. Sebag la reconduisit gentiment dans le hall et se fit rassurant :

— Ne vous inquiétez plus, madame Vidal, je m'occupe de tout.

CHAPITRE 28

Sebag buvait son café du matin sur la terrasse de la maison. Des feuilles mortes recouvraient la bâche qui protégeait la piscine. Elles provenaient de leur abricotier et du cerisier des voisins. La tramontane les faisait d'abord tomber puis les balayait dans un coin du jardin. Un tas se formait déjà près de la clôture, qu'il lui faudrait récupérer le week-end suivant. Tout était une question de timing. En pays catalan, les caprices du vent rendent les jardiniers du dimanche fatalistes et paresseux.

Gilles frissonna.

Il jeta un coup d'œil au thermomètre. Il restait au-dessus de 14° malgré l'avancée de l'automne mais il n'était qu'un indicateur parmi d'autres de la douceur du temps. La tramontane avait là aussi son mot à dire. Et elle l'exprimait souvent. Ce matin, elle le criait même à tue-tête.

Serrant sa tasse chaude dans ses mains, il ferma les yeux pour écouter sa complainte.

Passant à travers les branches lourdes du cèdre qui bordait leur jardin à l'ouest, la tramontane fredonnait par rafales rauques et puissantes, ménageant des silences profonds et des reprises tonitruantes. Elle portait dans ses rets les sons du lotissement voisin : Gilles perçut le claquement d'une portière de voiture, le grincement d'un volet roulant qu'on remonte puis les pleurs d'un enfant sur le chemin de l'école. Parfois, la tram' conduisait jusqu'à lui, par l'ouverture d'une porte ou d'une fenêtre, les vains bavardages d'un poste de télévision.

Le vent marin, lui, quand il soufflait, produisait une musique différente. Venant de l'est, il se glissait à travers les frêles feuillages des bambous en sifflotant un air joyeux malgré l'humidité qu'il amenait avec lui. Le vent marin soufflait vers la maison de Sebag les bruits lourds et métalliques de la zone d'activités de Saint-Estève. Sans oublier les agaceries sonores des radars de recul.

Gilles perçut le coulissement de la porte vitrée dans son dos. Il reconnut le pas de Claire.

— Tu n'as pas froid ?

— Non. Tant que le café est chaud…

Il sut, avant qu'elle ne la pose, la question suivante.

— À quoi penses-tu ?

Il se retourna lentement et amorça un sourire.

— Je ne pense pas, je rêve.

Les sourcils fins de Claire se levèrent.

— Je ne vois pas la différence.

Il sirota son café avant de s'expliquer.

— Quand tu es dans un canoë, ce n'est pas la même chose de ramer que de se laisser porter par le courant.

Claire approuva d'un mouvement de tête qui fit tinter les perles de ses boucles d'oreilles. Tiens, il ne les avait jamais remarquées, celles-là. Elle avait dû se les offrir récemment. Ou on les lui avait offertes. Un cadeau d'adieu peut-être.

Claire avança son cou gracile et tendit ses lèvres. Gilles lui fit boire une gorgée de sa tasse. Une goutte de café glissa sur son menton rond. Il l'essuya avec un doigt qu'il porta ensuite à sa bouche. Claire lui sourit de ses yeux verts humides aux rives maquillées de noir.

Elle portait une robe cintrée et des bas noirs. Il la trouvait belle. Trop belle pour être heureux.

Il acheva son café d'une seule traite.

— J'en aurais bien repris, se plaignit aimablement Claire.

— Je peux t'en refaire.

— Je vais me mettre en retard.

— Ce ne sera pas long.

— Laisse tomber : il n'aura pas le même goût. J'en prendrai un en arrivant au collège si j'ai le temps.

— Au distributeur ?

— Oui. Il est moins bon que le tien mais il n'est pas mauvais quand même.

— Pouah, tu me déçois…

Elle posa ses lèvres sur les siennes après lui avoir lâché dans un souffle :

— Je sais, mon amour, je sais…

Le téléphone portable coincé entre épaule et oreille, Sebag notait un nom sur son carnet. Par l'entrebâillement de la porte de la salle de réunion, il guettait en même temps le commissaire qui, assis à sa place habituelle, lisait les rapports de la veille et notamment son exposé en préfecture. Sa main pianotant nerveusement sur la table trahissait son impatience. Sebag, qui le connaissait bien, savait qu'il revenait toujours de fort méchante humeur de ses conciles avec la haute hiérarchie policière. Il s'efforça de ne pas prolonger inutilement sa conversation.

— Merci, Didier, pour ces infos. Je ne doute pas

qu'elles nous apporteront une aide précieuse. Tu me rappelles si tu en sais plus, OK ?

Sebag raccrocha et entra dans la pièce. Debout près de la fenêtre, Joan Llach admirait les cimes enneigées du Canigou. Là-haut, la tramontane balayait la neige, faisant un panache blanc à la montagne sacrée. Molina, Julie Sadet et Lambert firent leur apparition et s'installèrent à la table, répandant autour d'eux des effluves mêlés de tabac et de parfums.

Castello rassembla les feuilles éparpillées devant lui et contempla ses troupes.

— Comme d'habitude, Raynaud et Moreno ne sont pas là, observa-t-il d'une voix maussade. Ils sont encore fourrés où, ces deux comiques ? Cette fois-ci, c'en est trop. Je leur sucre leurs heures sup' et je leur colle un avertissement. J'en ai assez supporté.

Il prit la pile de feuilles et la tapota sur la table pour en faire un tas bien net.

— J'ai lu vos rapports mais j'aimerais que vous m'en fassiez le récit de vive voix. C'est souvent plus clair et plus précis.

Sebag fit un signe discret à Julie pour l'inciter à parler la première. La jeune femme expliqua ses recherches de la veille, son intuition et ses résultats. Elle reçut les chaudes félicitations du commissaire.

— Bravo. Je savais bien qu'il fallait faire entrer un peu de sang neuf dans cette équipe. Et un peu d'esprit féminin également.

Llach prit la parole à son tour. Entre deux coups de fil aux agences de location, il s'était aussi intéressé aux appels effectués par Roman sur son portable, tâche qui lui avait été confiée dès le départ mais qu'il n'avait pas eu encore le temps d'accomplir.

— Je n'ai pu remonter pour l'instant que sur une petite semaine. Je n'ai rien relevé d'anormal. Si ce n'est qu'André Roman avait une maîtresse.

— Je ne vois là rien d'anormal, commenta Molina.

— Tout de même… à son âge, fit remarquer Lambert.

— Justement ! Il a peut-être trouvé qu'à son âge il était temps de vivre sa vie.

— Molina, on se passe de vos réflexions, coupa le commissaire. Continuez, Joan.

— Je n'ai rien de plus malheureusement.

— Dommage.

Castello se gratta nerveusement le bout du nez avant de poursuivre.

— Je ne pense pas qu'il soit très utile de contacter cette dame ni même d'évoquer cette liaison avec la veuve. On en reste là pour l'instant sur ce sujet. Thierry, vous reprendrez l'étude des appels de Roman, on ne sait jamais. Joan, lui, va avoir du pain sur la planche aujourd'hui. Il est le seul trilingue parmi nous.

Castello se pencha vers la soucoupe volante toujours posée sur la table.

— Et vous, François, du nouveau à Marseille ?

La voix du lieutenant Ménard s'éleva dans la pièce avec un écho métallique.

— Maurice Garcin n'est toujours pas rentré à sa maison de retraite. Ses fils commencent à s'inquiéter et ont demandé que des recherches soient organisées. Mais nos collègues marseillais ne sont pas très chauds.

— J'imagine qu'ils ont d'autres chats à fouetter, là-bas, souligna Castello. Euh… qu'avez-vous dit, François ?

Ménard n'avait pas entendu l'interruption du chef et avait continué de parler.

— Je disais que j'avais récupéré des cheveux du bonhomme sur son peigne dans sa salle de bains. Mais je ne sais pas quoi en faire.

— Vous nous les envoyez par la Poste, ce sera sans doute le plus simple.

— Le plus simple mais pas forcément le plus rapide. Je me disais que, finalement, je serais peut-être rentré avant que le colis arrive.

Castello doucha tout de suite l'espoir de son lieutenant.

— J'ai encore besoin de vous là-bas. D'abord pour le cas où notre type réapparaîtrait soudainement. Ensuite parce qu'on n'a pas encore fait le tour des barbouzes survivants. Vous avez demandé à votre historien si le nom de Manuel Esteban lui disait quelque chose ?

— Pas encore. Mais j'ai rendez-vous avec lui tôt ce matin. Pour la suite, je me disais... J'ai un train en milieu d'après-midi, j'espérais pouvoir le prendre.

— Qu'est-ce que vous êtes casanier, François ! L'administration vous offre un séjour gratuit dans la cité phocéenne et vous ne pensez qu'à rentrer à Perpignan. Pour un Normand de souche, vous vous comportez comme un véritable Catalan.

Un grésillement de protestation lui répondit :

— ... suis picard, commissaire... pas normand.

Castello secoua la soucoupe volante.

— Ça marche quand ça veut, ce truc... C'est un peu comme Dario Moreno... Euh... je voulais dire comme Raynaud et Moreno. Pourquoi j'ai dit Dario Moreno ? C'était qui ce type, d'abord ?

— Un acteur et un chanteur d'opérette, je crois, répondit Llach.

— Il a sévi dans la première moitié du XXe siècle, compléta Molina. On lui doit notamment des succès comme *Si tu vas à Rio* ou *Coucouroucoucou*.

— Ah oui, je vois. Encore un qui a œuvré pour la grande chanson française, en quelque sorte.

Castello retrouvait peu à peu de l'entrain. Le contact avec le travail de terrain constituait pour lui le meilleur des régulateurs d'humeur.

— Je suis heureux de constater que mes flics ont de la culture, plaisanta-t-il. À part ça, François, rien d'autre ?

— Juste une petite précision médicale mais qui peut avoir son importance. À la demande de Gilles, j'ai interrogé les médecins de la maison de retraite sur la manière dont on établissait le diagnostic de la maladie d'Alzheimer. En fait, il n'existe pas de test unique pour cette maladie et c'est à partir d'un ensemble de tests neurologiques et de signes cliniques et radiologiques que les médecins rendent leur verdict. S'ils reconnaissent qu'il y a de temps en temps des erreurs de diagnostic, ils doutent de la capacité d'une personne à simuler.

— En résumé, Maurice Garcin n'est pas un suspect très crédible mais on ne peut pas encore le rayer de la liste ?

— C'est un peu ça, en effet, à mon grand regret d'ailleurs ! soupira Ménard.

— J'ai bien compris, François, assura Castello. Pas la peine d'insister lourdement. Je vous promets un rapatriement humanitaire au plus vite mais j'aimerais que vous restiez sur place encore un peu. On en reparle demain.

— À vos ordres...

Castello se redressa et massa sa nuque. Il vit Sebag

lever la main mais il ne lui donna pas tout de suite la parole.

— Un instant, s'il vous plaît. Avec ses récriminations François a failli me faire oublier l'analyse ADN des cheveux. Je n'ai toujours pas lu le compte-rendu de Pagès.

Il décrocha le téléphone fixe de la pièce et demanda à sa secrétaire de lui trouver et de lui apporter le rapport. Puis il se retourna vers Sebag.

— Vous aviez quelque chose à dire ?

— J'ai laissé tout le monde faire le point de son travail pour qu'on y voie plus clair mais je crois que j'ai un élément nouveau. Important.

Il raconta son entretien avec l'amie de feu Bernard Martinez et exhiba le morceau de papier qu'il avait conservé. À côté du numéro d'une boîte postale, Josette Vidal avait écrit le nom de la société propriétaire de l'appartement de Martinez : la SA Babelo.

— Babelo…, répéta à haute voix le commissaire.

— Comme le pseudo du chef du commando de l'OAS, oui. J'ai évidemment essayé d'en savoir plus dès hier soir sur cette société mais je n'ai pas réussi, alors j'ai confié la recherche à un collègue de la brigade financière de Montpellier. C'est lui que j'ai eu au téléphone avant la réunion. Il n'a pas encore pu localiser exactement la boîte – on sait qu'elle est située en Espagne – mais il a découvert le nom de son gérant. Il s'agirait d'un certain Georges Lloret.

— Georges, tu es sûr ? l'interpella Joan Llach.

— Oui, pourquoi ? Tu le connais ?

— Non, pas du tout, mais Lloret est un patronyme catalan et, comme le gars paraît installé de l'autre côté des Pyrénées, je suis étonné que son prénom soit francisé. On devrait dire Jorge si le type est espagnol, Jordi s'il est catalan.

— À moins qu'il ne soit d'origine française, suggéra Sebag. Un ancien Français d'Algérie installé en Espagne après la guerre, par exemple. Il n'est pas forcément hasardeux de penser que le propriétaire de cette société n'est autre que l'ancien chef de commando…

Llach s'étonna :

— Un pied-noir avec un nom catalan ?

Un crachotement incompréhensible lui répondit. Castello secoua la soucoupe volante sans ménagement.

— Vous pouvez répéter, François ? On ne vous a pas compris.

— Je disais que, contrairement à ce que l'on pense… crhhch, les pieds-noirs ne venaient pas majoritairement de France… crhhchl… beaucoup d'Espagnols crhhch… et donc forcément aussi des Catalans… crhhch… indépendance, certains ont préféré… crhchr… le pays de leurs origines. D'autant… crhhch régime franquiste… crhhch… gaulliste.

— C'est bon, François. On vous entend très mal. Nous reprendrons plus tard ce cours d'histoire. Si vous n'avez plus rien à dire d'indispensable pour l'enquête, nous vous libérons.

— … crhhch… crhhche…

— C'est cela : bonne journée à vous aussi !

Castello reposa violemment le boîtier d'audioconférence. Il appuya sur un bouton pour l'éteindre.

— Si j'ai bien compris ce que François voulait dire, on peut imaginer que ce Georges Lloret aura préféré après la guerre un rapatriement sur l'Espagne franquiste plutôt que sur la France du général de Gaulle.

Le commissaire retourna une des feuilles posées

devant lui et prit quelques notes au verso. Puis il releva la tête.

— Alors, qu'est-ce que ça nous donne, tout cela ? Décidément, c'est encore vers l'Espagne qu'il faut nous tourner pour espérer mener à bien cette enquête. Mais on ne va quand même pas se contenter de prier pour que nos collègues soient rapides et efficaces, on va essayer d'avancer par nous-mêmes. On va voir si ce Georges Lloret n'est pas connu de nos fichiers, s'il n'a pas une résidence ou même une activité quelconque en France. On va aussi trouver ses coordonnées téléphoniques pour le mettre en garde le plus vite possible. Et puis…

Castello s'interrompit brutalement pour fixer Julie qui depuis quelques minutes était penchée sur son téléphone.

— Ça va, mademoiselle Sadet, je ne vous dérange pas ?

Julie, surprise, releva vivement la tête.

— Non, pas du tout…

Elle se rendit compte en voyant le chef tiquer que sa réponse spontanée frisait l'insolence.

— Excusez-moi, commissaire, mais je me disais qu'on pouvait sans doute trouver très vite des infos importantes sur ce Lloret rien que sur Internet et j'ai commencé à chercher sur mon iPhone.

Le visage de Castello se détendit aussitôt.

— Très bien, très bien. Et alors ?

— Alors, j'ai trouvé plusieurs Georges Lloret. Dans le Gard et dans la région de Marseille, mais leurs profils ne correspondent pas : ils sont trop jeunes. Ah là, j'en ai un autre… Je n'ai pas son âge mais il vit en Espagne !

338

Elle avait replongé les yeux vers son portable et faisait glisser avec dextérité son doigt sur l'écran tactile.

— Il est engagé dans des projets de lotissements. Il semblerait qu'il soit promoteur immobilier. Il a une agence à Roses, une autre à Figueras…

— Figueres, corrigea Llach.

— Une autre encore à Cadaqués. Tiens, là, apparemment, j'ai un article de journal. *El Punt*, ça vous dit quelque chose ?

— C'est un journal catalan, précisa Llach.

— Je l'ouvre… Voilà, évidemment, c'est en catalan mais il y a une photo. Une petite minute, la liaison n'est pas formidable… Ah voilà ! Ça pourrait être notre homme : il n'est plus tout jeune mais il porte encore beau.

Julie tendit son iPhone à ses collègues. L'appareil fit un rapide tour de table.

— Un véritable ordinateur dans cette salle de réunion ne serait pas un luxe, remarqua Castello. Faites-moi penser à en faire installer un.

Le téléphone arriva dans les mains de Sebag. Georges Lloret avait effectivement de la prestance. Il portait un costume élégant avec un foulard de soie rouge dans la poche de sa veste noire et se tenait aussi droit et fier qu'un soldat au garde-à-vous un jour de 14 juillet. Sa chevelure blanche ondoyait sur un fond de ciel bleu.

— Il faudrait lire l'article, fit Gilles en repassant le portable à sa propriétaire.

— Pas de problème, je peux grossir un peu le texte et Joan nous fera la traduction.

— On pourrait tous aller dans mon bureau, ce serait plus pratique de le lire sur un PC, suggéra Llach.

Castello se leva, donnant le signal, et tous les

policiers se transportèrent un étage plus bas. Sebag fit un crochet par son propre bureau pour prendre son dossier. Il retrouva Llach assis derrière son ordinateur. Castello avait pris une chaise et s'était assis à ses côtés. Tous les autres inspecteurs, debout, s'agglutinaient derrière eux.

Sebag compara la photo de l'article avec celle du dossier découverte dans les affaires d'André Roman. La photo où les quatre hommes du commando posaient aux côtés du lieutenant Degueldre.

— La même silhouette, la même coiffure, les mêmes notions d'élégance. Ça pourrait être notre homme. Babelo. Il a juste rasé sa moustache depuis la guerre d'Algérie.

Llach avait commencé à survoler l'article en silence.

— C'est lui. Aucun doute.

Avec la souris, il fit glisser l'article jusqu'à la fin. Puis revint vers le début.

— En fait, l'article est le troisième volet d'une série sur les grandes fortunes de la Catalogne-Sud. Je vous en résume les grandes lignes : Georges Lloret est un self-made man...

— En catalan dans le texte, plaisanta Molina.

— ... Un self-made man qui a fait fortune dans les années soixante-soixante-dix grâce au développement touristique de la Costa Brava. Il a ouvert une première agence immobilière à Cadaqués, puis d'autres, très vite, tout le long de la côte catalane.

Llach suivait avec son doigt les lignes de l'article. Il traduisait et résumait en même temps.

— Mais c'est surtout en tant que promoteur que Lloret a gagné de l'argent. Il a investi de grosses sommes dans la construction de grands ensembles tou-

340

ristiques dans la plupart des stations balnéaires de la côte, Rosas, L'Escala, Palafrugell, Palamòs, j'en passe, des plus fameuses et surtout des plus moches. C'est, paraît-il, un homme très discret, voire secret, qui refuse toute interview. L'auteur de l'article n'a pas été autorisé à le rencontrer et il reconnaît qu'il a eu beaucoup de mal à avoir confirmation des rumeurs qui courent sur le compte de Lloret.

Llach marqua une pause. Son index accompagnait toujours l'article qui défilait sur l'écran.

— C'est là que ça devient intéressant... Lloret est né en 1933 à Alger où son grand-père avait émigré en 1898. Georges aurait combattu pour l'Algérie française – là, l'article ne donne aucune précision, dommage pour nous – avant de s'installer en Espagne après l'indépendance du pays. Il a lié de solides amitiés au sein du parti franquiste et avec quelques affairistes bien en cour. Ce qui explique sans doute en partie sa réussite professionnelle.

— Un garçon bien sympathique, commenta Julie.

— Et aussi un smicard, fit remarquer Molina. Un de plus ! Pauvres Français d'Algérie. Ils n'arrêtent pas de pleurnicher sur leur sort mais ils sont quand même nombreux à avoir vachement bien rebondi après avoir quitté leur pays natal. Roman aussi était plein aux as.

— En revanche, Martinez a fini avec le minimum vieillesse.

— Parce qu'il était sans doute moins doué – ou moins chanceux – que ses anciens complices. N'empêche, en rentrant en France, il avait de quoi investir dans la vigne...

Castello leva la main pour faire cesser ces digressions. Il s'adressa à Llach.

341

— L'article ne dit rien d'autre ?

— Si. Sur le plan politique, Lloret s'est recyclé centre droit après la mort de Franco. Il aurait notamment financé la CDC, *Convergència Democràtica de Catalunya*, un des partis qui ont gouverné la Catalogne à partir de 1980. Sinon, le journaliste mentionne encore quelques éléments de sa vie privée. Notamment son remariage il y a une quinzaine d'années avec une jeune actrice, remariage qui a provoqué une rupture avec ses filles qui ne lui parlent plus depuis.

Llach lâcha la souris et se reposa sur le dossier de son fauteuil.

— Voilà, c'est tout.

— Parfait, le félicita Castello. Nous allons avoir encore besoin de vous : il nous faut contacter ce Lloret au plus tôt.

Julie avait toujours son portable en main.

— Je vais vous donner les numéros de téléphone de ses agences immobilières, je crois que la principale est celle de Rosas.

Chacun de leur côté, Llach et Sebag notèrent les coordonnées sous la dictée de Julie. Castello se leva et posa sa main sur l'épaule de Gilles.

— Je remonte avec les autres en salle de réunion, mais vous et Joan, vous restez là pour joindre ce Lloret. C'est la priorité des priorités.

Sebag s'installa sur la chaise libérée par son chef qui sortit du bureau suivi de Julie Sadet, de Molina et de Lambert. Llach empoigna son téléphone fixe et composa un premier numéro. S'ensuivirent quelques minutes de palabres pénibles : Joan parlait par brèves rafales de mitraillette entrecoupées de silence. Ses interlocuteurs successifs ne se laissaient apparemment pas impressionner. Sebag décrocha rapidement. Il avait bien appris quelques rudiments de catalan lors des premiers mois de son installation à Perpignan mais cette conversation allait trop vite pour lui.

Après avoir frappé deux petits coups sur la porte, Jeanne l'ouvrit et passa son joli minois par l'entrebâillement.

— Monsieur Sebag, le commissaire veut vous voir tout de suite dans la salle du troisième.

La requête surprit l'inspecteur. Il abandonna Llach à son téléphone pour suivre la secrétaire de Castello. Il marcha derrière elle, les yeux rivés sur ses hautes cuissardes de cuir et son jean qui moulait son petit cul rebondi. Jeanne négligea l'ascenseur pour emprunter l'escalier. Elle gravit les premières marches avant de s'arrêter. Elle posa ses deux mains sur ses fesses et expliqua :

— Il paraît que les escaliers, c'est bon pour la silhouette.

— Vous en êtes la preuve vivante, toussa Sebag.

Il abandonna la secrétaire devant son bureau et poursuivit jusqu'à la salle de réunion. Un silence embarrassé y régnait en maître. Castello, sans un mot, lui tendit l'analyse ADN des cheveux. Sebag dut s'y reprendre à plusieurs reprises pour comprendre ce qu'il lisait. Les mots et les graphiques dansaient devant ses yeux et, chaque fois qu'ils se fixaient, Sebag déchiffrait la même chose : le cheveu blanc retrouvé dans l'appartement de Martinez appartenait à la même personne que celui découvert au cimetière du Haut-Vernet devant la stèle de l'OAS.

CHAPITRE 29

Il arpentait sans se presser les rues du centre de La Jonquère. Il avait pris goût à la marche. Même quand sa maladie rendait pénible chaque pas. De toute façon, les jours de crise, tout le faisait souffrir. Ouvrir une porte, tenir un crayon, boire un verre, manger. Les jours de crise, il ne pouvait rien faire. Seulement respirer et regarder la télévision. À condition toutefois de ne pas trop utiliser la télécommande.

Son médecin lui avait conseillé de bouger. Quelle que soit l'activité. La marche, la natation, le vélo. Il ne fallait pas permettre à la maladie de déposer son tartre sur les os. Mais il n'avait jamais aimé l'eau – sauf celle, claire et chaude, de sa Méditerranée – et le vélo lui faisait peur depuis qu'il avait senti faiblir sa notion de l'équilibre.

Alors il marchait chaque fois qu'il le pouvait. Et en marchant, il avait le sentiment de laisser l'arthrite derrière lui.

Il arriva aux abords de la zone commerciale. Une des plus laides, une des plus hideuses, une des plus honteuses qu'il ait pu connaître de sa vie. Les enseignes lumineuses et les publicités aguicheuses écorchaient la rétine de ses pauvres yeux. Ici commençait le pays du discount et de la débauche.

La Jonquère s'était développée dans les années soixante-dix autour de l'autoroute mais elle avait pris son essor avec l'entrée de l'Espagne dans le Marché commun, le village ayant profité sans peine des failles de la construction européenne. Le différentiel de taxes entre la France et sa voisine rendait ici la vie bon marché. La Jonquère, c'était maintenant trois cents boutiques, une vingtaine de supermarchés et de stations-service, une cinquantaine de bistrots dont un grand nombre de bars à putes. Depuis 2010, la commune pouvait même se vanter de posséder le plus grand bordel d'Europe. Ouvert tous les jours de 17 heures à 4 heures du matin, le Paradise affichait sans complexe ses « shows lesbiens », ses cent vingt prostituées et ses quatre-vingts chambres.

Les Français se ruaient à La Jonquère, jusqu'à vingt-cinq mille par jour, pour acheter du tabac, de l'alcool et du sexe bon marché. La plupart venaient en journée, en couple ou en famille pour remplir des Caddie qui tintinnabulaient dans les allées des *supermercatos*. D'autres arrivaient la nuit, en solitaires ou en bandes, pour se taper des filles de l'Est ou d'Amérique latine.

Brune ou blonde ? À La Jonquère, la question se posait pareillement pour les clopes, la bière et les femmes.

Jean rebroussa chemin en direction de son hôtel. Son rythme cardiaque s'accéléra lorsqu'il passa devant le bâtiment de la *Guardia Civil*. Pourtant, il savait qu'il n'avait rien à craindre. Ses faux papiers étaient en règle et, de l'autre côté du col du Perthus, les policiers n'étaient pas sur sa piste. Il suivait pas à pas leur enquête en lisant régulièrement les journaux français et en écoutant une station locale du Roussillon qu'il parvenait à capter depuis sa chambre : il savait que les enquêteurs faisaient fausse route. Il les avait trompés sans le faire exprès. En signant ses crimes, il les avait égarés.

Sa dernière cible ne se doutait probablement de rien, elle non plus. Il avait pris contact. Cela n'avait pas été facile. Le dernier des trois salopards était devenu un type important. Quelqu'un qu'on n'abordait pas si facilement. Mais il y était parvenu.

Ils avaient rendez-vous.

D'ici peu, les vieux comptes seraient définitivement soldés et il pourrait rentrer chez lui. Dans son pays d'adoption. Il retrouverait avec soulagement le rire gracieux de sa Gabriella. Trois jours qu'il ne l'avait pas appelée. Sa petite-fille, lui manquait terriblement.

Il poussa la porte de son petit hôtel, un établissement discret du centre de La Jonquère, là où le village ressemblait aux autres villages du reste de l'Espagne. Miguel, le patron, l'accueillit avec un grand sourire.

— *Hola*, comment il va, l'Argentin ? fit-il en castillan.

— Fatigué mais pas plus que d'habitude. À mon âge, on est toujours fatigué.

— Et les douleurs ?

— Comme d'habitude aussi. Le jour où je n'aurai plus mal, c'est que je serai mort.

Miguel éclata d'un rire joyeux et lui tapota doucement l'épaule.

— C'est beau d'être optimiste, hein, l'Argentin ?

Le vieil homme rit à son tour. Mais pas pour les mêmes raisons. Son espagnol trompait tout le monde. C'est avec cette langue qu'il pensait et qu'il s'exprimait le plus facilement. Et si son espagnol transpirait un accent, cela venait des inflexions sud-américaines qu'il avait adoptées, pas de ses origines françaises. Avec sa langue maternelle, il peinait désormais. Il cherchait souvent ses mots et ne les trouvait pas toujours. Dans ce petit hôtel où il avait posé ses valises, personne n'avait pu deviner qu'il était né soixante-douze ans auparavant sur le territoire français.

Décidément, sa couverture était vraiment parfaite.

Il rentra dans sa petite chambre d'hôtel et enleva son manteau. Il ouvrit l'armoire, prit un cintre et accrocha son vêtement. Il passa sa grosse main sur le col pour enlever quelques fils blancs. Depuis quelque temps, il s'était mis à perdre ses cheveux. Il s'en trouvait consterné : il avait déjà tant de raisons de se sentir vieux.

CHAPITRE 30

Llach reposa le combiné avec humeur.

— Ils ne veulent rien comprendre. J'ai beau leur expliquer que je suis flic et que c'est une question de vie ou de mort, ils me répondent toujours qu'ils ont des consignes strictes et qu'ils ne peuvent pas me donner le numéro de portable de leur patron. Ils ajoutent qu'ils vont lui transmettre le message avec mon numéro de téléphone et que Lloret nous rappellera s'il le juge nécessaire. Au fait, c'est ton numéro que je leur ai laissé.

— Tu as bien fait, répondit Sebag distraitement.

— Lloret doit parler français, tu n'auras pas besoin d'un traducteur.

Sebag lui sourit. Il n'avait pas entendu.

— J'ai appelé l'agence de Rosas et celle de Cadaqués. J'essaye les autres ?

— Euh… ouais.

— T'as raison. Ça ne coûte rien. On ne sait jamais…

Llach reprit son téléphone et reformula ses demandes à de nouveaux interlocuteurs. Gilles ne parvenait pas à fixer ses pensées et il s'abandonna à la contemplation d'une carte accrochée sur le mur derrière Joan. C'était une carte du sud de l'Europe. Une ligne verte courait du nord des Pyrénées-Orientales jusqu'au sud du Pays valencien et délimitait la zone où l'on parlait catalan. S'y ajoutaient encore les îles Baléares et une petite aire sur la côte nord-ouest de la Sardaigne, le pays d'Alguer. Sebag se souvenait d'avoir lu que le roi d'Aragon avait installé là de nombreuses familles barcelonaises. Ce devait être au XIVe siècle.

Llach raccrocha avec le même geste rageur.

— Je n'en ai pas obtenu davantage à Figueres. Ils me promettent de laisser un message mais ne s'engagent même pas à ce que leur patron nous rappelle. Ce Lloret a l'air d'être un drôle de lascar !

— On dirait, oui…

Llach le dévisagea longuement.

— Et toi, on dirait que y a quelque chose qui cloche. C'était pour quoi, cet aller-retour express au troisième ?

Sebag lui expliqua ce qu'il venait d'apprendre.

— *Cap de cony*, fit Llach en tapant du poing sur son bureau.

— C'est également mon sentiment.

— Ça veut dire que le meurtrier de Martinez et de Roman a aussi détruit la stèle de l'OAS.

— Il faut croire…

— C'est pas du tout ce qu'on avait imaginé !

— Ce que j'avais imaginé.

— Pourquoi toi seulement ? Nous avions tous écarté cette possibilité.

— Mais c'est moi qui ai prétendu hier en préfecture que ce ne pouvait être la même personne.

— C'est sûr que ça risque de te revenir en pleine gueule.

Sebag haussa les épaules.

— Tant pis. Ce n'est pas forcément ça le plus

grave. Ce qui est dommage, c'est qu'on ait fait à ce point fausse route.

— Mais ça change quoi, au final ? C'est presque logique, tout compte fait ! Le gars en veut tellement à l'OAS qu'il dézingue tout ce qui s'y rapporte.

— Nous pensions qu'il réglait un compte personnel avec trois personnes précises, pas avec l'OAS en général. On s'est trompés sur la psychologie du personnage et peut-être aussi sur ses motivations réelles.

— Faut pas jeter le bébé avec l'eau du bain. Toi qui aimes les proverbes, fie-toi à celui-là. Notre meurtrier en veut à Martinez, à Roman et à Lloret et, au passage, il a massacré aussi une stèle en l'honneur d'une organisation qu'il déteste par-dessus tout. Moi, je trouve pas ça complètement incohérent.

— Sauf…

— Sauf ?

— Sauf que tu oublies l'agression d'Albouker !

— Ah merde, c'est vrai.

Llach réfléchit quelques secondes puis il tapa un nouveau coup sur son bureau.

— À mon avis, ça ne change toujours rien ! On pensait que certaines personnes malintentionnées avaient profité du double meurtre pour foutre la merde chez les pieds-noirs. Cette hypothèse reste valable, pas pour la stèle mais pour l'agression. Pas con comme raisonnement, non ?

Sebag dut en convenir : l'idée n'était pas si bête. Mais il avait besoin de temps pour y réfléchir. Il pouvait avoir des intuitions fulgurantes mais sa réflexion, en général, était lente.

— Revenons-en pour l'instant à Georges Lloret. Qu'est-ce qu'on peut faire d'autre pour le joindre ?

— À part passer par la police catalane, je ne vois pas… Et là, le cousin de ma femme ne pourra rien faire. Ce Lloret est un chieur et il n'acceptera pas une démarche officieuse.

— À propos de ton cousin, tu as des nouvelles ? Il a commencé à appeler les agences ?

— Il m'a promis hier d'essayer dès ce matin. Tu crois que ça va être long, d'obtenir une collaboration dans les règles de nos confrères ?

— Je croyais que c'était toi, le professionnel de la collaboration outre-Pyrénées.

— Pas le moins du monde : je ne suis que le spécialiste de la débrouille transfrontalière. Ça n'a rien à voir.

Sebag rigola de bon cœur. Il n'avait pas souvent l'occasion de travailler avec Joan et découvrait avec plaisir un collègue efficace.

— Bon, on fait quoi alors ? demanda Llach.

— On attend que le téléphone sonne. Lloret rappellera peut-être un jour.

Sebag avait à peine terminé sa phrase que son portable vibra. Il le sortit de sa poche.

— Les affaires reprennent…, dit-il en prenant la communication. Allô ?

— Bonjour, lieutenant Sebag. C'est Jean-Pierre Mercier.

— Bonjour, monsieur. Vous allez bien depuis notre rencontre en préfecture ?

— Je dois avouer que j'allais mieux hier.

La voix de Mercier semblait inquiète. Elle tremblait légèrement.

— Je me permets de vous déranger parce que j'ai trouvé une lettre ce matin dans ma boîte. Une lettre de menaces. Si vous pouviez passer chez moi très vite, ce serait aimable de votre part.

Sebag se leva aussitôt et fit signe à Llach d'en faire autant.

— Ne touchez plus à la lettre, monsieur Mercier, posez-la. J'arrive tout de suite avec un collègue.

Llach gara sa voiture de fonction place de l'Europe dans le quartier du Moulin-à-Vent. En sortant de son véhicule, il proposa à Sebag :

— On n'est pas à trente secondes, je vais te montrer un truc.

Il l'entraîna vers le centre du rond-point aménagé en jardin public et lui désigna un bloc de béton posé entre deux bancs. Ils s'approchèrent. Sebag s'aperçut qu'il s'agissait d'une table d'orientation. Il chercha des directions connues et fut dérouté durant quelques secondes. Aucune mention de l'Espagne, du Canigou ou d'un quelconque pic pyrénéen. On n'y trouvait que des noms de villes plus lointaines dans l'espace et dans le temps : Alger, Oran, Bône…

— Quand je te dis que ces gens ne veulent pas tourner la page, soupira Joan. Ils ont encore besoin de connaître la direction des lieux qu'ils ont quittés jadis. Comme s'ils espéraient y retourner un jour. Moi, ça me dépasse…

Ils traversèrent la place rapidement pour sonner chez Jean-Pierre Mercier qui leur ouvrit la porte du hall de l'immeuble.

— C'est au deuxième, précisa-t-il par l'Interphone.

Les deux inspecteurs négligèrent l'ascenseur et gravirent les marches quatre à quatre. Jean-Pierre Mercier les accueillit sur le palier.

— Merci d'être venus si vite.

Il les fit traverser un petit couloir pour accéder au salon. Un soleil d'automne doux et généreux entrait par une porte-fenêtre donnant sur un balcon. Mercier leur montra la lettre qu'il avait posée sur un secrétaire juste à côté de l'enveloppe décachetée.

« On aura ta peau à toit aussi. Tu peux avoir peur maintenant. »

— Comme je vous ai dit au téléphone, je l'ai trouvée ce matin avec le courrier dans la boîte aux lettres.

Sebag sortit des gants en plastique de la poche de son blouson pour prendre la lettre, une simple feuille blanche de format classique. Il n'y avait rien au verso. Elle avait été pliée en trois dans le sens de la longueur pour tenir dans l'enveloppe. Comme pour la lettre abandonnée par les agresseurs d'Albouker, le texte se composait de lettres découpées dans le journal local. Cette manière de faire sembla bien archaïque à Sebag. Il reposa la lettre pour prendre l'enveloppe. Il n'y avait pas d'adresse dessus, seulement le nom de Mercier. C'était ça qui l'avait le plus inquiété.

— Ils sont venus eux-mêmes la déposer dans ma boîte.

Sebag acquiesça en silence.

— J'ai du café de prêt, je vous en offre ?

Les inspecteurs acceptèrent de bon cœur et Mercier s'éloigna vers la cuisine. Il revint peu après avec un plateau coloré sur lequel il avait disposé une cafetière pleine, trois tasses, trois cuillères et un petit pot de sucre. Il posa le plateau sur une table basse hexagonale recouverte de carreaux de terre cuite. Llach et Sebag s'installèrent dans un canapé de cuir fauve aux accoudoirs arrondis pendant que Mercier remplissait les tasses.

— Vous avez trouvé cette lettre à quelle heure, ce matin ? demanda Sebag.

— Vers 10 heures. C'est l'heure du facteur. Il venait de passer.

— Et la dernière fois que vous aviez ouvert votre boîte aux lettres, c'était quand ?

— Hier, à peu près à la même heure.

— Vous n'y êtes pas retourné entre-temps ?

— Non. Pour quoi faire ?

— Il arrive que des démarcheurs déposent des prospectus dans la journée.

— J'ai posé une étiquette sur ma boîte : « Pas de pub, merci. »

— D'autres personnes que vous ont manipulé cette lettre ? questionna Llach pendant que Sebag notait les premiers renseignements fournis par Mercier.

— Non.

— Votre femme peut-être…

— Je suis veuf.

— Ah ! Je vous prie de m'excuser, dit Joan avec confusion.

— Il n'y a pas de mal. Cela fera dix ans le mois prochain. Un cancer.

Sebag enchaîna :

— C'est la première fois que vous recevez des menaces ?

— À titre personnel, oui. Mais nous en avons reçu pas mal au siège du Cercle.

— Mais chez vous, jamais de lettres, ni de coups de téléphone ?

— Jamais, non.

— Avez-vous noté ces derniers temps quelques

individus suspects autour de votre immeuble ou du siège de votre association ?

— Non. Mais je ne faisais pas attention. Je serai plus vigilant maintenant. Après ce qui est arrivé à Guy, je pense que je ne dois pas prendre ces menaces à la légère.

— Non, il serait même préférable d'être prudent et de ne jamais sortir seul. Vous avez des enfants qui vivent sur Perpignan ?

— Ma fille habite en Cerdagne mais mon fils est sur place.

— Vous pourriez vous installer chez lui quelque temps ?

— Je ne pense pas que cela ravirait ma belle-fille…

— Si vous expliquez bien l'importance des menaces, elle comprendra.

Mercier n'eut pas l'air convaincu.

— Plus elle aura conscience de la gravité et plus elle pensera que je dois me tenir éloigné de ses enfants. Je vais plutôt appeler mon frère Gérard. Depuis le temps qu'il me promet de descendre… S'il n'est pas trop occupé à travailler pour vous ?

— Pour nous, je ne crois pas qu'il puisse faire encore beaucoup de choses. Il nous a donné de précieux renseignements même s'il ne nous a pas tout dit.

S'étirant vers ses oreilles, sa bouche esquissa un vague sourire de connivence.

— Oui, je sais, il m'a tenu informé. Je lui ai dit qu'il pouvait vous faire confiance mais cela n'a pas suffi. Les vieilles habitudes de la clandestinité…

Sebag trempa ses lèvres dans le café et peina à retenir une grimace. La boisson n'était guère plus forte que de l'eau parfumée.

— Vous êtes toujours persuadé que ces menaces n'ont rien à voir avec les meurtres de Bernard et d'André Roman ? le questionna Mercier.

Sebag hésita et croisa le regard de Llach. Joan répondit à sa place et avec plus d'assurance qu'il n'aurait pu en mettre.

— Nous ne voyons pas de cohérence non plus dans tous ces faits. À moins de considérer que le meurtrier prend peur au fur et à mesure de ses actes. Il tue d'abord deux personnes puis en blesse légèrement une troisième avant de se contenter d'en menacer une quatrième. Vous trouvez ça logique, vous ?

— Je ne sais pas. Vous avez sans doute raison. D'ailleurs, c'est ce que j'ai dit hier soir à Guy lorsqu'il est passé ici après notre réunion en préfecture. Mais lui persiste à penser qu'il y a une sorte de conjuration contre nous.

— Il n'est pas un peu parano, votre président ? plaisanta Sebag.

— Un peu, oui. Il l'était déjà avant et son agression n'a rien arrangé. Il est très inquiet et, du coup, très inquiétant pour l'avenir.

— Allons donc !

— Il pense que nous avons tort de rechercher l'assimilation et que nous devons rester une communauté forte, soudée et militante. Un peu à l'image de la communauté judaïque. D'ailleurs, il m'a fait tout un parallèle avec l'histoire des Juifs en France qui n'ont, selon lui, jamais été autant persécutés que lorsqu'ils ont cherché à s'intégrer dans la nation française.

— Vous m'étonnez : je ne l'avais pas senti aussi extrémiste.

— Extrémiste n'est pas le mot qui convient pour le

définir. Il est même plutôt modéré en ce qui concerne la plupart de nos revendications financières et il n'a aucune sympathie avec les anciens activistes de l'OAS. Je me suis d'ailleurs toujours bien gardé de lui présenter Gérard quand il vient me rendre visite. C'est uniquement sur les questions identitaires qu'Albouker peut se montrer intransigeant : notre histoire, notre culture, nos racines. Intransigeant n'est pas le bon terme non plus : il faudrait plutôt dire passionné. Oui, c'est cela : Guy est un passionné !

Peu intéressé par leur conversation, Llach se leva dans l'intention d'y mettre un terme. Il se dirigea vers le secrétaire un sac plastique à la main. Il désigna la lettre et l'enveloppe.

— Je peux prendre ces documents ? demanda-t-il.

— Évidemment, répondit Mercier. Vous pensez pouvoir en tirer quelque chose ?

Joan haussa les épaules.

— On a peu de chances d'y trouver d'autres empreintes que les vôtres mais c'est une recherche que nous devons faire malgré tout. Et puis, ils seront plus à leur place dans notre dossier que dans un de vos tiroirs.

— Un dossier qui doit commencer à s'épaissir...

— Ça, c'est sûr.

La sonnerie du téléphone fixe de Mercier éclata dans le salon.

— Elle est un peu forte, s'excusa le trésorier du Cercle, mais je n'arrive pas à la régler.

Il se leva pour décrocher.

— Allô. Ah, c'est toi, tu as eu mon message. Oui, je vais bien, ça va. J'essaye de ne pas trop m'inquiéter. Les policiers sont là, il y a l'inspecteur Sebag que tu connais...

Il précisa à l'intention de Sebag :

— C'est mon frère.

Puis il se retourna vers la baie vitrée. Llach vint se rasseoir aux côtés de Gilles. Il constata que sa tasse de café était encore pleine.

— Tu ne le bois pas ?

— Tu rigoles ? Il est dégueu.

— Ouais, c'est de l'aïguette, comme on dit ici, de l'eau claire. Mais moi, ça ne me dérange pas. Je peux ?

Il s'empara de sa tasse sans attendre sa réponse et la vida d'un trait.

Sebag rejoignit Jean-Pierre Mercier pour lui glisser à l'oreille :

— Vous me le passerez après, s'il vous plaît ?

Le trésorier acquiesça en silence. Il était en train d'évoquer avec son frère les horaires de trains de la fin de journée. Sebag poussa la baie vitrée et sortit sur le balcon. Il s'appuya sur la rambarde. La tramontane soufflait toujours avec vigueur. Dans la rue en contrebas, un grand-père roulait tête baissée sur son vélo de ville tel Armstrong dans la dernière ligne droite d'un contre-la-montre. Il se fit néanmoins dépasser par deux gamins qui couraient sur le trottoir.

Jean-Pierre Mercier arriva derrière Sebag et lui confia son téléphone. Sebag le prit et commença à parler.

— Bonjour, monsieur Mercier.

— Bonjour.

L'ancien OAS semblait sur la réserve. Il devait craindre que le policier ne cherche à lui faire dire ce qu'il avait voulu garder pour lui la veille. Mais Sebag avait progressé depuis et le fit savoir d'entrée :

— Vous avez réussi à contacter Georges Lloret ?

Silence à l'autre bout du fil. Sebag tenta d'imaginer le visage déconfit de Mercier avant de réaliser qu'il ne l'avait jamais eu qu'au téléphone et qu'il n'avait aucune idée de ses traits.

— Vous êtes toujours là, monsieur Mercier ? insista-t-il. Nous n'avons pas encore réussi à joindre Babelo. Je voulais savoir si, de votre côté, vous étiez parvenu à lui parler.

Le silence se prolongea encore quelques instants puis Mercier se décida à répondre.

— Très fort, lieutenant Sebag, vous êtes vraiment très fort. Bravo. Je peux savoir comment vous êtes parvenu à retrouver Lloret ?

Sebag savoura les compliments et surtout la confirmation implicite qui les accompagnait : s'il avait encore eu des doutes sur la véritable identité de Babelo, Mercier, sans s'en rendre compte, les aurait dissipés.

— Chacun ses secrets, si vous le voulez bien. Je crois que l'essentiel, c'est que l'un de nous deux parvienne à alerter notre homme du danger qu'il court en ce moment. Vous n'avez pas pu le joindre, alors ?

— Pas encore, non.

— Décidément, cet homme n'est pas facile à atteindre. Pas plus par ses anciens compagnons de guerre que par la police française. Dommage. Surtout pour lui.

— Je fais le maximum. J'ai mis en action plusieurs personnes proches de lui.

— Nous aussi, nous faisons le maximum. Il n'y a plus qu'à croiser les doigts.

— *Inch'Allah*.

— *Inch'Allah*, oui, vous avez raison.

Sebag laissa s'instaurer un nouveau silence, le temps

que Mercier digère sa petite défaite. L'ancien OAS fut le premier à reprendre la parole.

— J'espère que vous allez protéger mon frère. Je n'aime pas trop cette histoire de menaces.

— Moi non plus. Mais je ne crois pas que votre frère coure un très grave danger.

— Il m'a dit que vous pensiez que le ou les auteurs des lettres anonymes n'avaient rien à voir avec le meurtrier.

Sebag s'efforça de paraître convaincu :

— Oui, c'est ce que nous pensons. Ce sont juste des gens qui veulent semer la panique.

— J'espère que vous avez raison.

Sebag se retint de dire « Moi aussi ».

— Vous allez mettre un dispositif de protection autour de Jean-Pierre ?

— Nous n'en avons pas les moyens. Et puis si nous devions prendre la menace vraiment au sérieux, ce sont tous les pieds-noirs de Perpignan qu'il nous faudrait protéger. Le mieux serait que votre frère ne soit jamais seul. Vous comptez descendre ?

— Je suis en train de m'organiser pour cela.

— Très bien.

Sebag hésita. Il estimait ne pas avoir réussi à établir un climat propice aux confidences mais il souhaitait profiter malgré tout de l'occasion pour obtenir de nouvelles informations. Il se lança.

— Maintenant que nous savons tous qui est Babelo… peut-être pouvez-vous m'en dire plus sur son parcours ? Je n'en connais que les grandes lignes.

Le silence cette fois-ci ne dura pas.

— Je crois que vous l'avez bien mérité, répondit Mercier, un sourire dans la voix. Mais je suis loin de tout connaître. C'est un homme secret. Ce que je sais, c'est qu'il est né à Alger en 1933 et que ses parents tenaient une boulangerie dans le quartier de Bab-El-Oued. Il s'est engagé très tôt dans les rangs des partisans de l'Algérie française. Il était notamment en première ligne lors de la semaine des barricades.

— La quoi ?

— Excusez-moi, j'oubliais que vous n'étiez pas un spécialiste de l'histoire… La semaine des barricades est un mouvement insurrectionnel qui s'est déroulé à Alger fin janvier et début février 1960.

Gérard Mercier fit ensuite le récit de l'engagement de Lloret au sein de l'OAS, puis de sa fuite en Espagne après la fin de la guerre. Sebag n'apprit qu'une chose nouvelle : que Georges Lloret avait vécu ses premières années d'exil espagnol sous une fausse identité. Ce n'était qu'après les lois d'amnistie de 1966 qu'il avait repris son nom.

— J'ai pu recueillir également de nouvelles informations à propos de notre quatrième larron… Ça vous intéresse ?

Sebag ne voulut pas froisser son précieux informateur.

— Bien sûr, allez-y.

— Sigma, alias Jean Servant, n'avait que dix-neuf ans lorsqu'il est devenu membre de l'OAS. D'après un type qui l'a croisé à l'époque, c'était un pur et un dur, un véritable idéaliste malgré son jeune âge. Ou peut-être à cause de son jeune âge finalement. Il a été le dernier à rejoindre le commando Babelo et le seul à être tué. Enfin… je veux dire… le seul à être tué durant la guerre. Les circonstances de sa mort, ça vous intéresse aussi ?

— Vous m'avez parlé hier de l'explosion d'un bar.

— C'est ça, oui. Mais ce que j'ai appris depuis, c'est que c'est Sigma lui-même qui avait fait sauter ce bar. Il était cerné par les gendarmes français qui tentaient de l'arrêter.

— J'avais cru comprendre que les forces de l'ordre à l'époque ne traquaient pas vraiment les gens de l'OAS ?

— Nous avions, c'est vrai, beaucoup de sympathisants parmi la police. Mais l'armée et la gendarmerie mobile, elles, ont mené une lutte implacable contre nous, surtout après le cessez-le-feu de mars 62. Une fois que la France a mis un terme à la lutte contre le FLN, l'armée a reporté toute son attention sur nous. Vous avez entendu parler de la mission C ?

— Absolument pas.

— C'était une équipe d'une centaine de CRS et de gendarmes mobiles spécialement chargés de la lutte contre les partisans de l'Algérie française. Ils sont arrivés en Algérie dans l'ombre des barbouzes et ils ont mené des actions plus discrètes et beaucoup plus efficaces contre nous. Dans le cas qui nous occupe, ils ont obtenu une information comme quoi nos quatre compères devaient se retrouver dans un café pour planifier leurs actions futures. L'information serait, m'a-t-on dit, venue du FLN... Apparemment ça ne les gênait pas, ces types de la mission C, d'arrêter des Français sur la foi de renseignements fournis par l'ennemi ! Enfin bon, on ne va pas refaire l'histoire ! Toujours est-il qu'ils ont maintenu une surveillance du café, une surveillance qui s'est révélée payante mais pas autant qu'ils l'auraient souhaité car il y a eu des fuites également dans leur camp : Babelo, Omega et

Bizerte ont pu être prévenus à temps. Sigma, lui, est arrivé comme prévu au rendez-vous. L'arrière-salle du bar servait aussi de dépôt d'explosifs. Il a tout fait péter pour ne pas être pris vivant. Je vous ai dit, c'était un idéaliste. Paix à son âme.

Sebag accorda trois secondes à Mercier pour saluer la mémoire de son héros.

— Et après, qu'est devenu le commando ? Il a poursuivi ses actions ?

— Juin 1962, c'était déjà trois mois après les accords de cessez-le-feu signés à Évian. L'armée française achevait son retrait et l'exode des Français commençait. L'Algérie française était morte. Lloret, Martinez et Roman ont pris le bateau début juillet. Ils ont débarqué à Port-Vendres. Lloret a filé en Espagne, c'était plus prudent car la police française avait son identité. Martinez et Roman, eux, se sont installés sur Perpignan. Voilà, vous savez tout. Tout ce que je sais moi-même en tout cas. Il ne nous reste plus qu'à tout faire pour protéger Lloret du meurtrier.

— Y a plus qu'à… Oui !

Sebag rentra dans le salon et reposa le téléphone sur son socle.

— Vous voulez un autre café ? proposa aimablement Jean-Pierre Mercier.

— Ce serait avec plaisir…, mentit Sebag. Mais nous devons y aller maintenant. Nous avons du travail.

Llach se leva en souriant. Il avait toujours dans ses mains le sac plastique contenant la lettre et son enveloppe.

— N'espérez pas trop que nous retrouvions les auteurs de ce courrier, avertit Sebag. C'est quasiment mission impossible. Notre priorité reste d'identifier notre meurtrier et de l'empêcher de nuire. Quand on aura mis la main sur lui, je pense que tout le reste s'arrêtera aussitôt et que le climat s'apaisera.

Il aperçut une photo sur le secrétaire du salon. Deux hommes âgés souriaient sur un fond de palmiers. Il reconnut Jean-Pierre Mercier et la vue qu'on avait de son balcon. Il mit son doigt sur le deuxième homme.

— C'est votre frère ?

— Tout à fait. La photo date d'il y a deux ans. La dernière fois qu'il est descendu ici.

L'homme avait un visage ovale et plutôt jovial, il était complètement chauve. Sebag fit un petit geste de salut en direction de la photo.

— Enchanté de faire votre connaissance, Gérard, plaisanta-t-il.

Il reposa le cadre sur le meuble.

— Ne sortez jamais seul, recommanda-t-il encore. Je vais demander à ce que les patrouilles soient plus nombreuses ces jours-ci dans le quartier et en particulier autour de votre immeuble. Je contacterai également la police municipale pour qu'ils soient eux aussi plus vigilants. Et n'hésitez pas à nous appeler si vous voyez des types suspects.

Il tendit la main à Mercier qui la serra.

— Mais ne vous inquiétez pas trop. Je pense sincèrement que vous ne risquez pas grand-chose si vous restez prudent. Vous savez, les chiens les plus dangereux ne sont pas ceux qui aboient le plus fort.

— Très juste. Je me demande si ce n'est pas un proverbe arabe, d'ailleurs…, réfléchit Mercier.

— En tout cas, c'est pas catalan, fit remarquer Llach.

CHAPITRE 31

Trois coups de téléphone ponctuèrent l'après-midi de Gilles Sebag. D'abord un appel de Sabine Henri, la jeune directrice de cabinet du préfet des P-O.

— Qu'est-ce que j'apprends, lieutenant Sebag ? Vous avez fait totalement fausse route au sujet de la stèle de l'OAS ?

Cette question l'avait hanté toute la journée. Il resservit à la dir-cab' la théorie de Llach. Mais cette vision de l'affaire ne le satisfaisait pas tout à fait. La jeune femme le sentit :

— Vos explications manquent de conviction.

Il décida de jouer franc-jeu.

— Je vous avoue que je suis perplexe. Vraiment. Je garde la conviction qu'on ne peut attribuer à un même individu le double meurtre, la destruction de la stèle, l'agression du président du Cercle pied-noir et les lettres de menaces. Nous avons face à nous un assassin qui abat deux hommes avec une froide détermination pour une vengeance qui remonte à un demi-siècle. Il a, en plus, une troisième cible à atteindre en Espagne. Alors non seulement je ne le vois pas s'amuser à distribuer des lettres de menaces et à poignarder le paisible dirigeant d'une association pied-noir mais je ne l'imagine pas non plus détruisant une stèle, fût-elle de l'OAS, à coups de marteau la nuit dans un cimetière.

— Je comprends vos réticences pour les menaces et l'agression, et je ne suis pas loin de les partager. Mais pour la stèle, je ne vous suis pas. Notre meurtrier règle un compte avec trois hommes mais aussi avec l'OAS en général. Il faut voir les choses comme cela, je pense.

Sebag ne répondit pas tout de suite. Comme d'habitude, il ne savait pas comment expliquer ce qu'il ressentait.

— Tout ce que je peux vous dire, c'est que je trouve que tout cela sonne faux. Si j'attribue tous les délits à une seule personne, je n'entends plus sa musique, à ce type !

Sabine Henri laissa échapper une suite de petits rires.

— Le commissaire Castello m'a beaucoup vanté vos qualités d'intuition et j'aimerais bien pouvoir vous croire sur parole mais je suis, pour ma part, beaucoup plus rationnelle. J'ai besoin de meilleurs arguments pour être convaincue. Et je crains que cette prétendue intuition ne cache en fait une difficulté à reconnaître vos erreurs...

Sebag soupira.

— Je n'ai pas d'autres arguments, dut-il reconnaître.

— C'est ennuyeux. D'autant plus ennuyeux que cela me fait douter d'une autre de vos... « théories ». Vous avez prétendu hier que le meurtrier et le responsable de l'accident du jeune Mathieu ne faisaient qu'un, mais je n'ai pas souvenir que vous ayez apporté là aussi une preuve quelconque.

— Je n'ai pas de preuve, effectivement, mais il y a un faisceau de présomptions.

— C'est déjà mieux qu'une simple intuition, railla la directrice de cabinet. Mais ce qui me gêne, ici, c'est que le préfet a donné cet après-midi cette information à la presse. Si vous vous trompez, nous sommes tous mal.

— Je ne me suis pas trompé, s'entêta Sebag, pourtant de moins en moins sûr de lui. De toute façon, il n'y a qu'un moyen de savoir qui se trompe et qui a raison : c'est d'arrêter le meurtrier.

— Et vous avez progressé aujourd'hui ?

— Je ne sais pas. Chacun travaille dans son coin. Le commissaire Castello étant présent aujourd'hui, ce n'est donc plus moi qui coordonne, c'est lui. Tout ce que je sais, c'est que j'ai deux collègues qui ont eu l'autorisation ce midi de partir en Catalogne-Sud sur la piste des locations de voitures.

— Très bien, je vais rappeler Castello.

Sabine Henri ne raccrocha pas tout de suite. Elle prit le temps d'une courte réflexion avant d'ajouter :

— Ne vous méprenez pas sur mon attitude, lieutenant Sebag. C'est mon rôle de vous pousser dans vos retranchements. Même si vous ne m'avez pas convaincue aujourd'hui, j'ai confiance en vous. Arrêtez le meurtrier : c'est effectivement ce que l'on vous demande en priorité. On s'accommodera toujours du reste.

Ces derniers mots soulagèrent à peine Sebag qui pensait déjà à autre chose.

Et surtout à quelqu'un d'autre. Séverine.

Jusqu'ici le manque de certitude l'avait empêché d'annoncer à sa fille les rebondissements intervenus dans l'enquête sur l'accident de Mathieu. Il voulait bien prendre le risque de devoir se déjuger devant tous les pieds-noirs et toutes les directrices de cabinet du monde, mais pas devant elle. Maintenant il n'avait plus le choix. L'information allait paraître dans la presse, il se devait d'en donner la primeur à Séverine.

Il l'appela sur son portable. On était jeudi, il était 17 heures, elle avait terminé ses cours.

Séverine accueillit la nouvelle comme il se devait, avec une joie prudente et mesurée. Elle promit de transmettre l'information aux parents de Mathieu avec les réserves nécessaires.

— Je vais leur écrire un mail et je te le ferai lire avant de leur envoyer. De toute façon, ils ne sont pas ici en ce moment. Ils ne pouvaient plus supporter de rester chez eux, sans Mathieu… Ils sont en Andalousie dans une maison prêtée par des amis.

Sa voix s'était troublée lorsqu'elle avait évoqué son copain.

— On va retrouver ce chauffard-meurtrier, lui promit son père. Je vais mettre le paquet.

— Je suis fière de toi, papa. Je sais depuis toujours que c'est toi le meilleur.

Lorsqu'il raccrocha le téléphone, il aperçut dans le reflet de l'écran de son ordinateur un sourire niais qui étirait ses lèvres jusqu'à ses oreilles. « Heureusement que Jacques n'est pas là », se dit-il.

Le portable de Sebag sonna en fin d'après-midi. Numéro inconnu. Il était tard. Il faillit ne pas répondre. L'interlocuteur laisserait un message si c'était urgent.

Finalement, il décrocha.

— Georges Lloret à l'appareil. Vous avez cherché à me joindre, je crois.

Le ton était sec et direct, la voix grave et profonde, un timbre à la Pierre Brasseur.

— Euh... oui, tout à fait, bredouilla Sebag.

— Vous avez harcelé mes secrétaires. J'espère que c'est important.

— Ça l'est, effectivement.

— Vous leur avez dit que c'était une question de vie ou de mort.

— C'est ça, oui, ce n'est pas exagéré.

— Je vous écoute.

Aucune inquiétude ne transpirait dans la voix de Lloret, seulement de l'impatience.

— Monsieur Lloret, j'aimerais d'abord savoir si un certain Gérard Mercier vous a déjà contacté.

— Je sais que cet homme, comme vous, a essayé plusieurs fois de me joindre aujourd'hui. Mais je suis respectueux des lois et de la police, je vous ai donné la priorité.

— Vous êtes bien aimable...

— Non, je ne suis pas aimable et je suis sûr que vous vous en êtes déjà aperçu. Maintenant venez-en au fait, s'il vous plaît, sinon je raccroche et j'appelle ce M. Mercier.

Lloret semblait faire partie de ces hommes qui voient la vie comme un combat permanent et qui mènent toutes leurs affaires comme on monte à l'assaut. Sebag comprit qu'il ne se laisserait pas facilement impressionner. Il fallait frapper fort.

— Vous connaissiez André Roman ?

Un silence suivit cette question. Puis Lloret montra que, bien que vivant depuis des années en Espagne, il n'avait rien oublié des nuances de la langue française.

— Vous avez dit « connaissiez » ?

Le poisson était ferré. Il s'agissait maintenant de ne pas lui laisser trop de ligne.

— Excusez-moi, monsieur Lloret, je n'ai pas bien compris votre réponse. Vous connaissiez André Roman ?

— Il lui est arrivé quelque chose ?

— Si cela vous importe, c'est donc que vous le connaissiez ?

Lloret se cabra. Il avait l'habitude de commander et surtout qu'on lui obéisse.

— Ne jouez pas au plus fin avec moi, voulez-vous. Vous perdriez. Il me suffirait d'un coup de fil bien placé en France pour avoir toutes les réponses que vous ne voudrez pas me fournir. Vous avez cherché à m'appeler pour me mettre en garde, apparemment. J'aimerais que vous me disiez, lieutenant, ce qu'il en est exactement et sans tourner autour du pot. Lieutenant comment, au fait ?

— Lieutenant Sebag, Gilles Sebag. Mais je ne tourne pas autour du pot : je pose des questions, c'est mon métier. Je voudrais être sûr que je m'adresse bien à la bonne personne.

— Vous savez bien qui je suis…

— Vous vous appelez Georges Lloret mais êtes-vous bien le Georges Lloret né à Alger en 1933 ?

— Oui, je suis cet homme.

— Donc vous avez connu André Roman ?

— Vous êtes têtu, hein ? Oui, je l'ai connu. C'était il y a longtemps. En Algérie, justement. Mais je ne l'ai pas revu depuis des années. J'ai tiré un trait sur ce passé. Alors, il est arrivé quelque chose à André ?

Sebag jugea qu'il pouvait lâcher un peu de lest mais pas trop.

— Il est mort, oui.

— Il a été tué ?

— Pourquoi cette question ? André Roman était un

retraité sans histoires. Pourquoi pensez-vous tout de suite qu'il a pu être tué ?

— Ne me prenez pas en plus pour un imbécile ! Vous êtes de la police, vous me dérangez pour une question soi-disant de vie ou de mort et vous m'apprenez qu'un de mes camarades de jeunesse est mort. Pas besoin d'être sorti major de l'école des inspecteurs pour en tirer des conclusions. D'autant que si vous avez fait le rapprochement avec moi, c'est que vous connaissez nos passés et que vous savez qu'avant d'être un retraité sans histoire comme vous dites, André a combattu à mes côtés dans les rangs de l'OAS.

Sebag décida de tirer sans attendre sa seconde cartouche.

— Connaissiez-vous également Bernard Martinez ?

— Bernard ?… Bernard a été tué lui aussi ?

Pour la première fois, la voix de Lloret trahissait un trouble.

— Comment est-ce arrivé ?

— Omega a été assassiné dans son appartement il y a une quinzaine de jours et Bizerte dans sa voiture dimanche dernier. Si on compte également Sigma, mort dans une explosion il y a cinquante ans, vous êtes le dernier survivant du commando Babelo : c'est pour cela que nous vous appelons aujourd'hui.

— Je comprends mieux, admit Lloret.

Sa voix toujours aussi caverneuse s'était faite moins sévère, presque moelleuse. Cela ne dura pas.

— Je comprends mais c'est stupide, répliqua-t-il sur un ton de nouveau tranchant. Tout cela est tellement lointain, ces histoires n'intéressent plus personne. Même pas ceux qui les ont vécues, même pas moi qui ai tant aimé l'Algérie. Vous faites fausse route, c'est ridicule. Et puis je n'avais plus de contacts avec André et Bernard depuis des années.

— Pourtant, Martinez vivait dans un appartement qui vous appartient.

— Je vois que vous êtes bien informé, reconnut-il, mais je l'avais presque oublié. Bernard m'a contacté il y a une dizaine d'années lorsqu'il a fait faillite. Il avait dû tout vendre pour payer ses dettes, il n'avait plus un sou. J'ai acheté cet appartement pour qu'il puisse vivre sous un toit décent. Ça n'était pas un problème pour moi. Comme je ne voulais pas que mon nom apparaisse dans cette opération, j'ai monté une petite société rien que pour ça avec pour siège une simple boîte postale que je ne consulte jamais. J'ai tout fait à distance, je n'ai même pas rencontré Bernard à cette occasion.

— Quel acte généreux et désintéressé, ironisa Sebag.

— La générosité ne se juge pas de manière absolue : elle est fonction du sacrifice que réalise le donateur. Pour moi, ça n'avait rien d'un sacrifice. Et si j'ai tiré un trait sur mon passé, je n'ai rien oublié pour autant. Bernard aurait donné sa vie pour l'Algérie française, il ne méritait pas de finir SDF.

— Son assassin non plus n'a rien oublié.

— Vous vous trompez, lieutenant. Les meurtres d'André et de Bernard n'ont rien à voir avec le combat que nous avons mené.

— Nous n'avons pas trouvé d'autres liens entre les victimes que ce passé. Ils ne se voyaient que de temps en temps, seulement pour un repas au restaurant, et ils n'avaient aucune affaire en commun. Et puis…

Sebag jugea qu'il était temps de dévoiler à Lloret l'information principale.

— Et puis, après chacun de ses crimes, le tueur a laissé un mot, une sorte de signature, sur une porte chez Martinez et sur le plafond de la voiture de Roman. Pas vraiment un mot d'ailleurs, un sigle plutôt. Un sigle de trois lettres.

— Une signature, vous dites ?

— Oui.

— FLN ?

La suggestion surprit Sebag.

— Non. OAS.

— OAS, répéta, songeur, Lloret. Alors, ce n'était pas une signature.

— Pas vraiment, vous avez raison. Plutôt une marque d'infamie. Comme la fleur de lys, autrefois, sur l'épaule des condamnés.

— OAS, une marque d'infamie ? Vous me permettrez de ne pas partager ce point de vue…

— C'est celui du meurtrier. Pas forcément le mien.

Sebag s'en voulut aussitôt de cette réflexion idiote. Il aurait aimé ajouter « Quoique… » mais il estima inutile de braquer bêtement un interlocuteur qu'il avait eu tant de mal à adoucir.

— Vous comprenez sans doute mieux maintenant pourquoi nous jugions urgent de vous retrouver et de vous prévenir.

— Vous pensez que je suis le prochain sur la liste ?

— Tout nous porte à le croire.

— C'est invraisemblable… Qui pourrait… ?

Lloret laissa sa phrase en suspens. Sebag lui laissa un peu de temps mais rien ne vint.

— Oui, qui ? C'est bien l'une des questions que l'on se pose. L'autre étant : pourquoi ?

— Vous pensez que je le sais ?

— Qui d'autre, sinon ?

— Peut-être El Azrin..., soupira Lloret après quelques secondes de silence.

— Pardon ?

— El Azrin, l'ange de la Mort chez les Arabes.

— Vous pensez que l'assassin est un ancien du FLN ?

Un fort chuintement chatouilla l'oreille de Sebag. Lloret avait dû souffler bruyamment à l'autre bout de la ligne.

— Non, je disais ça comme ça... C'était une expression de chez nous que j'avais oubliée et qui me revient comme ça, à cette occasion... Quant aux raisons de cette vengeance tardive, franchement, je ne vois pas... Comme je vous le disais tout à l'heure, je crois, tout me semble si loin...

— Vous ne vous êtes pas fait que des amis à l'époque, insista Sebag.

— C'est certain...

Gilles perçut une certaine satisfaction dans le ton de Lloret. L'ancien activiste de l'OAS poursuivit :

— Mais justement c'était « à l'époque ». Pourquoi remettre cela maintenant ? Nous sommes tous si vieux.

— On s'est évidemment posé cette question aussi. La meilleure réponse que nous ayons trouvée, c'est que le meurtrier a dû apprendre un élément nouveau ces dernières semaines. Peut-être ne connaissait-il pas vos identités auparavant...

Une idée prit naissance dans son esprit.

— Ou peut-être ne savait-il pas qu'il avait quelque

chose à vous reprocher. Sans doute aura-t-il appris récemment que vous lui avez joué autrefois un tour pendable…

Plusieurs périodes de silence s'étaient succédé déjà depuis le début de leur conversation téléphonique mais celle qui venait de s'installer possédait une tout autre épaisseur que les autres. De Lloret, Sebag ne connaissait que le visage sur une photo et le son de la voix. Il ne pouvait voir ni ses gestes, ni ses expressions mais il espérait autant qu'un aveugle en percevoir les sensations.

Il ferma les yeux.

Le silence lui parut dense et compact. L'idée qu'il avait lancée replongeait Lloret dans son passé algérien. Sa respiration s'était comme arrêtée. L'homme réfléchissait. Il revivait sans doute des scènes, il révisait des amitiés, il revisitait ses fantaisies, ses forfaits, ses forfanteries.

— Non, vraiment… Je ne vois pas.

La voix puissante avait perdu de son assurance. Elle avait trop traîné sur certains mots.

— Je suis désolé, lieutenant. Et… de votre côté, vous avez des pistes sérieuses ?

Avec une nonchalance exagérée, Lloret renvoyait la balle dans le camp de Sebag.

— Des pistes, oui, mais des pistes sérieuses, ce serait abusif de le prétendre. Nous cherchons notamment du côté des anciens barbouzes.

— Ah, tiens… Ce n'est pas idiot. On ne leur a pas fait de cadeaux autrefois. Remarquez, eux non plus. Ils ont torturé et exécuté froidement certains d'entre nous.

— Y a-t-il à votre avis des barbouzes qui pourraient en vouloir précisément à votre commando ?

— *Aïwa* ! Plus d'un, très certainement.

— Maurice Garcin, ça vous dit quelque chose ?

— Absolument rien. Mais vous savez, nous n'avons jamais pris le temps, eux et nous, de faire les présentations.

Il éclata d'un rire de gorge puissant et sonore, qu'il arrêta d'un seul coup.

— Nous n'étions à l'époque ni les uns ni les autres très mondains, plaisanta-t-il encore.

— Je vois que les menaces qui pèsent sur vous ne vous effraient pas outre mesure…

— J'en ai vu d'autres. Je n'ai jamais été un personnage très populaire. Ce n'est d'ailleurs pas la moindre de mes fiertés.

Sebag était persuadé que Lloret avait eu une idée qu'il préférait garder pour lui. Il espérait qu'en lui rappelant les dangers qui pesaient sur lui il l'amènerait à la lui confier.

— Mon travail est d'empêcher qu'on vous tue et la menace est réelle. J'ai le sentiment que vous ne me dites pas tout, monsieur Lloret.

— Allons donc !

— Si vous voulez que nous parvenions à vous protéger, il faut tout nous dire. Même si l'idée qui vous est apparue vous semble complètement saugrenue.

— Aucune idée ne m'a traversé la tête, voyons.

Ses dénégations sonnaient faux.

— D'après nos informations, le meurtrier est déjà en Espagne. La menace est non seulement réelle mais imminente.

Lloret s'offrit le temps d'une courte réflexion avant de demander :

— Comment sont morts Bernard et André ?

— Une balle dans la tête pour Martinez, une dans le ventre puis dans le cœur pour Roman.

— Ils n'ont pas eu le temps de souffrir, alors... Vous pensez qu'ils ont compris avant de mourir ?

— Compris quoi ?

— Qui les tuait et pourquoi ?

— Pour Martinez, j'en suis sûr. Pour Roman, je le pense.

— Avec quelle arme ont-ils été abattus ?

La voix venait de changer imperceptiblement. Un petit dièse par rapport à son timbre normal. Lloret avait balancé cette question sans en avoir l'air mais Sebag sentit qu'il y attachait de l'importance. Il répondit néanmoins sans détour.

— Un Beretta 34, calibre 9 mm.

La respiration de Lloret s'arrêta à l'autre bout du fil. Un silence de plomb.

— Vous savez..., affirma Sebag. Vous savez qui les a tués !

— Non... je ne sais rien.

— Je ne vous crois pas, monsieur Lloret.

— Je m'en fous, lieutenant. Sauf le respect que je vous dois, je m'en fous.

Sebag savait qu'il agissait en pure perte mais il lui fallait insister.

— Nous devons arrêter ce criminel avant qu'il ne sévisse à nouveau. Avant qu'il ne vous tue.

— À mon âge, il faut bien mourir de quelque chose... Vous savez, j'ai eu trois passions dans ma vie : l'Algérie, les femmes et les affaires. L'Algérie – je ne vous fais pas un dessin – je l'ai perdue il y a cinquante ans. Les femmes, je dois maintenant y renoncer également. Là non plus, je n'ai pas besoin de vous faire un dessin. Quant aux affaires… mon médecin me harcèle pour que j'y mette un terme définitif. Le cœur, paraît-il. Quatre-vingts ans, c'est un bel âge pour tirer sa révérence, non ? Et puis mourir d'une balle venue d'un si merveilleux et si lointain passé, je trouve, moi, que ça aurait de la gueule.

Sebag ne savait que répondre à ce milliardaire mal embouché. S'il voulait crever, c'était son affaire. Son problème à lui était d'arrêter un criminel avant qu'il ne réalise la passe de trois.

— Pensez aux familles des autres victimes, elles ont le droit de savoir qui a tué leur proche.

Lloret ricana bruyamment.

— Je vous en prie, lieutenant, pas ça. Pas à moi. Et puis, arrêtez de penser que je connais le criminel. Vous vous trompez, je vous assure.

— Vous n'en êtes peut-être pas sûr mais vous avez une idée.

Les sens en éveil, Sebag eut le sentiment de l'entendre sourire.

— Pas une idée, lieutenant, pas une idée. Juste un vieux rêve.

CHAPITRE 32

Alger, le 24 mars 1962

Cette fois-ci c'est la guerre. Depuis le matin, les blindés progressent rue par rue dans Bab-El-Oued. Ils tirent sur les Français sans hésiter. Les habitants se terrent dans leurs appartements et les rares combattants de l'OAS qui n'ont pu quitter le quartier à temps hésitent à riposter car ils ont perdu tout espoir.

Entre l'armée et le FLN, le cessez-le-feu a été signé six jours auparavant. Une paix pour les Arabes. Une honte – pire, une trahison – pour le petit peuple européen d'Alger.

Dissimulé derrière le parapet d'une terrasse au sommet d'un immeuble, Sigma regarde les soldats arpenter en maîtres les rues de son quartier. Un char ouvre le chemin, suivi de trois half-tracks. Une vingtaine de militaires à pied avancent au même rythme que les engins blindés, scrutant les fenêtres et les toits, passant de l'abri d'une porte cochère à celui d'un palmier ou d'un platane.

Cette violence militaire fait suite à une horreur civile. Sigma doit le reconnaître : la folie s'est emparée de la ville depuis plusieurs semaines. La folie des Français d'Alger d'abord. Dès les premières rumeurs de négociations, une violence ignoble s'est déchaînée.

Le quartier joyeux et bon enfant de Bab-El-Oued est devenu le décor d'une boucherie sans nom. Des hordes furieuses de citoyens ordinaires ont ensanglanté le secteur. Ratonnades aveugles. Des maris tranquilles et des pères aimants ont tué. Ils ont assassiné d'autres pères, d'autres maris, des femmes aussi, des vieillards et parfois même des enfants. À coups de poing ou de pied, à coups de marteau ou de poignard. Pour leur simple tort d'être des Arabes. Les corps démantibulés et sanguinolents ont été laissés sur le bitume ou dans les caniveaux. Comme on n'oserait pas abandonner des cadavres de chiens.

Combattant de l'OAS, Sigma reconnaît qu'il a, lui aussi, exécuté des Arabes sans défense. Il n'en garde pas de honte. Ce n'était que justice. Œil pour œil, dent pour dent. Le FLN n'a jamais fait le détail, lui, assassinant indifféremment militaires et civils. Mais Sigma a agi sur ordre. Toujours. Il est le soldat d'une armée clandestine mais légitime. Ses actes n'étaient pas aveugles. Ils répondaient, il en est convaincu, à une organisation rigoureuse. S'il n'en a pas toujours compris le sens, il sait que ses chefs, eux, savaient pourquoi il fallait tuer. Et Sigma a donné la mort proprement. Avec détermination, sans violence excessive et presque sans haine.

Cela n'a rien à voir, estime-t-il, avec les actes sauvages de ces dernières semaines.

Après l'annonce du cessez-le-feu, l'OAS, à son tour, a basculé dans la folie. Par un communiqué, le général Salan, son chef, a décrété que l'armée française devait être considérée à présent comme une force d'occupation, une armée étrangère, et qu'il fallait tirer sur ses soldats.

Tirer pour tuer.

Et des soldats français sont morts. Abattus par d'autres Français.

Une première patrouille a essuyé une pluie de grenades dès le 22 mars. On a relevé dix-huit morts. Le lendemain, la foule a tiré sur des appelés du contingent. Sept gamins, de l'âge de Sigma pour la plupart, sont restés sur le carreau.

La folie ne peut plus s'arrêter. Il n'y a plus d'issue.

Sigma se sent écœuré. Des larmes coulent de ses yeux tandis qu'il observe l'avancée des militaires. Des larmes qui ne doivent pas grand-chose à l'odeur entêtante de la poudre et aux vapeurs des gaz lacrymogènes.

Comment en sont-ils tous arrivés là ? Qu'est-ce qui a cafouillé ? L'armée n'a pas pris fait et cause pour l'Algérie française. Pourquoi ? Par obéissance pour ce pantin vieillissant qui occupe l'Élysée. Et grâce à qui cet ancien héros dirige-t-il aujourd'hui la nation ? Grâce à eux, les Français d'Algérie, qui l'ont porté au pouvoir, avec joie et espoir, en 1958.

Oui. Quelque chose a cafouillé. C'est évident.

Sigma entend des pas derrière lui et se retourne vivement. Ce n'est qu'une jeune voisine qui vient le rejoindre sur la terrasse de leur immeuble. Il essuie ses larmes d'un revers de manche et se replonge dans le triste spectacle de la rue. Une main fine se pose sur son épaule. Un bracelet doré orne le poignet. L'autre main désigne son pistolet mitrailleur appuyé contre le parapet.

— À quoi te sert donc ton arme ? demande la jeune fille avec étonnement.

— Et que voudrais-tu que je fasse, Françoise ? Que

je tire une rafale et que l'armée, en riposte, détruise notre immeuble ? Je suis trop seul, je ne peux rien empêcher.

— Où sont tes amis ?

— Ils ont quitté le quartier.

— Je croyais qu'il était totalement bouclé ?

— Ils ont réussi à passer il y a deux jours juste avant la fermeture. Ils ont profité de la complicité d'un colonel sympathisant qui a attendu qu'ils sortent pour exécuter ses ordres.

— Et ils sont où, ces courageux, quand le quartier a besoin d'eux ?

— Ils sont à Oran. Ne m'en demande pas plus. C'est secret.

Leur ordre de mission est tombé au moment du bouclage du quartier. Sigma n'a pas voulu suivre. Il ne pouvait imaginer laisser sa grand-mère seule durant ces moments de violence. Babelo a accepté son refus. Une chance. D'autant que cette mission ne lui plaisait guère. Le braquage d'une agence de la Banque d'Algérie. L'armée clandestine a besoin de fonds pour prolonger sa folie.

Sigma et Françoise lèvent les yeux. Deux hélicoptères lance-grenades ont décollé d'une base voisine et s'approchent de Bab-El-Oued. En arrivant au-dessus du quartier, ils sont accueillis par des rafales de mitraillettes tirées du toit d'un immeuble voisin. Les hélicoptères ripostent aussitôt. Une terrasse explose et les mitraillettes se taisent. Pour toujours peut-être.

Derrière Sigma et Françoise, des cris d'hystérie retentissent. Ils sursautent. La mère de la jeune fille arrive sur eux comme une furie, une robe de chambre jetée sur les épaules et de vieux bigoudis accrochés à sa chevelure décolorée. Elle gifle Françoise sur les deux joues.

— Tu es folle, hurle-t-elle. Tu veux te faire tuer par ces barbares…

Elle attrape sa fille par le bras et l'entraîne vers l'intérieur de l'immeuble. Au passage, elle jette à Sigma un regard de haine. Elle l'aurait bien giflé, lui aussi. Le petit-fils à Henriette Servant, elle l'a connu tout gamin. Mais c'est un homme aujourd'hui et il porte une arme.

Alger, le 28 mars 1962

— Tu ne devrais pas sortir, mamie.

— Je n'ai pas le choix. Nous n'avons plus rien à manger.

— Alors, je vais t'accompagner.

Henriette Servant caresse de sa paume les cheveux ras de son petit-fils.

— Tu sais bien que ce n'est pas possible. L'armée n'accepte plus que les femmes et les vieux dans les rues d'Alger.

Elle éteint la machine à coudre sur laquelle elle travaille, se lève et enfile son manteau de laine. Puis elle prend dans le placard de l'entrée sa poussette de marché.

— Attends, laisse-moi au moins t'aider.

Jean Servant soulève la poussette et s'engage dans l'escalier. Quatre étages plus bas, il pose le cabas à roulettes dans le petit hall de l'immeuble. Il ouvre la porte. Henriette l'embrasse sur la joue avant de sortir.

Jean remonte les marches quatre à quatre jusqu'à leur appartement. Par la fenêtre, il surveille sa mamie. Il la voit patienter devant une herse de barbelés. Une patrouille militaire filtre les passages. Un soldat examine les papiers d'identité des piétons tandis qu'un officier scrute les toits et les terrasses à l'aide d'une paire de jumelles. Le reste de la troupe garde les mains sur les armes, prêt à tirer à la moindre alerte.

Jean sent un frisson courir le long de sa moelle épinière.

Après quelques minutes d'attente, c'est le tour d'Henriette. Le militaire étudie ses papiers. Son regard concentré saute du visage à la carte d'identité puis de la carte au visage. Il hoche la tête, rend les documents et sans un mot lui fait signe de passer de l'autre côté de la herse. Jean regarde la fine silhouette fatiguée remonter la rue puis disparaître après être passée devant un mur souillé par une grande tache de peinture blanche. À la place de la tache s'affichaient hier encore en noir les trois lettres magiques de l'OAS. Jean est bien placé pour le savoir : c'est lui qui les a inscrites quelques mois auparavant. Son premier engagement.

Alger, le 30 mars 1962

L'armée a enfin levé le blocus de Bab-El-Oued. Pendant cinq jours, elle a encerclé le quartier, perquisitionné des centaines d'appartements, saisi plusieurs tonnes d'armes et anéanti les derniers espoirs des habitants.

Jean Servant retrouve ses compagnons d'armes devant une façade tavelée d'impacts de balles. De retour d'Oran, Babelo, Omega et Bizerte ont dû attendre cachés par un complice dans une maison de la banlieue d'Alger. Le chef du commando se montre prévenant avec son jeune combattant :

— Alors, Sigma, c'était pas trop pénible ? Ta mamie a tenu le choc ?

— Elle accuse le coup. Pour elle, tout est perdu : elle veut rejoindre la métropole. Elle dit qu'une lointaine cousine serait d'accord pour nous accueillir provisoirement du côté de Bordeaux.

— Surtout empêche-la de faire cette ânerie. C'est encore secret mais les prochaines consignes de l'organisation seront formelles : tout Français qui voudra quitter le pays devra être exécuté.

Sigma soupire. Après avoir abattu des Arabes puis tiré sur les soldats français, l'OAS s'apprête à exécuter des civils de son propre camp.

— C'est la guerre totale, informe Babelo. Ceux qui partent seront considérés comme des déserteurs.

Sigma préfère changer de sujet.

— Et vous alors, ça s'est passé comme vous le vouliez à Oran ?

Le visage de Babelo s'illumine. Omega et Bizerte sourient également.

— Tu Parles D'un Hold-Up ! Une Promenade De santé, oui ! dit le chef en lissant sa fine moustache. C'est comme si nous étions passés ramasser la caisse d'une agence qui nous appartenait. Quand on est entrés dans la banque, les employés nous ont spontanément remis l'argent. Ils étaient tous favorables à la cause.

Bizerte affiche une mine gourmande.

— Il y avait plus de deux milliards d'anciens francs, tu te rends compte !

— Vous avez remis cette somme à qui de droit évidemment ?

— Pas encore, grimace Babelo. Nous devons le remettre en mains propres à Degueldre. Pour une telle somme, il vaut mieux attendre que la situation se calme un peu. Mais ne t'inquiète pas, pour l'instant le flouze est en sécurité.

Omega tape amicalement dans le dos de Sigma.

— J'espère que tu seras des nôtres la prochaine fois.

— La prochaine fois ?

— La guerre coûte cher, explique Babelo. Les besoins vont grandissant. Avec le cessez-le-feu, l'armée française a choisi son camp : elle est pour les fellaghas et contre nous. Il va falloir nous équiper plus sérieusement.

Comme pour lui donner raison, trois avions T-6 survolent la ville à basse altitude, faisant trembler les vitres et les cœurs.

CHAPITRE 33

Gilles Sebag avait jeté son blouson sur ses épaules lorsque Julie et Joan firent irruption dans le bureau. Ils revenaient tout excités de leur mission en Catalogne-Sud. Ils avaient écumé les agences de location de Figueras puis de Gérone. C'est dans cette dernière ville qu'ils avaient trouvé le « Graal ».

— Une fois de plus, Mme Irma a gagné, plaisanta Joan, reprenant à son compte le surnom dont l'avait gentiment affublé Molina.

— Tu as eu le nez creux, en effet, confirma Julie. Le tueur et le chauffard ne sont qu'une seule et même personne. Il n'y a plus de doute possible maintenant. Dix jours avant de louer une Seat à Figueras pour la rendre le lendemain à Montpellier, Manuel Gonzales Esteban a bien réservé une Clio blanche dans une autre agence à Gérone. Pile le jour du meurtre de Martinez et de l'accident du copain de ta fille.

Joan enchaîna :

— Le type de l'agence nous a décrit un vieil homme au visage carré, aux cheveux blancs encore fournis, aux sourcils épais et noirs, avec un nez court et large, une grande bouche et un menton volontaire. Sa description est autrement plus précise que celle de Mercader, votre témoin du Moulin-à-Vent. Les *Mossos* établiront demain un portrait-robot digne de ce nom.

Sebag savoura l'instant. Il s'offrit de longues et voluptueuses respirations et sentit un sang chaud circuler dans ses veines dilatées. Il songea à Séverine et regretta de lui avoir annoncé la nouvelle trop tôt. S'il avait gardé l'info, c'est un retour héroïque à la maison qu'il aurait pu faire.

Il pensa ensuite à Estève Cardona : à son collègue du service Accidents, il allait livrer le scoop d'un seul bloc. Et en pleine gueule. Un sourire mauvais fleurit immédiatement sur ses lèvres.

Joan le tira de ses douces rêveries.

— Jacques nous attend au Carlit pour fêter ça. Tu viens avec nous ?

Sebag ne cacha pas sa surprise et sa réprobation.

— C'est un peu tôt pour fêter quoi que ce soit. Le meurtrier est encore en cavale, je te le rappelle.

— C'est ce que j'ai expliqué à Jacques, intervint Julie. Il a reconnu qu'il y avait encore du pain sur la planche mais que ce n'était pas une raison. Je crois qu'il est de ceux qui ne ratent jamais un prétexte pour boire un coup.

— C'est pas faux, tu l'as bien cerné, gloussa Sebag. Alors, OK. Allez, je vous rejoins dans quelques minutes, j'ai encore deux ou trois trucs à faire.

Llach avait déjà la main sur la poignée de la porte mais il s'arrêta et se retourna vers Gilles.

— Au fait, tu as eu Lloret ? Mon cousin des *Mossos* n'a pas réussi à le joindre.

— Il m'a enfin rappelé il y a quelques minutes, oui. Je comptais vous en parler au Carlit.

— Dis tout de suite, je suis impatient.

— Plutôt pas commode, le gars…

Sebag lui résuma l'entretien délicat qu'il avait mené avec le fameux Babelo.

— Je suis persuadé qu'il ne m'a pas tout dit, ajouta-t-il à la fin. Quand je lui ai appris que Martinez et Roman avaient été tués avec un Beretta 34, je l'ai senti tiquer. Cette arme lui a rappelé quelque chose, j'en suis certain. Mais il n'a rien voulu dire.

— Il faudrait le rencontrer dès demain, suggéra Julie. On ne peut pas en rester à un simple contact téléphonique avec lui.

— Il refusera, c'est évident.

— Il faudrait le protéger, aussi, insista la femme flic.

— Je n'ai même pas eu le temps de lui en parler. La conversation a tourné court. Il a raccroché très vite. Après que je lui ai parlé du Beretta justement.

— Mon cousin m'a dit qu'il placerait une voiture de surveillance ce soir devant son domicile de Cadaqués, expliqua Llach, et que demain les agents auraient pour mission de le suivre partout.

— Il ne va pas aimer, commenta Sebag.

— Sinon, qu'il crève ! s'irrita Llach.

— Quelque part je me demande si ce n'est pas ce qu'il cherche… J'ai l'impression qu'il préfère régler ça tout seul.

Sebag appela d'abord Jean-Pierre Mercier pour s'assurer qu'il ne lui était rien arrivé de néfaste dans la journée.

— Je viens de regarder dans ma boîte aux lettres et je n'ai pas trouvé de nouvelles menaces, le rassura le trésorier du Cercle pied-noir. Je n'ai pas repéré non plus de mouvement suspect dans le quartier mais je dois dire que je ne suis pas beaucoup sorti aujourd'hui.

Mon frère a pu se libérer : il arrive ce soir par le train de 21 h 22.

Sebag lui confia les renseignements qu'on lui avait donnés dans l'après-midi concernant la lettre anonyme.

— Pas d'empreintes digitales sur la lettre ou sur l'enveloppe, rien donc qui puisse permettre de retrouver les auteurs. Comme je vous l'avais promis, les patrouilles ont été renforcées dans le quartier. Soyez prudent quand même.

Il appela ensuite Pascal Lucas : il était temps d'annoncer la nouvelle au chauffeur de la camionnette. Un immense cri blessa son tympan.

— Wahouuuuuuuu ! J'vous avais bien dit qu'elle existait, cette bagnole, merde ! Vous avez bien fait de me faire confiance. Vous êtes génial, inspecteur ! Z'êtes un vrai champion, un vrai crack.

Lucas entonna à haute voix le générique entraînant d'un vieux feuilleton de télé. *Starsky et Hutch*. Sebag se fit un devoir de sécher son enthousiasme.

— Je vous en prie, monsieur Lucas, si votre responsabilité dans l'accident va sans doute être atténuée, il reste un fait intangible : Mathieu est mort et il ne ressuscitera pas !

Le refrain imbécile resta dans la gorge du chauffeur.

— Excusez-moi, inspecteur, dit-il d'une voix étranglée. Je suis désolé.

— Même s'il est maintenant prouvé qu'une voiture vous a contraint à dévier de votre trajectoire, c'est quand même vous qui avez heurté le scooter, monsieur Lucas. Et vous conduisiez en état d'ivresse. À jeun, vous auriez sans doute pu l'éviter.

— Je… euh… vous avez raison.

— Au revoir, monsieur.

Il raccrocha sans laisser le temps à Lucas de poursuivre ses excuses. Il composa ensuite le numéro de Josette Vidal pour lui donner les coordonnées téléphoniques de l'agence immobilière de Cadaqués.

— Je pense que vous avez tout votre temps pour libérer l'appartement. Le propriétaire n'est pas pressé.

— Je vais quand même faire déménager les affaires et les meubles de Bernard au plus vite. Merci de votre gentillesse, monsieur Sebag.

Après avoir reposé le combiné, Gilles contempla les photos posées sur son bureau. Elles dataient d'au moins trois ans, il lui faudrait les remplacer. Léo et Séverine avaient changé, grandi un peu, mûri beaucoup. Claire, elle, n'avait pas bougé – à peine quelques rides s'étaient-elles accentuées au coin des yeux –, mais ce qui n'était plus pareil aujourd'hui, c'était la relation qu'il avait avec elle, ses doutes…

Il sentit les idées noires l'envahir. Il ne lutta pas contre la marée montante.

Sur les photos, Claire semblait ne sourire que pour lui. C'était vrai à l'époque. Aujourd'hui, toute complicité semblait s'être envolée et cette perte lui était aussi pénible que l'infidélité elle-même. Dans son dos, Claire avait peut-être échangé des mots doux avec un autre homme, elle lui avait peut-être donné des rendez-vous secrets. Dans son dos, elle avait peut-être avoué sa liaison à ses copines, Pascale et Véronique. Elles en avaient peut-être souri ensemble. Comment leur avait-elle raconté cette histoire ? Comme une sottise qui pouvait mettre son couple en péril ou comme un joli conte qui la réveillait d'un trop long sommeil ?

La jalousie vrilla son estomac. Être exclu de tous ces secrets le rendait malade. Il ferma les poings. Il sentait qu'il pouvait devenir violent, lui d'ordinaire toujours trop calme et trop pondéré. Il se rappela Cardona, le plaisir qu'il avait éprouvé à lui serrer le cou.

Mais la jalousie n'était pas un sentiment agréable et, de nos jours, elle n'avait plus bonne presse. Un mari cocu, c'était déjà ridicule ; jaloux en plus, cela devenait risible. Autrefois, devant les tribunaux, la jalousie comme l'alcool constituaient des circonstances atténuantes pour tout crime ou délit. Aujourd'hui, l'une comme l'autre étaient devenus des caractères aggravants.

Signe des temps. L'adultère avait cessé d'être un péché mortel.

Pouvait-on encore se jurer une fidélité éternelle alors que la durée de cette éternité ne cessait de s'allonger ? En un siècle, l'espérance de vie des individus avait doublé. Celle des couples avait, elle, potentiellement triplé, voire quadruplé. La fidélité avait-elle encore un sens ? Possédait-elle d'autres synonymes que frustration, ennui et sacrifice ? Il avait découvert des statistiques qui disaient qu'aux États-Unis 70 % des gens avouaient avoir été infidèles au moins une fois dans leur vie. Et si lui un jour…

Chaque fois que la tempête de ses sentiments venait le chahuter, il se raccrochait à cette idée comme à une bouée. Le faux pas de Claire lui redonnait sa liberté. Lui aussi pourrait bien à son tour, et en toute bonne conscience, s'offrir un petit extra, une parenthèse sensuelle, un interlude sentimental. Il évoqua les visages féminins qui jalonnaient son quotidien. Elsa Moulin, Julie Sadet. Martine la fliquette de l'accueil. Jeanne la secrétaire du patron… Ah, Jeanne et ses tenues aguicheuses, Jeanne et ses doubles sens provocants.

Un sourire fleurit sur ses lèvres, qu'il réprima aussitôt. Inutile d'y penser. Tous les dragueurs du commissariat s'y étaient cassé les dents. Alors, Jeanne ? Même pas en rêve.

Et puis tromper Claire ne le faisait pas rêver. Mentir, inventer des histoires, se rendre le midi dans un hôtel minable pour un coït express… Il n'en avait pas le goût, pas l'envie. Il se sentait trop fatigué pour cela.

Et il savait que cette lassitude avait un nom mais il refusait de le prononcer.

Si seulement il avait pu en parler à quelqu'un. Un ami ? Il n'en avait pas, et puis de toute façon, il n'aurait jamais évoqué des choses aussi intimes avec un ami. Un curé ou un psy ? Impossible : il se méfiait des solutions toutes faites du premier autant que de l'absence de réponses du second. Il n'avait jamais cru à ces deux religions.

La morale, elle non plus, ne pouvait pas lui être d'un grand secours. Il n'existait plus de normes dans ce domaine, plus de Bien ni de Mal. Il appartenait aujourd'hui à chacun de se fixer ses règles, de se démerder seul avec sa conscience, ses tentations et ses sentiments. Claire avait trouvé son chemin, Gilles ne l'estimait pas condamnable et il aurait tant aimé s'en accommoder simplement. Son souci était que sa raison lui dictait une voie que ses tripes refusaient. Quoi qu'il pense, quoi qu'il se dise, la jalousie restait tapie dans son ventre et l'assaillait au moindre relâchement. Il s'était cru un homme libre et réfléchi, il n'était que le jouet des forces obscures qui l'habitaient.

Sa faiblesse aussi le minait.

Il se donna soudain une gifle qui le surprit lui-même. Laisser libre cours à ses ruminations ne l'aidait en aucune façon. Il lui fallait se ressaisir, sinon… Sinon il se sentait capable de tout envoyer balader. Claire, les enfants, le boulot… Oui, cet état d'esprit avait un nom. Il ne voulait pas en entendre parler.

Il s'efforça de respirer calmement. Ne plus penser à tout ça, surtout ne plus penser. Sa femme l'aimait et il l'aimait, ses enfants grandissaient sans problèmes majeurs, ils étaient tous en bonne santé, il avait un métier. Il respira. Il y avait des choses plus graves dans la vie. Il respira encore. Il devait reprendre le cours normal de son existence. À commencer par son enquête. Il lui restait une chose à faire qui lui changerait les idées.

Il se concentra sur le visage railleur de Cardona. Il avait un compte à régler avec lui. Il respirait toujours. Longuement. Mais surtout pas de violence. Il avait remporté son défi avec cet imbécile. Il lui faudrait contrôler ses nerfs.

Après, il retrouverait ses collègues au Carlit. Il s'assiérait avec eux et prendrait un apéro. Puis très vite un deuxième.

Il rangea brusquement les photos dans le tiroir de son bureau et se leva.

Sebag frappa trois coups secs à la porte.

— Entrez, ordonna la voix de Cardona.

Il pénétra dans le bureau enfumé de son collègue et ne put s'empêcher de tousser.

— Excuse-moi, fit Cardona en plongeant sa cigarette dans un gobelet en plastique où stagnait un fond de café froid.

Cardona se leva, ouvrit la fenêtre puis se retourna

vers lui pour lui tendre la main. Surpris, Sebag la serra
sans rien dire.

— Ça tombe bien que tu sois passé, j'allais venir
te voir. Assieds-toi, je t'en prie.

Gilles se sentait désarçonné par cette amabilité soudaine. Il prit une chaise et y posa deux fesses pru-
dentes.

— J'ai du nouveau, déclara Cardona.

— Moi aussi.

Cardona réprima une moue de contrariété.

— Vas-y en premier, si tu veux.

— Non, non, je t'en prie.

Cardona ne se fit pas prier :

— OK, d'accord.

Il passa une main dans ses cheveux gras et les tira
vers l'arrière. Il prit une profonde inspiration. Apparemment, ce qu'il avait à dire n'était pas facile.

— J'ai beaucoup réfléchi depuis notre…

Inconsciemment, sa main glissa sur son cou.

— … depuis notre entretien de l'autre jour. J'ai relu
mon dossier d'un œil neuf et j'ai remarqué… disons…
quelques… légèretés.

Il s'appuya sur le bord de son bureau, prit son gobelet et fit tourner le mégot dans son fond de café.

— J'ai donc décidé de reprendre l'enquête et je suis
retourné dans le quartier.

Il reposa le gobelet et regarda enfin Sebag. Il sourit,
embarrassé.

— J'y suis allé plusieurs fois, hein, j'y ai passé des
heures. Putain, c'était pas facile !

Il s'arrêta, semblant attendre un encouragement.
Sebag se retint de toute manifestation. Devant l'amabilité et la gêne de son collègue, toute hargne en lui avait

disparu. Mais il n'allait quand même pas lui faciliter la tâche. Cardona se racla la gorge avant de poursuivre.

— J'ai fini par trouver un témoin. Enfin ! Un seul malgré tous mes efforts. Un seul témoin mais ça suffit. C'est un jeune de dix-huit ans qui attendait sa copine devant son immeuble.

Cardona marqua encore une pause.

— Le gosse a vu la bagnole, la Clio, je veux dire, il l'a vue griller le stop. Tu... tu avais raison. Il y avait bien un autre conducteur à l'origine de l'accident.

— Je n'ai jamais soutenu mordicus qu'il y avait une autre voiture, précisa Sebag. J'ai juste dit qu'il fallait la chercher. J'ai cherché et j'ai trouvé des éléments qui laissaient penser qu'elle existait. Et que tu as refusé de voir.

Cardona hocha la tête gravement. Il encaissait la leçon.

— Demain, j'irai m'entretenir avec le chauffeur de la camionnette et je referai mon rapport.

— Entre nous, je te conseille de le refaire dès ce soir.

— Ah bon, pourquoi ?

Sebag lui expliqua comment ils étaient parvenus à prouver de leur côté l'existence de la Clio.

— Alors, comme ça, le chauffard serait bien un meurtrier, et un petit vieux en plus... Comment est-ce possible ?

Sebag haussa les épaules. Il n'avait pas l'intention de raconter maintenant toute l'affaire qui l'occupait depuis près de quinze jours. Cardona le comprit et se leva.

— Je vais refaire tout de suite mon rapport alors.

Ma femme va râler, elle m'attend, mais bon ! Quand faut bosser, faut bosser, hein ?

Il se força à rire puis se racla à nouveau la gorge.

— Sinon… euh… tu n'avais rien dit à Castello à propos de notre… différend ?

— Il n'est pas au courant, non.

— Donc il saura jamais rien… Je veux dire, c'est comme si j'avais trouvé tout seul la Clio, quoi !

— Comme si nous avions travaillé chacun de notre côté pour arriver à la même conclusion, oui, c'est ça.

— Super !

Il se mit à danser d'un pied sur l'autre.

— Je crois que… que je dois te dire merci, quelque part.

— C'est si dur que ça ?

Cardona repassa sa main sur son cou. Consciemment, cette fois-ci.

— Un peu, ouais. C'était pas le grand amour entre nous. Et puis… c'est jamais facile de reconnaître ses erreurs.

— Et là, tu les reconnais ?

— Ben… ouais.

— Bravo ! Je trouve ça fort de ta part. Tu me surprends.

Le visage de Cardona s'éclaira. Sa bouche s'ouvrit largement, dévoilant des dents jaunies par le tabac.

— C'est vrai ?

— Affirmatif.

Cardona souffla bruyamment.

— C'est vrai que c'est pas mon genre, d'ordinaire. Quand j'étais môme, mon père me disait toujours : « Ne t'excuse jamais, fils, c'est une marque de faiblesse. »

— Mon père me disait ça aussi mais j'ai grandi depuis. J'ai compris que c'était surtout une preuve de connerie !

Sebag errait, désœuvré, dans sa maison. Son retour n'avait rien eu de triomphal. Séverine ayant toute confiance en lui, elle n'avait pas en besoin d'une confirmation pour savoir qu'il avait vu juste. Maintenant, elle regardait à la télévision avec sa mère sa série policière préférée, peuplée de héros presque aussi forts que son père. Léo, lui, passait comme d'habitude la soirée cloîtré dans sa chambre devant son ordinateur.

Une soirée ordinaire pour une famille ordinaire. Une famille heureuse, sans doute. Gilles trouva un paquet de cigarettes entamé dans le meuble de l'entrée. Il enfila un blouson et sortit.

À l'abri du vent, il alluma une clope. Il fumait rarement et avait ouvert ce paquet une quinzaine de jours auparavant. Pour l'enterrement de Mathieu. Il n'éprouvait un besoin de tabac que lors des grandes occasions. Les grandes joies ou les peines profondes. Durant les périodes d'ennui, les moments de spleen ou d'anxiété également.

Ce soir-là, il y avait un peu de tout cela.

L'apéritif partagé avec ses collègues ne lui avait pas permis d'évacuer ses préoccupations. Lorsqu'il était entré dans le bar, Molina portait un toast à Ménard « qui s'emmerde à Marseille sans profiter de la récré qu'on lui offre ». Puis la discussion avait glissé sur les pieds-noirs « jamais contents » de leur situation. Llach et Molina ne s'étaient pas privés de nouvelles allusions à la fortune de certains rapatriés. Sebag avait bien essayé d'amorcer une conversation dissidente avec Julie sur ses motivations à s'installer à Perpignan mais il avait échoué, les deux compères parlant trop bruyamment et la jeune flic ne paraissant guère encline aux confidences personnelles.

Il traversa l'allée du garage et se mit à marcher dans les rues désertes de Saint-Estève. Un peu d'exercice lui ferait du bien. Il n'avait pas assez couru ces derniers temps. En automne, la nuit tombait trop vite et les journées de travail se révélaient trop longues. D'habitude, il parvenait à s'échapper le midi mais avec cette enquête ce n'était pas possible. Le footing lui manquait. Il le sentait dans son corps et dans sa tête.

Il avait besoin de s'aérer. Il devait juste se garder de laisser revenir la grande marée des idées noires.

Au Carlit, il n'était resté qu'un quart d'heure. Il avait tenté d'aiguiller la conversation vers l'enquête mais le thème n'avait pas pris. Pour ses collègues, la journée était finie. Il n'avait pas insisté pour ne pas paraître rabat-joie.

Le bourdonnement métallique et agaçant d'un petit scooter le surprit dans ses cogitations. Il l'entendit approcher avant de le voir. La nuit, ce n'était pas normal. Lorsque le deux-roues arriva à sa hauteur, Sebag constata que son pilote, non content de rouler sans lumière, avait en plus posé le casque sur l'arrière de son crâne, la protection maxillaire au niveau du front plutôt que du menton. C'était la dernière mode chez les mômes. Le top du fun. Sebag avait déjà prévenu Léo que s'il le surprenait une fois, une seule fois, ainsi équipé, il revendrait le scooter dans la minute.

Il tira une dernière bouffée rageuse de sa cigarette avant de jeter le mégot dans le caniveau. Il hésitait entre en allumer une autre et rebrousser chemin lorsque son portable sonna. Heureuse diversion. C'était Ménard.

— Je ne te dérange pas ? demanda poliment l'inspecteur depuis son exil.

— Pas du tout. Tu as du nouveau ?

— Rien de spécial. J'appelais surtout histoire de causer.

— Tu t'ennuies dans ta petite chambre d'hôtel ?

— Plutôt, oui.

— Des nouvelles de chez toi ?

— Pas trop. Ma femme est au cinéma avec une copine et mon fils chez un copain.

Sebag pensa aux commentaires déplacés qu'aurait pu faire Molina à sa place. Attention à la marée.

— La soirée, ici, est sinistre, poursuivit Ménard. J'ai jamais aimé les hôtels : ça me fout le blues.

— Qu'est-ce qu'il raconte, ton historien ? l'interrogea Gilles pour lui changer les idées.

— Pas grand-chose. Avec Michel Sonate, on a essayé de pister d'autres barbouzes. Mais on n'a trouvé aucune piste intéressante.

— Et pas de Manuel Esteban parmi eux ?

— Évidemment. Sinon, je t'aurais appelé. Mais Sonate m'a aussi mis en contact avec une journaliste qui a beaucoup travaillé sur les anciens protagonistes de la guerre d'Algérie, les barbouzes comme ceux de l'OAS. Certains se sont retrouvés ensemble en Argentine au moment de la dictature dans les années soixante-dix.

Sebag lui raconta à son tour sa journée et les derniers progrès de l'enquête.

— Intéressant, commenta Ménard. On progresse lentement mais on progresse.

— Rien de neuf du côté de Maurice Garcin ?

— Non. Ses fils sont de plus en plus inquiets.

Il y eut un silence. Ils s'étaient dit l'essentiel. Mais Ménard n'avait pas envie de raccrocher déjà.

— À part ça, grâce à mon historien, j'ai poursuivi mon instruction sur les dernières années de la guerre d'Algérie. C'est passionnant. Mon père l'a faite, cette guerre, mais il ne m'en a jamais parlé.

Gilles se rappelait que son père aussi avait été obligé de partir à vingt ans faire son service militaire dans la Mitidja. Lui non plus n'en avait jamais rien dit. De toute façon, Gilles n'avait jamais vraiment parlé avec son père. Il se souvenait surtout de leurs engueulades.

— Les derniers mois de l'Algérie française ont vraiment été dramatiques, raconta Ménard. Dans tous les camps, on ne comptait plus les morts. Ce serait inimaginable, aujourd'hui. Plus personne ne contrôlait quoi que ce soit, ça tirait et explosait dans tous les coins. Une véritable anarchie ! Je n'aurais pas aimé être flic là-bas à cette époque. Sans compter que la délinquance elle aussi a littéralement explosé. Toutes les formes de délinquance. Y compris les braquages de banques. Il faut dire que l'OAS avait besoin d'argent.

Le cours d'histoire ne passionnait guère Gilles qui commençait à ressentir la fraîcheur de cette nuit d'automne. Il avait fait demi-tour depuis longtemps et se trouvait maintenant devant la porte de son domicile.

— L'argent a toujours été le nerf de la guerre, lâcha-t-il pour avoir l'air de suivre.

— Quels que soient l'époque et le conflit, il y a des constantes incontournables en effet.

Sebag vit le rideau de la baie vitrée s'entrouvrir et le visage inquiet de Claire apparut. Il la rassura d'une amorce de sourire avant de conclure la conversation avec Ménard.

— Bon, François, c'est pas que je m'ennuie, mais là, j'étais dehors et ça caille. J'ai hâte de me réchauffer en me mettant au lit avec ma femme.

— Veinard…

Sebag rentra et mit son téléphone en charge.

— Le boulot…, expliqua-t-il à Claire en ayant le sentiment de ne mentir qu'à moitié.

Elle s'approcha de lui.

— Oh, mais tu as fumé ? s'étonna-t-elle. Cette enquête t'inquiète donc tant que ça ?

— Cette-enquête-t-inquiète, répéta-t-il sur un rythme de rap avant de lui répondre plus sérieusement. Elle m'inquiète pas mal, oui.

— Tu es sûr qu'il n'y a que le travail ?

Claire avait plongé ses yeux bleu-vert dans les siens. Une fois de plus, elle lui tendait une perche. Une fois de plus, il recula devant l'obstacle. Il ne voulait plus penser à cela.

— Évidemment…

Enfant, Gilles s'était fracturé le poignet en tombant de vélo. Face à lui, les médecins des urgences s'étaient divisés en deux camps, ceux qui voulaient l'opérer tout de suite pour lui placer une broche et ceux qui affirmaient qu'il fallait d'abord essayer de réparer avec un simple plâtre et qu'il serait temps plus tard, si ça ne marchait pas, de songer à l'opération. Le plâtre avait suffi. Avec sa femme, il était décidé à ne pratiquer l'opération qu'à la dernière extrémité.

— Oh, oh, tu es toujours avec moi ? lui cria Claire en passant une main devant ses yeux.

Gilles revint à elle :

— Excuse-moi. Décidément, cette affaire… On est dans la dernière ligne droite, on n'a pas le droit de se louper. On a déjà deux morts sur les bras et j'ai bien peur qu'on n'en ait bientôt un troisième.

Claire se résolut à parler boulot.

— Et tu ne peux rien faire pour l'empêcher ?

Sebag sourit : Claire, sans le savoir, avait balayé d'une phrase ses contrariétés personnelles. Maintenant, il n'allait plus penser qu'au travail. Le travail, rien que le travail, tout le travail. Il savait qu'il n'y aurait plus de place pour le sommeil cette nuit-là. Comment pourrait-il songer à dormir alors qu'un troisième crime se préparait sans doute de l'autre côté de la frontière ?

CHAPITRE 34

La route enchaînait les virages. Sebag n'aimait pas conduire la nuit et la descente sur Cadaqués lui paraissait interminable. Tout en suivant avec attention le mince cordon de bitume, il observait en bas les lumières orange et jaunes de la ville. Elles découpaient les silhouettes des toits et des antennes sur la masse sombre de la mer et lui servaient de phares sur son chemin.

Sebag ralentit l'allure en entrant dans le village. Douze coups sinistres sonnèrent au clocher de l'église Santa-Maria. Il roula dans des rues aussi désertes que celles de Saint-Estève. À minuit hors saison, Cadaqués redevenait le village isolé qu'il était autrefois. La statue de Salvador Dali l'accueillit sur la place principale juste devant la plage. Une main dans la poche du costume, l'autre sortie index pointé vers le sol, le peintre catalan semblait lui dire : « Oui, c'est ici, tu es arrivé. » Sebag obéit et trouva à proximité un emplacement pour garer sa voiture.

Un semblant d'animation subsistait sur la place protégée par un immense pin parasol. Un groupe de jeunes avinés y soutenaient une vive discussion. Il était sans doute question du dernier choc Barça-Real car seul le sport aujourd'hui peut encore déchaîner les passions.

Sebag savait que le deuxième *clàsico* de la saison – le match au sommet entre le Real de Madrid et le Barça – avait eu lieu dans la soirée. Ils avaient annoncé le score à la radio mais il ne s'en souvenait plus. Il se rappelait seulement avoir reçu l'information au moment où il passait le poste frontière de l'autoroute. Il s'était alors dit qu'il quittait le pays du rugby pour entrer dans celui du football. Le sport restait une frontière immatérielle entre Catalans du Nord et Catalans du Sud.

Sebag s'approcha d'un plan du village dessiné sur un mur. Il l'éclaira avec la flamme de son briquet et se repéra facilement. Il n'avait qu'à suivre la rue qui longeait la plage. Avant de ranger son briquet, il alluma une nouvelle cigarette. Il eut un peu de mal à cause d'une bise froide et humide qui soufflait de la mer.

« Qu'est-ce que je suis venu foutre ici ? » se demanda-t-il alors qu'il relevait en marchant le col de son imper. À cette heure, il aurait pu être bien au chaud sous les draps, contre le corps savoureux de sa femme. Mais il avait préféré abandonner un confort douillet pour arpenter en solitaire les ruelles d'une ville étrangère. Pourtant, ici, il n'était rien, il ne pouvait rien faire. En toute illégalité, il avait malgré tout emporté son arme. Pourvu qu'il ne tombe pas sur une patrouille de nuit de la police locale…

Il approcha bientôt du domicile de Georges Lloret. Une voiture de police stationnait déjà devant la propriété. Il resta à distance, contemplant de loin la lumière qui éclairait encore une grande baie vitrée à l'étage. Lloret avait peut-être lui aussi des insomnies. Depuis l'immense terrasse du premier étage, la vue sur le village, la baie et la mer devait être magnifique. Sebag repensa à la discussion de Llach et de Molina.

Oui, certains pieds-noirs s'en étaient bien sortis après leur exil, mais pouvait-on les en blâmer ?

La lumière s'éteignit bientôt et Sebag eut l'impression de ressentir davantage le froid. Il frissonna. La nuit promettait d'être longue. Il se dit que sa présence était inutile mais que, puisqu'il était venu jusque-là, autant rester. Il repéra des places de stationnement dans une rue latérale qui longeait la demeure de Lloret et choisit d'aller chercher son véhicule. Ce serait tout de même plus confortable de planquer à l'intérieur. Et plus discret. Il ne fallait pas se faire remarquer d'un éventuel meurtrier et encore moins de ses collègues sud-catalans.

Il passa donc sur le siège conducteur une grande partie de la nuit, alternant entre des périodes d'assoupissement et d'autres d'incroyable lucidité. Il revisita aussi bien sa vie familiale que sa vie professionnelle et s'aperçut que tout n'était pas forcément si noir qu'il le croyait certains jours. Les aléas de l'existence n'avaient finalement que le poids qu'on voulait bien leur donner. Il suffisait d'un peu de volonté et de détermination pour balayer tous ses soucis. L'évidence lui sautait aux yeux. Aussi intensément que le sentiment que, dans quelques heures, elle se serait évanouie.

Vers quatre heures du matin, il éprouva une brusque et courte frayeur. Émergeant d'un demi-sommeil, il vit avancer une ombre courbée vers la résidence de Lloret. L'ombre passa sous un lampadaire et devint un vieillard appuyé sur une canne. Sebag se pencha vers la boîte à gants pour prendre son arme. Le vieillard dépassa la propriété sans lui accorder le moindre regard. Il traînait derrière lui un chien maigrichon, une sorte de teckel anorexique, aussi vieux et clopinant que son maître. Sebag rangea son flingue.

Vers cinq heures, il comprit qu'il ne se passerait rien cette nuit-là et décida de rentrer. Une rude journée l'attendait. Il reprit la route en lacet qui montait jusqu'au col. En chemin, des pensées, des images et des mots se télescopèrent dans son cerveau fatigué. Le luxe de la propriété, les réponses énigmatiques de Lloret au téléphone, les critiques de Molina et de Llach, le cours d'histoire de Ménard... Tout se mêlait, s'emmêlait, se choquait dans sa tête, il ne maîtrisait plus rien. Il laissa les chocs se produire. Une véritable réaction en chaîne. Lorsqu'il franchit le col au-dessus de Cadaqués pour replonger vers Figueras, l'explosion se produisit. Puis le calme. Aussi soudain que l'explosion.

Il avait aperçu la lumière. Une simple lueur encore mais qui pourrait suffire à le guider vers la solution.

Une heure et demie plus tard, il arrivait chez lui avec du pain frais et des croissants. Il fut reçu comme le Messie par Séverine et Léo. Claire l'accueillit avec plus de circonspection, soucieuse devant ce mélange d'épuisement et d'exaltation qu'elle lisait sur son visage. Elle l'embrassa longuement en se collant langoureusement à lui. Claire connaissait son homme, elle savait mieux que lui qu'il touchait enfin au but.

CHAPITRE 35

Alger, le 22 mai 1962

Sigma n'y comprend plus rien. Si ce n'est que les Français ont perdu l'Algérie. Il est trop tard, il n'y a plus rien à faire.

Deux mois que le cessez-le-feu est signé, et la guerre continue.

L'OAS n'a plus de chefs. Le lieutenant Degueldre ? Interpellé le 7 avril et transféré le soir même en métropole. Le général Salan ? Arrêté quinze jours plus tard et lui aussi emmené aussitôt de l'autre côté de la Méditerranée. Comme un poulet décapité, l'OAS continue de s'agiter sans tête. Elle tue chaque jour davantage. Sept femmes de ménage arabes assassinées d'une balle dans la nuque le même jour dans le centre d'Alger. Soixante-deux morts d'un seul coup le 2 mai sur le port lorsqu'une voiture truffée de dynamite, de boulons et de ferraille, a explosé. Des hommes, des femmes et même des enfants fondus dans une bouillie infâme de chair et de sang.

Les quartiers européens se vident un peu plus tous les jours. Les Français se ruent sur les bateaux et les avions. Ils « retournent » en France, dans ce pays qu'ils n'ont jamais connu et qui vient de les trahir. Malgré les interdictions répétées de l'OAS, ils fuient par familles entières. L'organisation les frappe chaque fois qu'elle le peut. Après avoir abattu des Arabes puis des militaires, elle tue maintenant dans son propre camp. L'OAS n'est plus une organisation de combattants mais de desperados n'ayant pour objectif que de laisser derrière eux une terre brûlée et le plus de cadavres possible.

Sigma s'est engagé dans la lutte pour l'honneur de l'Algérie française, pas pour cette horreur sans nom et sans fin.

Et pourtant, lui aussi continue à tuer.

Il descend de la Dauphine sur les pas de Babelo et de Bizerte. Omega reste au volant, prêt à partir. Les trois hommes s'avancent vers l'entrée de l'agence de la Banque d'Algérie.

Sigma ne veut pas déserter. Il ne souhaite pas fuir le combat. Il se sent lié à son groupe, à ses compagnons, à ses derniers amis sur cette terre d'Algérie. En cachette, il a néanmoins tout préparé pour mettre sa grand-mère à l'abri. Un billet de bateau attend caché entre deux livres dans l'armoire du salon de leur appartement. Plutôt deux billets, d'ailleurs, car Henriette n'aurait jamais accepté l'idée de quitter seule le pays.

Les deux vigiles qui gardent la banque posent leurs armes au sol en voyant le commando pénétrer dans l'agence. L'un d'eux leur fait même un salut militaire. Sigma, une mitraillette dans les bras, reste en position près de la porte tandis que Babelo et Bizerte s'approchent du guichet. Trois clients, dont une femme, patientent en file indienne. Ils s'écartent sans un mot.

Le guichetier a déjà ouvert le coffre fiché dans le mur derrière son siège. Il attrape un grand sac de toile qu'il se met à remplir, liasse par liasse. L'opération ne demande pas plus d'une minute. L'employé referme le coffre et passe par-dessus le comptoir le sac marqué du sceau de la banque. Sigma voit son chef poser son arme près du guichet avant de plonger une main dans le sac. Il la ressort pleine de billets qu'il jette avec désinvolture.

— Pour le dérangement.

Puis il reprend son arme et tourne les talons, suivi par Bizerte. Au moment où ils vont tous sortir, le bruit d'un verre qui se casse les fait sursauter.

Sur leur droite, trois fauteuils regroupés autour d'une petite table basse composent un coin salon où les employés reçoivent parfois les clients. Sur la table, il y a un verre intact et, à côté, des éclats. Deux pieds nus, sales et tannés dépassent d'un fauteuil.

— Sors de là ! crie Babelo.

Les deux pieds se mettent à trembler mais ne bougent pas. Babelo tire une balle qui brise le second verre.

— J'ai dit : sors de là.

Le visage angoissé d'un vieil Arabe apparaît timidement derrière le fauteuil.

— Lève-toi, ordonne Babelo.

L'homme, résigné, obéit et se met à marmonner une prière. Il sait ce qui l'attend. Sigma aussi. Le jeune combattant sort de l'agence. Il n'a pas encore fait trois pas dehors qu'un coup de feu retentit. Bientôt suivi d'un deuxième. Plus sourd. Un coup de grâce tiré à bout portant.

Les trois militants remontent dans la Dauphine. Le chef s'installe à côté du chauffeur, Bizerte et Sigma à l'arrière. Une odeur de poudre envahit l'habitacle.

Omega démarre tranquillement la voiture. Babelo pose ses deux mains sur le sac qu'il a installé entre ses jambes.

— Trop facile… John Ford ne ferait pas de bons westerns avec des vols de banques comme celui-là.

CHAPITRE 36

Il se réveilla avec des sentiments mêlés, de tourment et de joie, d'impatience et de profonde lassitude. La veille, il avait écouté le journal du soir de France Bleu Roussillon et il avait appris la triste nouvelle : sa responsabilité dans la mort d'un gamin de quatorze ans.

Maudit vieillard revanchard. À cause de lui, la guerre avait fait une nouvelle victime innocente.

Maudite panique aussi.

Il se souvenait à peine de ce qui s'était passé après son « entretien » avec Omega. Il avait quitté l'appartement pour rejoindre sa voiture et c'est dans l'escalier qu'il avait senti l'angoisse venir. Il avait même failli tomber à plusieurs reprises. Il n'avait plus l'habitude de la mort. Il avait rejoint son véhicule aussi vite que son arthrite le lui permettait. Il avait démarré sa voiture en faisant bêtement crisser les pneus. Il se rappelait avoir ensuite grillé un stop et contraint une camionnette à s'écarter. Il ne se souvenait de rien d'autre. D'après la radio, le chauffeur de la camionnette, en faisant son embardée, avait heurté le scooter. Et le gamin dessus.

Maudit hasard.

Maudit vieillard revanchard.

Il passa la lame du rasoir sur ses joues rêches. Les poils avaient perdu de leur vigueur avec les ans. Ils ne

412

poussaient plus aussi vite, plus aussi drus, plus aussi noirs, mais il se rasait toujours tous les matins. Parce que, justement, leur apparition hirsute et désordonnée donnait tout de suite à son vieux visage un aspect négligé.

Il s'habilla avec douleur en s'efforçant de penser à ce qu'il lui restait à faire. Sa mission devait reprendre le pas sur ses scrupules. La mort du gamin serait encore plus sordide s'il n'achevait pas la tâche qu'il s'était fixée.

Pourtant il avait du mal à retrouver le sens de cette mission. Il s'obligeait à repenser à ces années lointaines de feu et de sang. Les cadavres dans les rues. L'odeur de poudre et de charogne qui couvre le parfum iodé de la mer. Tout cela devait avoir un sens.

Maudite guerre. Maudite haine.

Maudit couillon.

Maudite OAS.

Sebag fixa la chaussée de l'autoroute. Llach roulait à 160 km/h. Il doubla deux camions – un lituanien et un bulgare – qui, en dépit des règles de sécurité les plus élémentaires, se suivaient à moins de deux mètres.

En arrivant au commissariat vers 9 heures, Sebag était tombé sur Llach. Joan arpentait le hall d'accueil d'un pas nerveux, son téléphone portable rivé à l'oreille droite. Il s'exprimait en catalan d'une voix inquiète et tendue. Il avait fait signe à Gilles d'attendre à ses côtés.

— C'était mon cousin des *Mossos*, lui avait-il expliqué après avoir raccroché. Lloret a faussé compagnie à la patrouille qui le surveillait. Il a garé sa voiture dans le parking souterrain de son agence de Rosas mais au lieu de se rendre à l'agence il est sorti par une porte qui donnait sur une autre rue où un taxi l'attendait. Nos collègues n'ont rien pu faire. Le temps qu'ils récupèrent leur voiture stationnée au parking, il était trop tard. Ils ont le numéro du taxi, ils essayent de joindre la société dont il dépend.

— Je suppose qu'ils ont demandé aux employés de l'agence s'ils savaient où leur patron devait se rendre ?

— Apparemment, personne ne le sait.

— Ou ils ne veulent rien dire…

— D'après mon cousin, ils sont sincères. Il leur a fait comprendre que Lloret courait un grave danger et qu'eux-mêmes risquaient de gros ennuis s'ils cachaient quelque chose. La secrétaire de Lloret a confié l'agenda de son patron à mon cousin mais la page d'aujourd'hui avait été arrachée. Tout ce dont elle se souvient, c'est que Lloret avait un rendez-vous ce matin avec un important client argentin. À Gérone ou à Figueres, elle ne se souvient pas trop.

Llach ralentit en approchant du péage du Boulou, dernier arrêt avant la frontière espagnole.

— Mon cousin nous attend au péage de La Jonquère. Les patrouilles de Figueres et de Gérone sont en alerte : elles ont le numéro du taxi. Y a plus qu'à croiser les doigts.

— Si tu veux bien, je vais le faire pour deux. À l'allure où tu conduis, je préfère que tu utilises tes deux mains normalement.

Alger, le 12 juin 1962
— Jean… Je crois que ça sent le roussi.
Debout derrière son zinc, Charles, le patron du

414

bistrot, observe l'agitation dans la rue. Jean Servant s'approche de la fenêtre. Une trentaine de gendarmes mobiles prennent position derrière les voitures en stationnement. Il tourne la tête pour apercevoir le bout de la rue Michelet barré par des chars.

— Tu penses que c'est pour moi ?

Charles hausse ses larges épaules d'ancien catcheur. Hormis un ivrogne endormi, Jean est le seul client dans le bistrot. Depuis la rue, un porte-voix conduit les ordres jusqu'à eux.

— Au nom du haut-commissaire, nous demandons à tous les clients de ce café de sortir en tenant bien haut dans leurs mains leurs papiers d'identité.

Jean se recule de la fenêtre mais continue à distance de guetter la rue. Tous les gendarmes ont le fusil dressé dans la direction du bar, le doigt sur la détente. Même si Le Populo est connu depuis longtemps comme un repère d'activistes de l'OAS, il ne s'agit pas d'un banal contrôle d'identité. L'armée n'agit pas au hasard. Elle a des informations précises. Elle cherche quelqu'un. Quelque chose. Sigma. L'argent. Des armes.

— Tu as tes papiers, Charles ?

Le patron ouvre un tiroir à l'autre bout du bar. Il en sort une vieille carte d'identité chiffonnée et la montre à Jean.

— Bien. Tu ferais mieux de partir, alors.

Charles contourne le zinc et s'arrête devant l'ivrogne qui cuve son anisette. Il le désigne de la main.

— Et lui ?

— Tu le connais ?

— Pas vraiment. C'est un pauvre type qui s'est installé dans le quartier, il y a quelques mois. Quand il est saoul, il raconte à tous son histoire. Il était colon

415

dans l'arrière-pays. Un jour, il a retrouvé sa maison brûlée. Sa femme et ses enfants sont morts dedans. Carbonisés par le FLN.

— Alors, laisse-le tranquille. Ils ne lui feront rien.

Jean a d'autres projets pour ce compagnon de hasard et d'infortune mais il ne faut rien dire. Même pas à Charles.

Le vieil homme a quitté sans regret son hôtel de La Jonquère. Il roule maintenant dans les faubourgs de Gérone. Comme avant chaque opération, il se sent calme. Autrefois, il restait calme également après. Aujourd'hui, il est vieux. Il maîtrise moins la suite, le cœur qui s'emballe et les mains qui tremblent. Il se mord les lèvres en repensant au gamin à scooter.

Une fois ses vieux comptes soldés, il lui faudra régler cette nouvelle dette.

Il trouve facilement une place de stationnement dans une rue commerçante de Gérone. Il y gare sa voiture de location. Il a encore choisi un petit modèle passe-partout. Une Fiat Uno blanche. Par prudence, il a laissé tomber son identité espagnole. Même si l'enquête de la police française ne semble pas progresser très vite, il préfère rester prudent. C'est sous son nom argentin qu'il a pris rendez-vous avec Babelo. Juan Antonio Guzman. Il aime bien ce patronyme. Et pas seulement parce qu'il s'y est habitué. Il le trouve chic.

Ses rhumatismes le font souffrir pour sortir sa carcasse raide du véhicule. Il a le sentiment que la maladie s'aggrave depuis son retour sur le vieux continent. Un jour viendra où une simple respiration lui arrachera des grimaces de douleur.

Il emprunte le pont qui enjambe l'Onyar, la rivière qui borde le vieux Gérone. Les immeubles anciens se tiennent serrés sur le bord. Rassurées par la présence hautaine et protectrice de la cathédrale Santa-Maria, leurs façades aux couleurs pastel se laissent caresser par le soleil automnal, se contemplant sans pudeur dans l'eau claire de la rivière. Le linge étalé aux fenêtres ajourées lui rappelle certains matins de Bab-El-Oued.

Après avoir franchi la ville du Boulou et la rivière le Tech, l'autoroute A9 s'attaque aux pentes des Albères pour atteindre le col du Perthus. Llach est reparti sur le même tempo. Compteur bloqué à 160. Sebag décroise ses doigts et compose le numéro de Gérard Mercier. Il lui faut faire vite. Dans quelques minutes, la connexion passera par le réseau espagnol et se retrouvera hors forfait. Il passe outre les politesses d'usage.

— Vous ne m'avez pas tout dit sur les actions du commando Babelo durant les dernières semaines de la guerre d'Algérie.

— …

— En plus des attentats anti-Arabes et des actions contre les barbouzes, ils ont commis quelques hold-up.

— Je ne pensais pas que cela pouvait être important. Toutes les armées clandestines ont recours à ce type d'action pour récupérer les fonds nécessaires à leur lutte. C'est assez banal.

— Banal aussi sans doute que quelques éléments incontrôlés se mettent à faire un peu trop de zèle dans ce domaine ?

— Que voulez-vous dire ?

— Ce type d'action fait parfois naître des vocations…

— Je ne vois toujours pas.

— Mais si…

417

Après une longue hésitation, Mercier finit par répondre :

— C'est possible. Ils n'auraient pas été les seuls dans les dernières semaines à préparer en douce leur… disons, leur reconversion.

Le puzzle que tente de reconstituer Sebag est encore très incomplet mais des pièces importantes commencent à se mettre en place.

Le patron du Populo s'approche de Jean Servant.

— Tu sais qu'il y a une sortie par la ruelle derrière, mon garçon ?

— Je sais.

— Les militaires attendent sans doute à chaque extrémité de la ruelle mais pas forcément derrière la porte. Ni devant l'entrée de service de l'immeuble voisin… Tu sors d'un côté, tu rentres par l'autre et ni vu ni connu.

— Le problème, c'est qu'ils ont sûrement mon nom et mon adresse et qu'ils sont probablement déjà chez moi.

Charles hausse ses larges épaules. Puis il lui tend la main.

— Je te souhaite la *baraka*, mon ami.

— Merci. Un dernier service, s'il te plaît…

— Avec plaisir.

Il montre l'ivrogne qui dort toujours.

— Tu ne leur dis pas qu'on reste ici à deux.

— D'accord.

Llach repasse en dessous des 100 km/h pour franchir le poste frontière du Perthus. L'an passé encore, il fallait rouler au pas et montrer patte blanche aux douaniers. Mais la Commission européenne a rappelé énergiquement qu'elle considérait comme anachronique ce passage frontalier. Dans l'année, les cabines de police et les postes de douane ont été supprimés. La circulation automobile s'en est retrouvée considérablement facilitée, surtout l'été.

— Tu penses qu'on arrivera à temps ? s'inquiète Joan.

— Qu'on arrivera à temps où ?

Telle est bien la question…

Il contemple toujours les façades du vieux Gérone. Il est en avance et prend le temps de savourer le soleil qui réchauffe les os de son vieux dos. Il a rendez-vous de l'autre côté du pont dans le Barri Vell, le quartier ancien, devenu ces dernières années l'attraction principale de Gérone. Babelo a dû faire là de magnifiques affaires, se dit-il.

Décrocher ce rendez-vous n'a pas été une mince affaire. Il a dû se faire passer pour un riche Argentin souhaitant se retirer sur la terre de ses ancêtres espagnols. Il lui a même fait parvenir un faux arbre généalogique remontant au XVIIIe siècle. Grâce à quelques complicités dans son dernier pays d'adoption, il a ajouté à son dossier un relevé bancaire des plus impressionnants. Babelo s'est laissé piéger par l'appât du gain.

Après tout, ce n'est que justice.

Le patron du Populo serre une nouvelle fois la main de Sigma puis sort les bras en l'air. Aussitôt, trois gendarmes le mettent en joue et l'entraînent à l'abri

419

derrière les engins blindés. Leur chef lui prend ses papiers pour les examiner.

Jean sort son arme coincée dans la ceinture de son pantalon. Il ne la quitte plus depuis qu'il a rejoint l'OAS. Il dort même avec. C'est sa maîtresse. Il arme le Beretta et ajuste un gendarme mal dissimulé derrière une Chevrolet. Il tire et fait mouche.

Un feu nourri lui répond aussitôt mais il est déjà couché sur le carrelage. Les vitres du bar éclatent, le grand miroir derrière le zinc également. L'ivrogne ouvre un œil, renifle puis se rendort. Jean rampe jusqu'à l'arrière-boutique. Il y récupère le sac à dos qu'il avait apporté la veille en prévision d'une opération programmée pour cet après-midi. Il le soupèse et ricane. Deux bons kilos de dynamite, voilà qui fera parfaitement l'affaire.

Des rectangles de tôle, des affiches publicitaires et des camions, c'est tout ce que l'on voit de La Jonquère lorsqu'on longe la ville par l'autoroute. Llach s'arrête à la barrière de péage. Il paye, réclame un justificatif puis range la voiture sur le petit parking situé juste après les cabines. Un véhicule bleu et blanc des *Mossos d'Esquadra* les attend. Un policier en uniforme patiente, appuyé sur la carrosserie.

— C'est Jordi, mon cousin, annonce Llach.

Les deux inspecteurs français descendent pour saluer leur confrère. Llach l'embrasse, Sebag lui serre la main.

— On a l'adresse du rendez-vous, leur apprend le cousin en leur faisant signe de remonter dans leur voiture.

L'officier des *Mossos* prend place sur un des sièges à l'arrière.

— Tu peux suivre notre voiture, Joan. Nous allons à Gérone.

Le cousin a parlé en catalan. Phrases courtes et mots simples, Sebag a compris. Le véhicule des *Mossos* allume sa sirène et s'engage sur l'autoroute. Llach se place dans son sillage.

Jordi poursuit ses explications que Joan cette fois-ci est contraint de traduire :

— La police de Gérone a retrouvé le taxi stationné devant un bar. Le chauffeur était à l'intérieur en train de boire un café. Lloret lui a donné un pourboire de cent euros pour qu'il reste injoignable pendant au moins une heure. Mais il n'a pas fait de problèmes pour donner l'adresse où il a laissé Lloret. C'est dans le vieux Gérone, une maison palatiale à vendre. Il nous faudra une demi-heure pour y arriver mais une patrouille de Gérone se rend sur place et sera là avant nous.

Sebag leur fait part ensuite de ses propres conclusions. Les hold-up ont permis, selon lui, au commando Babelo d'amasser un précieux butin et c'est grâce à ces sommes importantes que Lloret, Roman et Martinez ont pu réaliser leurs investissements après avoir quitté l'Algérie. Lloret est ainsi devenu un richissime promoteur et Roman un garagiste prospère. Seul Martinez n'a pas réussi à faire fructifier son magot.

— Tu crois vraiment que cette vengeance n'est qu'une affaire de fric ? fait Llach, sceptique.

— Ce n'est pas vraiment ce que je veux dire, non.

Sebag hésite à en révéler davantage. Il a poussé plus loin son raisonnement et l'hypothèse qu'il a élaborée lui semble séduisante. Mais elle ne repose sur rien de tangible pour l'instant. Ce dont il est persuadé, c'est que les haines les plus féroces et les plus tenaces naissent toujours dans sa propre famille. Dans son propre camp.

L'explosion fait trembler tous les murs du quartier autour du bistrot. Expulsée par la puissance du souffle, une table du café atterrit sur le pare-brise d'une voiture derrière laquelle se dissimule une grappe de gendarmes. Les soldats restent sagement à l'abri le temps que la fumée se dissipe.

Puis le lieutenant qui commande la troupe se redresse. Dans la rue, des visages apeurés apparaissent aux ouvertures désormais débarrassées de vitres des appartements. Chaque fois qu'il croise un regard, le lieutenant voit le visage disparaître tout de suite derrière les murs. Un réflexe rapide. Comme celui de ces insectes velus qui se mettent en boule aussitôt qu'on les touche. Des iules, croit-il se souvenir. Le terme revenait souvent dans les mots croisés qu'affectionnait son père autrefois.

Le lieutenant fait signe à ses hommes de sortir de leur abri de fortune. Il désigne deux soldats pour s'avancer vers le café. Des éclats de verre craquent sous la semelle épaisse et rude des rangers. Le Populo n'est plus qu'amas de fer et de bois, d'où s'échappent ici et là quelques fumerolles. Les deux hommes approchent lentement, l'arme dressée vers l'inconnu. Un autre signe du lieutenant et deux autres hommes se mettent à les suivre à trois mètres de distance.

Ils dépassent la ville de Figueras et ses barrières d'immeubles quand le portable de Gilles vibre dans sa main. Le nom de Ménard s'affiche sur l'écran. Il hésite. La conversation risque d'être longue et chère. Tant pis !

— J'ai du nouveau, s'enflamme Ménard. La journaliste dont je te parlais hier soir, elle vient de me rappeler : je sais maintenant qui est Manuel Esteban...

Gilles se retient de lui dire que lui aussi pense le savoir. Mais il n'est sûr de rien. Alors pourquoi doucher l'enthousiasme de son collègue ?

— Je t'écoute.

— Manuel Esteban est un ancien activiste de l'OAS qui a fui l'Algérie au moment des derniers combats. Il s'est réfugié en Espagne mais il n'y est resté que quelques mois. Ensuite, avec d'autres membres de l'OAS, il est parti pour l'Argentine. On retrouve sa trace dans les années soixante-dix. Il a changé d'identité et, sous le nom de Juan Antonio Guzman, il aurait fait partie des fameux Escadrons de la Mort, formation nébuleuse et clandestine responsable de l'assassinat dans ce pays de dizaines d'opposants de gauche. Mais tu ne sais pas la meilleure à propos de cet Esteban-Guzman ?

Cette fois-ci, Sebag ne peut s'empêcher de révéler à Ménard le nom qui le hante. Après quelques secondes de silence, son collègue répond sur un ton dépité.

— On se demande parfois à quoi ça sert de bosser avec toi...

Le vieil homme s'est un peu perdu dans les rues du vieux Gérone. Il a dû demander son chemin à deux reprises et cette fois-ci il est en retard. Il n'aime pas cela.

Heureusement, il trouve enfin la rue Ferran el Catòlic. La maison qu'il est censé vouloir acheter n'affiche pas sur la rue un luxe ostentatoire. Pourtant, la façade de pierre polie par le temps et le vent dissimule – il le sait, Georges lui a envoyé de nombreuses photos – un véritable petit palais. Dix pièces, toutes garnies d'une cheminée de marbre, se répartissent autour d'un patio tapissé d'herbes et de fleurs. Il s'approche de la porte en bois massif et sonne. Il sourit à l'œil froid d'une caméra de surveillance. Bien qu'il n'entende pas de sonnerie retentir derrière les murs épais, il n'a pas longtemps à attendre. Le déclic métallique d'une gâche claque joyeusement à son oreille. Puis il reconnaît une voix venue d'une autre époque, d'un autre temps, d'une autre vie :

— Je suis là : entrez, c'est ouvert.

Faisant mine d'avoir besoin de s'appuyer, le vieux pose un coude sclérosé sur l'œil de la caméra. Il en profite pour armer de son autre main le vieux pistolet qu'il a ramené d'Algérie. Le seul souvenir de son pays.

Claquement, crissement, soufflerie, goutte à goutte… Le café semble gémir de surprise et de douleur. Il saigne. Les soldats progressent prudemment. La fumée reste épaisse. Elle perturbe leur vision, déformant des lignes déjà tordues par l'explosion.

Un jeune gendarme bute sur deux jambes molles allongées sur le sol. Il s'accroupit, pose la main sur une chaussure et, dans le brouillard persistant, remonte à tâtons le long de la toile de pantalon. Il suit le tibia, reconnaît d'abord le genou, ensuite la cuisse puis… plus rien. Sa main sombre dans une gélatine rouge et mousseuse. Le soldat se relève brusquement et s'écarte pour vomir. Son collègue appelle d'une voix tremblante :

— Mon lieutenant…

L'officier est déjà derrière lui.

— C'est lui ?

— Difficile à dire.

Malgré leurs recherches, les gendarmes ne retrouvent rien d'autre du cadavre. Le corps a été pulvérisé. Le liquide qui coule du plafond mêle l'eau d'une canalisation rompue à du sang poisseux. Un examen rapide démontre que la victime s'est entourée la ceinture d'une guirlande de dynamite. À l'abri derrière le bar, les gendarmes découvrent un sac à dos. Il contient des papiers d'identité au nom de Jean Servant, né en 1942 à Alger. L'enquête ne va pas plus loin.

Quelques semaines plus tard, le dernier soldat français quittera l'Algérie indépendante.

Georges Lloret attend au centre du patio, assis sur une petite fontaine de pierre.

Il sourit.

Il sait.

Jean s'avance lentement et contemple l'homme qui lui fait face. Les rides ont creusé son visage mais n'en ont pas altéré l'harmonie. Sa crinière blanche coulant vers l'arrière dégage un front rectangulaire strié de sillons. Son long nez fin relie deux yeux pétillants de ruse et de satisfaction à sa bouche encore gourmande.

— Bonjour, Sigma, fait Lloret.

— Bonjour, Babelo.

— Je suis surpris de te savoir en vie.

— Toi aussi, tu m'as beaucoup surpris.

Jean ajoute après une courte pause :

— Beaucoup déçu aussi.

— Je m'en doute.

Après le coup de fil de Ménard, Sebag raconte tout à Joan qui traduit ensuite pour son cousin. Puis plus personne ne parle. Mâchoires serrées et mains contractées sur le volant, Joan fixe la route et l'arrière de la voiture qui le précède. Sebag et Jordi s'efforcent chacun de leur côté de ne penser à rien.

Ils savent qu'ils arriveront trop tard. La seule chose qu'ils espèrent encore, c'est recevoir un coup de fil qui les avertirait que la patrouille des *Mossos* de Gérone a réussi à empêcher un nouveau meurtre. Mais ce bon Dieu de téléphone ne veut pas sonner. Le cousin regarde son portable toutes les dix secondes : il a pourtant du réseau.

Le sourire de Lloret s'accentue, faisant naître deux fossettes sur ses joues fripées.

— C'était il y a longtemps… Quand as-tu compris ?

Jean ne répond rien. Il n'a pas envie de lui raconter. Pas envie de parler ici et maintenant de sa Gabriella. Pas le goût d'expliquer comment sa petite-fille l'a, avec patience, initié à l'informatique et comment il a eu l'idée un jour d'inscrire les noms de ses anciens complices sur un moteur de recherche. Comment il a découvert leur aisance actuelle et comment, peu à peu, le doute s'est insinué en lui. Un doute qui avait fini par pourrir la quiétude de ses vieux jours.

— J'ai compris que vous m'aviez trahi et, pire, que vous aviez trahi notre cause.

La bouche de Lloret se crispe.

— Nous nous sommes battus pour l'Algérie française avec passion et sincérité. Comme toi. Pas moins. Notre seul tort est d'avoir réalisé avant toi que tout était foutu et d'avoir cherché à préparer notre vie d'après.

426

L'argent des premiers hold-up, nous l'avons donné à l'Organisation. Et puis, on s'est mis à en garder un peu. Et puis de plus en plus.

— Sans me le dire...

Lloret ricane.

— Et si on t'avait mis dans la confidence ?

Jean plonge ses yeux noirs dans ceux couleur Méditerranée de son ancien chef.

— Je vous aurais tués, reconnaît-il.

— Tu vois : nous n'avions pas le choix.

— Vous auriez pu vous dispenser de me donner aux gendarmes.

— Peut-être...

Lloret semble réfléchir un instant. Comme si cinquante ans après il pesait encore le pour et le contre.

— Je savais que, malgré l'anarchie qui sévissait à Alger, l'armée était sur nos traces et qu'elle se rapprochait dangereusement. Nous n'étions pas encore prêts à rejoindre la métropole. Nous avions besoin d'un peu de temps. On a mis les gendarmes sur ta piste et ç'a été suffisant. J'ai toujours eu le sentiment – dès que je t'ai rencontré – que tu avais le goût du martyre. Je t'ai donné l'occasion de te sacrifier pour l'Algérie française.

Lloret ricane de nouveau.

— J'ai cru que tu avais su saisir l'occasion. Ç'a été une belle explosion. Une fin digne d'un héros. Dommage...

— Dommage pour toi : je suis venu pour te tuer.

— Quel scoop !

Lloret se lève avec lenteur. Malgré ses quatre-vingts ans, il se tient bien droit. Sa main écarte le pan de sa veste et caresse l'arme qui patiente coincée dans sa ceinture de pantalon.

Les yeux de Jean s'allument. Il sourit.

— Je vois que tu aimes toujours les westerns.

— Toujours.

— Le cinéma d'aujourd'hui ne t'en offre plus guère.

— C'est vrai. Mais nos années de jeunesse en ont produit tellement. Je m'en repasse un tous les vendredis soir. J'ai une pièce spéciale à la maison, un home cinema avec un son Dolby stéréo. C'est super.

Jean écarte à son tour le pan de sa veste. Son Beretta est prêt.

Les trois policiers sursautent lorsque le téléphone du cousin Jordi sonne. Malgré la rapidité de l'officier des *Mossos*, Sebag a le temps de reconnaître les notes d'une mélodie de Lluis Llach, un homonyme de Joan mais surtout le plus grand chanteur vivant de Catalogne-Sud.

Gilles ne comprend rien des propos de Jordi mais le ton ne laisse aucune équivoque : le cousin est en colère, il a un geste de dépit en raccrochant le téléphone. Les dents serrées, il lâche deux phrases sèches à Joan qui s'empresse de traduire.

— C'était un appel de la patrouille qui lui redemande l'adresse : les mecs l'ont mal notée et ils ne trouvaient pas.

Sebag respire longuement avant de parler :

— Dis-lui que, quelque part, ça nous rassure de savoir qu'il y a des cons aussi chez eux. Et pour le reste, putain... *Inch'Allah !*

Jean agite les doigts de sa main déformée pour les détendre. Il doute de parvenir à les faire obéir assez vite.

— Tu sais que John Wayne est mort depuis long-temps ? demande-t-il.

— Je sais. Gary Cooper aussi. Et James Stewart…

— Gregory Peck.

— Randolph Scott.

— Burt Lancaster.

— Alan Ladd.

— Kirk Douglas.

— Richard Widmark.

Jean hésite.

— Dana Andrews.

— Il est plus connu pour des films policiers.

— Anthony Quinn.

— Karl Malden.

Cette fois-ci, Jean sèche. Lloret poursuit seul. C'est lui, le spécialiste.

— Robert Taylor, Audie Murphy, Robert Ryan, Rory Calhoun, Robert Mitchum…

— Clint Eastwood. Lui est toujours vivant.

Lloret grimace.

— Je n'ai jamais aimé les spaghettis.

Jean sent la main de Georges se crisper. Puis il la voit plonger vers l'arme. Il tente de réagir. Ses doigts lui lancent de violentes décharges électriques lorsqu'ils saisissent le Beretta. Au même moment, il ressent dans son corps une autre douleur. Plus forte, plus déchirante.

CHAPITRE 37

Ils sortirent enfin de l'autoroute mais il leur restait encore une paire de kilomètres avant d'atteindre le centre-ville de Gérone. Les deux voitures avançaient à vive allure malgré la densité du trafic. Sirène toujours hurlante, le premier véhicule ouvrait la voie et les voitures devant lui s'écartaient comme les eaux de la mer Rouge devant les Juifs conduits par Moïse.

Le cousin reçut un nouvel appel et les trois policiers sursautèrent davantage encore que la fois précédente. Leur respiration s'arrêta. L'officier des *Mossos* répétait à voix haute pour Joan les informations qu'il recevait. Sans quitter la route des yeux, Llach écoutait attentivement et glissait de temps en temps une phrase d'explication à Sebag.

— Il a en ligne la patrouille qui s'est rendue sur place... Les *Mossos* ont trouvé des traces de sang dans le hall d'entrée de la maison... Il y a un corps dans le patio... Ils sont arrivés trop tard... C'est le corps d'un vieil homme.

Pour la première fois depuis qu'il suivait la voiture bleu et blanc des *Mossos*, Llach rétrograda en troisième : il y avait un carrefour à traverser et le feu était au rouge. Une fois l'obstacle passé, Joan reprit sa litanie :

— D'après eux, le vieux est mort : il ne respire plus... Il a été touché par deux balles, une au ventre, une au cœur... Un médecin arrivera bientôt sur les lieux pour constater le décès.

Sebag s'impatienta :

— Qui est mort ? Ils n'ont pas son identité ?

Jordi avait entendu et deviné la question. Il fit un signe de dénégation de la tête et poursuivit sa conversation quelques instants encore. Après avoir raccroché, il glissa, sur un ton agacé, quelques phrases à Joan qui traduisit :

— Il a demandé à ses agents sur place de ne toucher à rien. À partir du moment où ils ne peuvent plus faire grand-chose pour la victime, il ne veut pas que l'on souille la scène de crime.

Sebag tourna la tête vers l'officier des *Mossos*. Avec un doigt sur le front, il lui fit un salut imaginaire pour lui signifier qu'il était d'accord avec cette façon de faire. Il ajouta un bref « *Molt be*[1] ! » pour faire bon poids. Jordi le remercia d'un clin d'œil.

Les deux voitures arrivèrent enfin à destination. En prenant place derrière une autre voiture de police et une ambulance, elles bloquaient complètement l'étroite rue. Le cousin Jordi ne sembla pas s'en soucier.

Un agent en uniforme les accueillit. Il leur montra d'abord les traces de sang dans le hall et le couloir avant de les guider jusqu'au patio. Le corps de la victime reposait sur un tapis tendre de gazon. Sa tête faisait un drôle d'angle car sa nuque, dans la chute, avait heurté la dernière marche du puits. Par l'ouverture du patio, un rayon de soleil blanchissait

1. Très bien !

le vieux visage parcheminé. Sebag songea à un vers de Rimbaud : « Pâle dans son lit vert où la lumière pleut. » Mais contrairement au jeune soldat du poème, le vieil homme n'était pas mort tranquillement dans ce trou de verdure : il avait tenté de lutter pour survivre.

Llach s'approcha de Sebag et désigna l'arme que Georges Lloret tenait encore dans sa main.

— J'y crois pas. On dirait qu'ils ont joué *Règlement de comptes à OK Corral*… Deux papys soldant une vieille querelle façon cow-boys… On aura tout vu.

Sebag se recula, observa une tache de sang à trois mètres du corps, puis un impact de balle dans un coin de mur. Il dut se rendre à l'évidence : c'était bien à un véritable duel que s'étaient livrés ici les deux vieux.

— Lloret avait toutes les cartes en main. Il savait qui lui en voulait et pourquoi. Il n'a voulu ni de notre protection, ni de notre intervention. Il devait considérer que c'était à lui de régler ça.

— Et il en est mort, fit Llach.

— C'était le risque. Un risque assumé. Paix à son âme. Aussi noire fût-elle.

Après avoir distribué les tâches à son équipe, Jordi revint vers eux. Selon un rituel déjà bien établi, il parla avec Joan qui traduisit.

— Il va lancer des avis de recherche dans toute la Catalogne aux noms de Jean Servant, Manuel Esteban et Juan Antonio Guzman. En espérant que notre homme n'ait pas une quatrième identité en réserve. L'avis sera transmis aussi à la *Guardia Civil*. D'ici une heure, toutes les polices d'Espagne seront informées.

— Parfait. On n'a plus qu'à faire la même chose pour la France. J'appelle tout de suite Castello.

Sebag s'entretint quelques minutes avec le commissaire qui ne cacha pas sa déception. Certes son équipe avait en grande partie résolu l'énigme mais elle n'avait pas pu empêcher le troisième meurtre.

— Nous sommes « Échec ». Il ne nous reste plus qu'à intercepter ce Servant pour ne pas être « Mat ». En espérant qu'il repassera en France... sinon nous n'aurons pas l'occasion de nous racheter.

Sebag voulut protester mais le chef raccrocha sans lui en laisser l'occasion. Il éprouvait un profond sentiment d'injustice. Bien sûr, ils n'étaient pas parvenus à arrêter Servant avant qu'il ne tue à nouveau. La faute à qui ? Ils avaient réussi à identifier la troisième cible alors qu'elle était encore en vie et ils avaient essayé de la protéger. Mais comment retenir un homme qui veut aller seul vers son destin tragique ?

Sebag et Llach sortirent afin de laisser travailler leurs collègues des *Mossos*. Ils allèrent boire un café en terrasse dans un bar voisin. Le soleil brillait et il n'y avait pas un souffle de vent. Bien qu'il vive en pays catalan depuis huit ans, Sebag s'émerveillait encore de la douceur du climat : il avait du mal à réaliser qu'on était en automne. Il ferma les yeux pour mieux se laisser cajoler par le soleil.

Et en plus, le café était délicieux.

La vie, entre deux horreurs, offrait parfois de somptueux instants.

Llach se chargea de le replonger très vite dans la réalité du jour.

— Alors, le tueur, c'est Sigma, leur ancien complice ! Et nous qui cherchions depuis le début l'assassin parmi leurs anciens adversaires. Nous nous sommes complètement fourvoyés. Ou plutôt : il nous a bien bernés, le petit vieux. En inscrivant « OAS » sur les lieux de ses crimes, il nous a laissés croire qu'il nous donnait là le mobile. Et nous, on a marché comme des couillons : on a cherché dans le camp des adversaires de l'Algérie française. Bravo, papy ! C'était bien joué…

Sebag se contenta d'approuver de la tête. Il restait encore beaucoup de zones d'ombre dans cette affaire.

— Je ne suis pas sûr d'avoir bien compris les motivations de ce Sigma, insista Llach. Une simple histoire de fric ? On ne tue pas pour ça avec cinquante ans de retard !

— Tu as raison, le fric ici n'est qu'accessoire. Derrière, il y a surtout la trahison. Sigma a dû considérer que ses anciens complices avaient trahi leur cause. Peut-être même les soupçonnait-il de l'avoir trahi lui aussi…

— Quand bien même… Un demi-siècle après les faits !

— Il y a sans doute d'autres éléments que nous ignorons. La seule façon de faire la lumière complète sur les motivations de Sigma, c'est de l'arrêter.

— Tu crois qu'il va repasser par la France ?

— Il a atteint ses objectifs : son but maintenant sera de rentrer en Argentine où il doit avoir une famille. Les liaisons aériennes sont plus nombreuses et plus faciles avec l'Espagne qu'avec la France, mais que jugera-t-il prudent de faire ? Ça, je n'en sais rien.

— Il pourrait prendre le bateau.

— Tu crois qu'il y a des liaisons « passagers » outre-Atlantique ?

— Des paquebots, je ne sais pas, mais des cargos sûrement. Et les cargos prennent parfois des passagers à leur bord.

— Clandestinement ?

— Non, non. Certains navires de commerce disposent de cabines et font cela de manière officielle.

— C'est intéressant. Car je suppose que la surveillance est sans commune mesure avec ce qui se passe dans les aéroports...

— Évidemment.

— Ce sera une piste à ne pas négliger. Il faudra en parler à ton cousin. D'autant que s'il compte prendre le bateau, là il n'y a guère de doute : ce sera à partir de l'Espagne ou du Portugal.

Après leur café, les deux policiers s'offrirent une petite balade dans le vieux Gérone. La cathédrale... l'ancien quartier juif... le pont de Ferro construit en 1877 par la société Eiffel au-dessus de l'Onyar... Llach accepta de jouer les guides pour le plus grand plaisir de Sebag. Puis les deux hommes revinrent s'asseoir en terrasse et commandèrent un nouveau café. Jordi les rejoignit bientôt. Il leur montra une feuille de papier. Sebag s'en saisit. C'était la page arrachée de l'agenda de Lloret. Elle avait été chiffonnée.

— Il l'a retrouvée dans la poche de la victime, expliqua Llach.

En haut de la page, Lloret avait inscrit à 10 h 15 le rendez-vous de Gérone. Le nom de Guzman était écrit juste à côté à l'encre bleue. Puis, avec un autre stylo – un stylo rouge –, le promoteur avait tracé postérieurement un autre nom. Sigma. Suivi d'un point d'interrogation.

Pendant que Sebag contemplait cette page d'agenda,

l'officier des *Mossos* exposait les premiers résultats de l'enquête de ses services.

— Comme nous nous en doutions, les deux papys se faisaient face au moment de tirer. Difficile de dire qui a été le plus rapide. Ils ont tous les deux fait mouche mais Sigma a été le plus précis. Il a touché Lloret au ventre et l'aurait achevé ensuite d'un second tir dans le cœur. L'autopsie devrait venir confirmer cette chronologie.

— Sigma a bien été blessé ?

— Oui mais la balle l'aurait traversé de part en part puisqu'on l'a retrouvée fichée dans une porte. D'après l'angle du tir, on peut penser qu'il a été touché à la hauteur de l'épaule.

— Il doit être mal en point.

— Sûrement.

— Il n'est plus tout jeune.

— On devrait pouvoir mettre la main dessus facilement.

— Nous ou les *Mossos*.

— Ouais. Ou encore la *Guardia*. Mais je ne donne pas cher de sa vieille peau.

— Il est capable d'aller crever dans un coin et qu'on ne le retrouve jamais, fit remarquer Sebag avec crainte.

— Tu crois ?

— Ça ne m'étonnerait pas.

— Toujours optimiste, toi.

Le cousin Jordi suivait leurs échanges rapides en dodelinant de la tête comme un spectateur de tennis lors d'une finale à Wimbledon. Il eut l'air heureux que leur conversation fasse une pause et leur sourit aimablement. Gilles lui sourit à son tour. Puis il se leva et lui tendit la main.

— *Molt gracias.*

La nuit tombait sur Perpignan, mettant un terme à cette trop longue journée. Les voitures avançaient au pas dans l'avenue de Grande-Bretagne congestionnée par la circulation d'un vendredi soir. Le front appuyé à la vitre de son bureau, Sebag soupira. Il n'y aurait pas de week-end en famille pour lui. Il devrait se contenter de quelques instants grappillés ici ou là. Samedi matin, par exemple. Séverine lui avait demandé de l'emmener au cimetière de Passa. Elle souhaitait refleurir la tombe de Mathieu. Son copain était enterré depuis deux semaines et on lui avait dit que toutes les fleurs déposées le jour de l'inhumation avaient été renversées depuis par la pluie et la tramontane. Elle voulait accomplir cette mission pour les parents de Mathieu qui fuyaient leur deuil à l'étranger. Gilles avait promis. Ils iraient à l'heure de l'ouverture. Puis il la ramènerait à la maison avant de partir au travail.

À moins bien sûr qu'il y ait du nouveau dans l'enquête sur Jean Servant, alias Juan Antonio Guzman, alias Manuel Esteban, alias Sigma. Le vieux bonhomme leur avait donné du fil à retordre. C'était un dur à cuire. Un homme méthodique qui avait su organiser ses crimes de main de maître. Mais il n'y avait rien eu de machiavélique dans sa planification et la chance lui avait donné un sacré coup de main.

Sebag avait en effet réfléchi à la question une bonne partie de l'après-midi. Il était maintenant persuadé qu'en inscrivant « OAS » à côté des cadavres, Sigma n'avait jamais eu l'intention d'égarer les enquêteurs. Il avait simplement voulu signer ses crimes. Les revendiquer au nom de cette organisation. L'OAS avait disparu depuis longtemps mais Sigma n'avait jamais réussi à la quitter vraiment. Il était resté marié avec elle.

Pour le malheur et pour le pire.

Sebag suivit des yeux une voiture qui se gara sur le parking devant le commissariat. Raynaud et Moreno en sortirent. D'un même mouvement, ils ouvrirent les deux portes arrière pour prendre leurs deux vieux impers gris. Couleur tristesse. L'air songeur et ennuyé, les deux flics avancèrent ensuite vers la HLM. Ils grimpèrent les marches et disparurent à ses yeux.

À sa connaissance, les deux lieutenants enquêtaient toujours sur la destruction de la stèle du cimetière du Haut-Vernet. Les derniers rebondissements de son enquête criminelle lui avaient complètement fait oublier ce volet de l'affaire. Était-il résolu avec l'identification de Sigma ?

Il secoua la tête énergiquement pour lui seul. Il était plus que jamais persuadé que ce vandalisme ne pouvait avoir le meurtrier comme auteur. Pourquoi Sigma aurait-il détruit ce monument à la mémoire de ses héros ? Ce n'était pas concevable. La présence de ce cheveu blanc près de la stèle avait une autre justification. Il suffirait d'arrêter Servant et de lui demander. Il suffirait…

Il restait donc persuadé que leur première intuition avait été la bonne : d'autres personnes avaient saisi l'occasion pour semer la confusion et accroître les tensions dans la ville. Le même raisonnement tenait pour l'agression de Guy Albouker et les menaces à l'encontre de Jean-Pierre Mercier. Qui était derrière ces actes ? La question resterait peut-être éternellement sans réponse. Ce ne serait pas satisfaisant mais il faudrait s'y faire. Avec l'élucidation des meurtres, le calme allait probablement revenir et les auteurs de ces méfaits rentreraient sans doute dans le rang.

La porte s'ouvrit dans son dos. Il se retourna.

— Salut, François. Heureux d'être de retour ?

Dès qu'il avait su que Maurice Garcin n'était plus suspect, Ménard avait sauté dans le premier train pour Perpignan.

— Et pas qu'un peu ! confirma-t-il. Je ne me voyais pas passer le week-end là-bas.

— C'est une belle ville pourtant.

— Peut-être…

Ménard ne semblait pas disposé à disserter sur les attraits touristiques de la cité phocéenne.

— Alors ? fit-il sobrement.

— Rien pour l'instant. Aucune nouvelle de Sigma. On ne sait même pas s'il faut le chercher en France ou en Espagne. Tout le monde reste mobilisé : c'est râpé pour ton week-end en famille.

— Je serai le soir chez moi, ce sera toujours mieux qu'à Marseille. Tu sais que c'est un drôle de bonhomme, ce Sigma !

Leur conversation téléphonique du matin s'était réduite au strict minimum. Ménard sortit de sa poche les feuilles sur lesquelles il avait pris des notes. Sebag le vit chercher, il y avait au moins une dizaine de pages recto verso noircies de son écriture fine et régulière.

— Je constate que tu as beaucoup de choses à m'apprendre.

— J'espère bien. Si tu me dis que tu sais déjà tout sur Sigma, eh bien, c'est simple, je démissionne sur-le-champ.

— Sois rassuré, je ne sais rien. Si ce n'est qu'il

est encore en vie, et qu'il s'offre une retraite de tueur particulièrement active. Allez, vas-y, dis-moi tout.

Ménard posa une fesse sur un coin du bureau de Molina.

— Marie-Dominique Renard, journaliste dans un news magazine, a commencé une enquête dans les années quatre-vingt-dix sur la dictature militaire en Argentine. Je ne sais pas si tu te souviens du général Videla, c'était l'époque de la Coupe du Monde de football en Argentine...

— Si tu espères réveiller mes souvenirs de politique internationale en te basant sur des repères sportifs, je t'arrête tout de suite.

— C'est vrai, excuse-moi. Donc la dictature militaire en Argentine, c'était de 1976 à 1983. Fin de la parenthèse. Marie-Dominique Renard a rapidement découvert que de nombreux anciens activistes de l'OAS qui s'étaient d'abord réfugiés en Espagne avaient ensuite fui vers l'Argentine dès les années soixante. Ce n'était pas encore la dictature mais les militaires jouaient déjà un rôle politique important. Les gouvernements de l'époque leur ont même fourni des terres et des faux noms. C'est presque une tradition là-bas, le pays avait déjà accueilli à bras ouverts des collabos français de la Seconde Guerre mondiale. La journaliste prétend même que ces militants d'extrême droite ont servi de... Attends, je vais retrouver le terme exact... De... de...

Il suivit ses notes de son index. Son doigt s'arrêta au bas d'une feuille.

— ... ont servi de « matrice idéologique dans laquelle s'est enraciné le terrorisme d'État argentin ».

— Pardon ?

— Oui, je sais, la formule est un peu alambiquée. Il faut savoir que lorsqu'on parle de terrorisme d'État, on fait allusion en fait à ces Escadrons de la Mort qui assassinaient les opposants de gauche et qui bénéficiaient de protections au plus haut niveau de l'État et de l'armée.

Il retourna la feuille, la suite étant au verso.

— Les deux plus célèbres activistes français devenus argentins furent Jean Gardes – d'abord colonel de l'armée française et spécialiste de l'action psychologique, il sera ensuite chargé du recrutement au sein de l'OAS puis condamné à mort par contumace en 1961 – et le général Paul Gardy, un des derniers chefs de l'Organisation. C'est en fouillant dans l'entourage de ce dernier que la journaliste est tombée sur Juan Antonio Guzman. Elle a remonté ses différentes identités jusqu'à Sigma.

— Elle a une idée de la façon dont il s'est débrouillé pour faire croire à sa mort ?

— Elle n'a pas vraiment cherché à savoir, cela n'avait pas d'intérêt pour son enquête. Mais elle pense que cela n'a pas dû être tellement difficile : il y avait une telle confusion dans les dernières semaines de la présence française…

— Et quel rôle a joué Sigma en Argentine ?

— Au départ, il gravitait donc autour de ce général Gardy. Il a été propriétaire terrien dans la Pampa, autour de Pigüé, un village créé par des Français au XVIIIe siècle et qui a toujours compté une grande partie d'habitants venus de chez nous. Puis Sigma a revendu ses terres pour s'installer à Buenos Aires. Il s'y est marié et y a fondé une famille. Mais il ne s'est pas pour autant rangé des voitures. Selon Marie-Dominique

Renard, il a fait partie de l'Alliance anticommuniste argentine, un des principaux Escadrons de la Mort. Depuis la fin de la dictature, il ne fait plus parler de lui. Il a pris sa retraite et vit de ses rentes.

— Jusqu'à ce qu'il reprenne du service pour une raison encore inconnue de nous.

— Il aura voulu solder un dernier compte avant de mourir.

— On va le dire comme ça pour l'instant.

Sebag frissonna. Il s'était appuyé contre la fenêtre qui avait refroidi avec l'arrivée de la nuit.

— Au fait… Pour Maurice Garcin, tu as des nouvelles ?

— Non. Toujours aux abonnés absents, disparu dans la nature. Nos collègues marseillais se sont décidés à lancer une recherche à partir de demain matin s'il n'est toujours pas rentré au bercail.

— Je crois qu'il est temps, maintenant.

Deux petits coups secs firent vibrer la porte du bureau. La tête de Llach apparut.

— Ah, vous êtes encore là. Super.

Il entra et referma derrière lui.

— Mon cousin vient de m'appeler : j'ai du nouveau.

— Ils ont arrêté Sigma ? demanda Sebag en ressentant à sa grande surprise un mélange d'espoir et d'inquiétude.

— S'ils l'avaient arrêté, je te l'aurais annoncé tout de suite. Je n'aurais pas dit : « J'ai du nouveau. »

— C'est vrai. Quoi de neuf alors ?

Llach prit la chaise de Molina et Sebag s'assit sur la sienne pour l'écouter.

— Les *Mossos* ont retrouvé à La Jonquère une

agence de location qui a fourni à Sigma – ou plutôt à Juan Antonio Guzman puisque c'est sous ce nom qu'il s'est présenté – une Fiat Uno blanche. La voiture a été louée hier soir et n'a pas encore été restituée. Et pour cause ! Grâce à l'immatriculation, nos confrères ont découvert la voiture encore stationnée dans les rues de Gérone. Elle avait déjà un PV pour dépassement horaire. Le ticket laissé sur la plage avant courait jusqu'à 11 heures ce matin seulement.

— Il serait encore à Gérone alors ? avança Ménard.

Llach balaya la question d'un geste de la main.

— Les *Mossos* ont interrogé les chauffeurs de taxi de la ville. L'un d'eux se souvient d'avoir pris en charge dans le Barri Vell de Gérone un petit vieux qui parlait espagnol avec un fort accent d'Amérique du Sud. Il l'a emmené jusqu'à la gare. Sa piste se perd là. On ne sait pas quel train il a pu prendre. Il était près de 11 heures quand il est arrivé à la station et trois trains sont partis dans l'heure qui a suivi : pour Barcelone, Madrid et Paris… *via* Perpignan évidemment.

— Il y a peut-être une chance qu'il soit de ce côté-ci de la frontière alors, espéra Sebag.

— C'est possible, confirma Llach. Mais s'il est en France, il a pu descendre à Montpellier, à Nîmes ou pousser jusqu'à Paris. *A priori*, il n'a plus rien à faire ici.

— C'est vrai, soupira Sebag. Mais nous devons agir comme s'il s'était arrêté chez nous. Il n'a plus de voiture, il aura besoin d'en louer une nouvelle : nous devons contacter à nouveau toutes les agences.

Ménard consulta sa montre.

— Il sera 19 heures dans dix minutes, c'est trop tard pour ce soir.

Sebag tapota de ses doigts la surface de son bureau.

— On aurait dû y penser plus tôt et donner son signalement à toutes les agences du département.

— Après coup, c'est facile à dire.

— J'aurais dû y penser.

— De toute façon, Gilles, il n'y a aucune chance que Sigma soit sur Perpignan.

— Qui sait ce que ce vieux fou a dans la tête…

— Si on était sûrs qu'il soit ici, on enverrait des patrouilles dans tous les hôtels du département : il faut bien qu'il dorme quelque part aussi.

— C'est une idée…

— Tu plaisantes ? Parles-en à Castello, tu verras ce qu'il en dira. On ne va pas mobiliser un vendredi soir toutes les équipes de police et de gendarmerie des Pyrénées-Orientales alors que le suspect peut très bien dormir ce soir à des centaines de kilomètres d'ici. Paris, Barcelone ou Madrid.

Sebag dut convenir que Ménard avait raison. Il y avait tellement peu de chances que Sigma soit dans le coin ! Il réalisa soudain que Llach avait suivi leur discussion sans rien dire. Il en devina la raison :

— Tu as d'autres infos, Joan ?

Llach sourit.

— Effectivement. Les *Mossos* ont remonté la piste de Sigma à La Jonquère et ils ont trouvé l'hôtel où il a résidé pendant une quinzaine de jours. Il a quitté la chambre ce matin de bonne heure. Il s'était présenté comme un touriste argentin.

— Un touriste à La Jonquère ?

— C'est sûr que ce ne doit pas être fréquent mais le gérant de l'hôtel apparemment s'est contenté de ça.

D'après lui, Sigma ressemblait vraiment à un petit vieux sans histoire.

— On peut dire qu'on en aura croisé, dans cette affaire, des « petits vieux sans histoire ».

— Mais pas sans « Histoire », histoire avec une majuscule, fit remarquer Ménard.

Llach et Sebag le gratifièrent d'un sourire aimable mais non dénué d'une certaine condescendance. L'humour n'était pas le fort de leur collègue. Sebag ressentit d'un coup une immense fatigue. Sa nuit courte et inconfortable se rappelait à lui. Il se redressa sur sa chaise. Son dos le faisait souffrir. Les inspecteurs se regardèrent mais plus personne ne parlait. Un silence empli de découragement envahit progressivement la pièce. Gilles ferma un instant les yeux.

CHAPITRE 38

Des lampadaires fatigués crachaient une lumière orangée sur les façades sales et le bitume abîmé. Les rideaux de fer abaissés et tagués achevaient de donner un aspect sordide à la rue. Jean Servant grimaça de douleur en descendant la bordure du trottoir. Il posa sa main droite pour maintenir son épaule. Pour une fois, sa souffrance n'avait rien à voir avec son arthrite.

Il avançait d'un pas plus lent encore que d'ordinaire. Malgré sa prudence, il shoota sans le vouloir dans une canette de bière abandonnée dans le caniveau. La canette traversa la rue pour arrêter sa course sur le talon d'un jeune Arabe qui se redressa soudain, cherchant dans la triste lumière l'auteur du forfait. La main droite de Jean glissa de son épaule à sa ceinture. Sous son manteau, il y avait toujours le Beretta prêt à servir. Mais le jeune, constatant qu'il avait affaire à un vieil homme aux cheveux blancs, transforma sa moue agressive en un sourire de bienvenue.

Jean poursuivit son chemin.

Il trouvait ce quartier de Perpignan particulièrement sale et miséreux. Même les faubourgs de Buenos Aires lui semblaient mieux tenus. La France se transformait-elle peu à peu en pays du tiers-monde ? Il se souvint que certains affirmaient autrefois que la perte de l'Algérie signerait la fin de la grandeur de la France. Il n'y avait jamais vraiment cru à l'époque. Ou plus exactement, il s'en fichait royalement. Contrairement à son héros, le lieutenant Degueldre, Sigma ne s'était pas engagé dans le combat par passion patriotique mais dans l'unique et fol espoir de rester toute sa vie dans le pays de son enfance. L'engagement politique était venu plus tard. Et encore... Avait-il seulement eu un jour de vraies convictions politiques ? Il avait toute sa vie agi davantage par affinité et par fidélité que par dogmes ou par certitudes. Ses amis en Argentine avaient eu souvent besoin de son aide. Il ne la leur avait pas comptée.

Et il n'avait jamais hésité à tuer.

La mort faisait partie de sa nature et de son éducation. De son enfance et de sa jeunesse. La Seconde Guerre mondiale avait tué ses parents, le conflit en Algérie assassiné ses illusions. Les jeunes grandissaient aujourd'hui dans le confort des salons et dans les effluves de cannabis ; lui, il avait poussé dans la rue et le parfum âcre de la poudre. Personne aujourd'hui ne pouvait plus comprendre la violence qui survivait en lui. D'ailleurs, sa fille ne l'avait jamais acceptée. Elle avait cessé de lui parler lorsqu'elle avait découvert les détails de son passé. En Algérie puis en Argentine.

Heureusement que sa fille n'avait appris ses turpitudes que bien après la naissance de Gabriella. Des liens de complicité et d'amour avaient eu le temps de se tisser entre le grand-père et sa petite-fille et Consuela n'avait pas osé les briser.

Gabriella... Reverrait-il un jour son sourire d'ange ? Aurait-il encore le plaisir d'entendre sa voix de miel et son rire de cristal pur ? Sans ce désir farouche de retrouver sa petite-fille, il n'aurait jamais cherché à s'enfuir après la mort de Lloret. Épuisé par la traque, blessé par son ancien complice, il se serait assis dans ce délicieux patio et aurait attendu sagement la police. Ou il se serait donné la mort. Peut-être, oui, aurait-il eu ce courage. Babelo lui avait dit qu'il avait toutes les allures du martyr. Peut-être n'avait-il pas tout à fait tort ?

Il grimaça de nouveau.

La fraîcheur du soir ravivait sa blessure. La balle avait traversé son épaule juste au-dessous de la clavicule. Rien de grave. Il avait trouvé de quoi se soigner et se panser dans une pharmacie de Gérone et il savait qu'il n'avait rien à craindre. Dans quelques jours, il serait guéri. Mais c'était douloureux et il supportait de plus en plus difficilement la douleur.

Il se sentait vieux et fatigué.

Il était las.

Il leva les yeux vers la plaque accrochée à côté de l'enseigne d'un vendeur de kebabs. Rue Lucia. Il n'était plus très loin de son hôtel. Bientôt, il désinfecterait une nouvelle fois la plaie et changerait son pansement. Après il prendrait ses médicaments et se coucherait en songeant à Gabriella.

Il espérait pouvoir quitter la France dès le lendemain. Il avait réservé son billet de train pour Gênes, *via* Marseille et Nice. Seules les polices française et espagnole devaient être sur sa piste. En Italie, tout serait plus simple.

Il lui faudrait être à la gare de Narbonne en fin de matinée.

Mais avant, il avait une dernière mission à remplir. Une dette plus qu'une mission, d'ailleurs. C'était pour la régler qu'il était revenu passer, au mépris de toute prudence, une nuit à Perpignan. Il avait conscience des risques mais il n'avait de toute sa vie jamais transigé avec l'Honneur. Quoi que l'on dise sur ses crimes et ses méfaits, c'était au nom de cette valeur qu'il avait vécu, au nom de cette notion désuète et folklorique qu'il venait aussi d'accomplir les trois derniers meurtres de sa vie.

Alors demain matin, il se mettrait au volant de sa nouvelle voiture de location et prendrait la direction d'un petit village de l'arrière-pays catalan. Il déposerait sur une pierre une offrande dérisoire. Un cadeau qui n'avait de valeur, justement, que par le risque encouru.

CHAPITRE 39

Sebag remontait d'un pas vif la principale artère du quartier maghrébin situé dans le centre de Perpignan. La nuit était complètement tombée et le froid avec elle. Il releva le col de son blouson. Quelques jeunes beurs discutant ensemble constituaient, le soir, la seule animation de la rue Lucia.

Il s'était assoupi quelques secondes dans son bureau et cet échantillon de sommeil l'avait requinqué. Après le départ de Ménard et de Llach, il avait éprouvé le besoin de prendre l'air. Le manque de sport lui pesait de plus en plus. Dans tous les sens du terme. En montant sur une balance le matin même, il avait constaté avec dépit qu'il avait pris deux bons kilos depuis l'été. Il ne voulait surtout pas prendre du ventre. Ce serait pour lui le signe d'une capitulation devant le temps qui passe.

En quittant le commissariat, il avait prévenu Claire qu'il ne rentrerait pas avant 20 heures. Et il était parti marcher dans Perpignan.

En chemin, il était passé devant une dizaine d'hôtels et n'avait pu s'empêcher d'entrer pour demander si une chambre avait été réservée pour Guzman, Esteban, Servant ou même Sigma. Il se doutait bien pourtant qu'il n'avait aucune chance. D'autant qu'en France les hôteliers n'étaient plus depuis longtemps tenus de demander à leurs clients une carte d'identité. Ceux-ci pouvaient très bien se faire enregistrer au nom de Michel Dupont, Jean Moulin, Charles de Gaulle ou bien Jean-Luc Godard.

Il aperçut encore l'enseigne d'un hôtel, mais, cette fois-ci, il renonça.

Il quitta la rue Lucia pour prendre une voie latérale qui montait vers le quartier gitan. Il dut se faufiler le long des murs pour passer l'obstacle d'une voiture garée en plein milieu de la ruelle. Ici, les places de stationnement étaient rares et les riverains ne s'embarrassaient guère des règlements. Ils laissaient leurs voitures là où ils pouvaient. Là où ils voulaient.

Sebag aimait arpenter ces vieux quartiers. Grâce à l'implantation en son cœur historique d'une population gitane sédentaire, Perpignan possédait un des derniers centres-villes populaires de l'Hexagone. Partout ailleurs, les pauvres avaient été contraints de s'exiler vers les faubourgs, les grandes cités ou les lointaines banlieues. Sebag, lui, appréciait cette ambiance.

Il atteignit la place du Puig, centre nerveux du quartier. Des hommes habillés de noir des pieds à la tête discutaient, sans lui prêter attention. Il passa devant un groupe qui se réchauffait autour d'une guitare. Un jeune lança une longue plainte gutturale tandis que les autres se mettaient à taper dans leurs mains. Pour ces Gitans, la journée commençait seulement.

Après la place du Puig, Sebag bifurqua sur la gauche et redescendit vers le centre commerçant et bien-pensant de la ville. Dans un quart d'heure, il aurait rejoint sa voiture, et dans moins d'une demi-heure, il serait au chaud parmi les siens. Ses enfants et sa femme. Sa femme… fidèle ? infidèle ?

Il était las de ces mystères non résolus qui s'accumulaient dans son esprit et alourdissaient sa marche dans la rue. Et dans la vie aussi… Où était passé Jean Servant ? Qui avait bousillé cette satanée stèle ? Qui avait agressé Guy Albouker et menacé Jean-Pierre Mercier ?

Et qui était ce salopard qui avait peut-être couché avec sa femme ?

Une idée bête lui traversa l'esprit, une idée digne de l'ado qu'il n'était plus depuis au moins vingt-cinq années. Il jura à mi-voix :

— Si je ne résous pas cette enquête, je prends Claire entre quatre z'ieux et on s'explique.

Puis il cracha par terre pour sceller cette promesse ridicule. Il préférait en rire bêtement qu'en pleurer tristement.

CHAPITRE 40

Sebag et sa fille arrivèrent au cimetière de Passa peu avant 10 h 30. Elle tenait à la main un lourd bouquet de roses et lui portait un seau rempli d'eau dans lequel il avait jeté une grosse éponge.

Devant la grille du cimetière, Séverine s'arrêta et sourit à son père.

— Je ne suis pas sûre de t'avoir vraiment remercié pour avoir trouvé le vrai responsable de l'accident, lui dit-elle. Alors, merci. Papa.

Elle se dressa sur la pointe de ses chaussures pour lui poser un baiser sur le front. Il aurait bien aimé la prendre dans ses bras mais le seau le gênait.

— Je ne suis pas certain de mériter des félicitations. Le type court toujours.

— Mais tu vas l'arrêter, j'en suis sûre.

Il ne sut quoi répondre et se contenta de poser sa main libre sur son épaule.

— On y va ? Ce n'est pas trop difficile pour toi de revenir sur la tombe de Mathieu ?

— Ça ira. Et puis, tu es avec moi. Merci aussi pour ça.

Ils poussèrent la lourde grille et entrèrent. Avant de quitter la maison, Sebag avait passé un coup de fil au commissariat. Llach maintenait une permanence mais

453

il n'y avait rien de nouveau. Ni du côté français, ni du côté espagnol : aucun coup de fil du cousin Jordi. Pour s'occuper, Joan avait repris la liste des agences de location qu'il avait contactées trois jours plus tôt avec Julie Sadet. Il comptait les appeler à nouveau une à une.

— Ça ou ne rien faire... Et puis sait-on jamais !

La tombe de Mathieu n'était séparée de l'entrée que par une courte allée de caveaux. Après celui de la famille Vila, ils tournèrent sur leur gauche. Séverine se figea, interloquée, devant une tombe au marbre brillant entourée d'une ceinture de fleurs jaunes et rouges. Le nom de Mathieu Farre était gravé en lettres d'or.

— Je ne comprends pas...

Les yeux de Sebag sautèrent de sa fille à la tombe impeccable puis de la tombe à sa fille. Séverine semblait embarrassée avec son bouquet.

— Ce sont des amis des parents de Mathieu, les Vidal, qui m'ont appelée hier. Ils m'ont dit que la tombe était pleine de boue et qu'il n'y avait plus de fleurs. Je... Je ne comprends pas.

— Quelqu'un sera passé avant...

— Qui ?

— Mathieu avait d'autres amis, non ?

— Ils seraient passés quand ? Les Vidal m'ont appelée en fin d'après-midi hier. Le cimetière venait de fermer et, comme ils ne pouvaient pas venir ce week-end, ils m'ont demandé de m'en occuper.

— Et si j'ai bien lu la plaque à l'entrée, le cimetière est ouvert depuis une demi-heure seulement...

En parlant, Sebag faisait un rapide calcul. Une demi-heure pour nettoyer et déposer toutes ces fleurs, c'était un peu juste. Si quelqu'un était venu le matin, ils auraient au moins dû le croiser devant le cimetière. Il s'agenouilla près de la tombe de Mathieu. Un fil blanc attira son regard. Il l'attrapa pour l'examiner de plus près. Il s'agissait d'un cheveu. En un éclair, il revit Elsa Moulin, sa collègue de la police scientifique, sous la pluie avec son ciré jaune et ses bottes rouges. Il pleuvait. Elle déposait le cheveu blanc dans un sac en plastique. Ils étaient dans un autre cimetière.

— Ce n'est pas possible…

— Qu'est-ce qui n'est pas possible, papa ?

Sebag ne répondit pas et entreprit d'examiner la tombe et ses alentours. Il ne tarda pas à repérer une tache rouge sur le gravier gris. Il la toucha de son index. C'était mouillé. Il frotta son doigt avec son pouce. C'était poisseux. Il approcha son nez et renifla.

— Du sang.

Au même instant, il entendit couiner la grille du cimetière. Il se releva brusquement.

— Merde…

Il posa sa main sur le bras de Séverine et lui ordonna dans un souffle :

— Surtout, tu ne bouges pas.

Puis il se mit à courir vers la sortie.

Par souci de discrétion, il avait garé sa Golf de location à une centaine de mètres du cimetière. Jean aurait bien voulu courir mais ses jambes avaient oublié cette fonction depuis trop longtemps.

Tout de même, ce n'était pas de veine.

Il venait juste d'achever de décorer la tombe lorsqu'il avait entendu des pas de l'autre côté du mur d'enceinte. Puis il avait parfaitement entendu la conversation du père et de sa fille. Pas de doute : le type était un flic !

Il s'était dissimulé derrière un caveau et avait suivi des yeux les intrus. Il les avait vus s'approcher. Non, vraiment, ce n'était pas de veine !

Encore une cinquantaine de mètres pour atteindre la voiture.

Ses jambes le faisaient terriblement souffrir et sa blessure aussi. Il l'avait sentie se rouvrir lorsqu'il avait pris le volant. Un peu plus à chaque virage. Puis elle avait saigné pendant qu'il nettoyait la tombe de ce pauvre gamin. Elle faisait maintenant une large auréole sur sa chemise blanche. Elle tacherait bientôt son imper.

Il entendit un bruit derrière lui et se retourna.

Le policier venait de sortir du cimetière et l'avait repéré. Jean posa sa main droite sur le Beretta coincé dans son pantalon.

— S'il vous plaît, monsieur.

Sebag avait rejoint la grille en trois enjambées. Il le voyait, maintenant. Le fameux Sigma. Une silhouette large et musclée mais tassée par les ans qui trottinait avec difficulté vers une voiture rouge garée sur le bas-côté.

— S'il vous plaît, je voudrais vous parler.

Il vit le vieil homme s'arrêter puis se tourner vers lui. Il aperçut le regard sombre. Il suivit la grosse main noueuse qui glissait vers la ceinture. Il repéra le pistolet qui tel un serpent se dressait dans sa direction. Il devina la gueule noire et béante prête à cracher la mort.

Il n'avait pas d'arme sur lui. Il n'en portait jamais.

Il stoppa sa course.

Son sang se glaça lorsqu'il perçut un bruit de pas derrière lui. Sans qu'il puisse maîtriser son mouvement, sa tête fit un quart de tour. Ses tripes se nouèrent lorsqu'il aperçut Séverine. Elle avait désobéi. Elle était là, sans aucune autre protection que le corps de son père.

Il se plaça pile sur la trajectoire.

Ce n'était pas de veine, non, vraiment.

Servant avait pris un risque, il en avait conscience, mais il ne pensait pas jouer à ce point de malchance. Se faire surprendre au cimetière par le flic chargé de l'enquête. Un flic sans arme, venu avec sa fille ! Si encore ils avaient été plusieurs et qu'ils aient sorti leurs revolvers. Il aurait fait parler la poudre comme on lance les dés.

Et puis *inch'Allah*.

Sa blessure à l'épaule gauche lui lançait des éclairs de douleur. Il serra les dents et pensa très fort à sa petite Gabriella. Il ne devait pas flancher, pas maintenant, s'il voulait un jour la serrer à nouveau sur son cœur. Il adopta son ton le plus ferme pour crier :

— Couchez-vous, c'est un ordre.

Il vit le policier se retourner vers sa fille et lui parler. La gamine s'allongea sur le sol et plaça ses mains sur sa tête. Le policier parut décidé à l'imiter. Il s'agenouilla.

La main de Sigma se décrispa sur l'arme.

Les genoux posés au sol, Sebag se dit qu'il n'irait pas plus bas. Pas question de se coucher. Pas ici. Pas comme ça. Il s'efforça de maîtriser sa respiration. Garder son souffle, c'était garder son calme.

— Il ne va rien se passer, Séverine, n'aie pas peur. Et, surtout, reste bien allongée.

Sebag se dit que Servant avait pris un sacré risque pour venir fleurir la tombe de Mathieu. Le vieux était un tueur implacable et méthodique mais il n'était pas dépourvu de conscience. D'ailleurs, Sebag avait perçu son soulagement lorsqu'il avait commencé à lui obéir.

Il releva un genou et posa un pied au sol, guettant les réactions de Sigma. Malgré les trente mètres qui les séparaient, il perçut un tressaillement à la commissure de ses lèvres. Ce signe de perplexité l'encouragea. Il posa un deuxième pied au sol et se releva avec une lenteur extrême tout en continuant de parler à Séverine.

— Reste allongée, ma fille, ne bouge pas.

« Mais qu'est-ce qu'il fait, l'imbécile ? » La main de Sigma se crispa à nouveau sur le Beretta, envoyant une décharge électrique dans le cerveau du vieil homme.

« Pourquoi s'est-il donc mis debout ? »

Il vit avec inquiétude son vis-à-vis se défaire de son blouson et le faire glisser au sol. Il eut ainsi la confirmation que le policier n'était pas armé.

— Je t'ai dit de te coucher.

Sigma se maudit intérieurement. Sa voix avait perdu de son assurance et trahissait son trouble. Le policier fit un pas en avant puis un autre.

— Ne joue pas au héros, ne m'oblige pas à tirer.

Sigma se mordit l'intérieur de la bouche. Il parlait trop. Un homme décidé à tuer ne gaspillait pas sa salive. Tant pis ! Son gros doigt déformé par la polyarthrite caressa la détente. Le flic fit encore un pas dans sa direction. Sigma hocha la tête et tira.

— Papa !

Séverine avait crié avant de relever la tête. Elle vit

de la fumée s'échapper du canon de l'arme. Son père était toujours debout. Elle entendit sa voix d'un calme étonnant.

— Ne bouge toujours pas, Séverine, s'il te plaît.

Le bruit du tir avait déchiré le calme de la matinée. Malgré ses tympans douloureux, Sebag avait perçu, juste après la décharge, le son mat de la balle s'écrasant sur le bitume. Des éclats de goudron avaient giclé jusque sur ses chaussures.

Il fit une nouvelle enjambée.

— J'ai déjà tué des flics, menaça Sigma en reculant d'un pas vers sa voiture.

— Je sais.

Sebag avança encore. Il restait lucide et savait qu'il jouait sa vie sur un coup de poker. Lui-même trouvait cela idiot. Il pensait qu'il ferait mieux de laisser le vieux s'enfuir, qu'il ne pourrait aller loin. En flic averti, il avait déjà mémorisé le numéro de sa plaque d'immatriculation ainsi que le moindre trait de son visage. Son signalement serait précis. Le vieux n'avait aucune chance de s'en tirer.

Mais il y avait Séverine. Un titre de film lui revint en mémoire. *Mon père, ce héros*. Un navet avec Depardieu, lui semblait-il.

Il continua d'avancer.

— J'ai tué beaucoup de gens et souvent de sang-froid.

Sebag planta ses yeux dans ceux de Sigma.

— Vous cherchez à vous convaincre.

Le second coup de feu le fit encore sursauter. Il laissa l'écho de la détonation s'estomper et fit un nouveau pas en avant. Il ne fallait pas que le vieux doute de sa détermination. Sebag n'était plus qu'à cinq mètres de Sigma. Dans cette partie de poker, il avait les cartes maîtresses.

— Vous n'avez tué personne devant un enfant.

Sigma se souvenait des yeux humides du petit Arabe, autrefois, dans les rues d'Alger. Un jour de novembre 1961. Il venait d'accomplir sa première mission, il faisait partie du commando Babelo, ils avaient tué une dizaine d'ouvriers arabes – des ennemis ! –, il était fier.

— Tu te trompes, mon gars, tu te trompes, répondit-il fermement à Sebag.

Il sentit pourtant un voile passer devant ses yeux. La fierté n'avait guère duré. L'amour de son Algérie natale et la volonté farouche de continuer d'y vivre en homme libre n'avaient pu suffire à transformer à ses yeux une tuerie en acte de bravoure. Jamais il n'avait trouvé de légitimité à ce type d'action, il avait toujours préféré les opérations contre les flics ou les barbouzes. Babelo avait senti ses réserves. Très vite, il avait appris à se méfier du jeune exalté. Mais Sigma ne l'avait compris que ces dernières semaines…

Les yeux du petit Arabe étaient revenus hanter ses nuits d'insomnies, se mêlant parfois dans des cauchemars à ceux de Gabriella. Des yeux noirs brillants de terreur et d'incompréhension. Il avait perçu le même éclat dans les prunelles de la fille du flic. Il frissonna.

— Tu te trompes, répéta-t-il mécaniquement.

Sebag comprit que Sigma disait la vérité mais il ne se laissa pas démonter. Il avait vu le frisson, il pensait l'avoir décrypté. Sa vie dépendait maintenant de la justesse de ses interprétations.

— Alors, vous ne le referez pas, affirma-t-il.

Un pas encore, le pied gauche, puis un autre, le pied droit. Sa vie dépendait aussi de sa résolution.

— Pas devant ma fille.

Sebag n'était plus qu'à deux mètres. Si le vieux tirait maintenant à bout portant, il n'y survivrait pas. Il avança doucement sa main vers l'arme et fit un dernier pas. Sigma patienta encore quelques secondes mais Sebag sut qu'il avait gagné. Le vieux ne tirerait plus.

Sigma hocha gravement la tête. C'était fini. Il ne reverrait pas Gabriella. Adieu, fillette. Sa vie se terminerait dans une sombre prison française. Il adressa une moue admirative au policier et lui tendit son arme.

— J'aurais pu tomber plus mal.

Sebag s'empara du Beretta. Il le glissa dans la ceinture de son pantalon après avoir remis le cran de sûreté. Il entendit ensuite dans son dos les bruits d'une course légère. Il se retourna et Séverine se jeta dans ses bras. Il la serra très fort.

— Tu es fou, papa, tu es fou. J'ai eu si peur pour toi...

Il passa une main dans ses cheveux longs et soyeux. Il était fier d'eux. D'elle surtout et même de ce vieux Sigma. De lui aussi un peu. Ses impressions se faisaient confuses et il se demanda finalement si le courage pouvait être autre chose que de l'inconscience victorieuse.

Une sonnerie de portable se fit entendre, lointaine. Son portable. Sebag envoya Séverine ramasser son blouson. Lorsqu'il extirpa son téléphone d'une des poches, la sonnerie s'était arrêtée, il y avait un message de Llach. Sans prendre le temps de l'écouter, il rappela son collègue.

— Ça y est, nous le tenons, triompha Llach à l'autre bout du fil. Guzman a loué une voiture hier près de la gare de Perpignan. Il a sans doute voulu brouiller les pistes car cette fois-ci il a pris un modèle plutôt voyant : une Golf rouge. J'ai communiqué l'immatriculation à toutes nos équipes et aux gendarmes. Tu as de quoi noter ?

Sebag lui asséna le numéro de la plaque qu'il avait sous les yeux.

— 5704 TM 66.

Llach resta muet pendant de longues secondes. Gilles l'imaginait à l'autre bout du fil, bouche ouverte.

— Tu peux arrêter les recherches, continua-t-il avant de donner à son collègue les détails de l'arrestation de Sigma.

— Je crois que je ne suis pas le premier à te le dire, mais c'est décourageant de bosser avec toi, commenta Llach. Vraiment !

— Je suis tombé dessus par hasard. Un coup de pot, rien de plus. Tu nous envoies une voiture ? On attend.

En rangeant son portable, il tomba sur le paquet de cigarettes entamé. Il en prit une et en proposa une autre à Sigma.

— La cigarette du condamné, fit le vieux en acceptant.

Puis ils fumèrent tous les deux en silence.

CHAPITRE 41

Gilles, impatient, arpentait les couloirs de l'hôpital de Perpignan. Sigma avait perdu connaissance durant le trajet en voiture et il avait jugé prioritaire de l'emmener aux urgences passer des examens. Il avait déposé Séverine à l'entrée, Claire était venue la récupérer pour la ramener à la maison.

Les premiers avis médicaux se révélaient rassurants. La plaie de Sigma à l'épaule ne présenterait bientôt plus de risques. Bien que très infectée, elle ne résisterait pas à un traitement antibiotique adéquat. Mais le médecin, qui avait jugé le blessé très éprouvé, souhaitait réaliser un examen cardiaque complet. Sebag en attendait le résultat pour pouvoir interroger son prisonnier. Castello l'avait rejoint, il ne cachait pas sa satisfaction.

— Je dois vous avouer que je n'y croyais plus. C'est un sacré coup de veine que nous avons eu !

Il ajouta aussi pour ne pas paraître désobligeant :

— Un coup de veine que vous avez su exploiter. Un autre que vous n'aurait sans doute pas remarqué le cheveu blanc et les traces de sang. Et n'aurait pas réagi aussi vite. Une minute de plus et le loustic nous échappait encore…

— Il était cuit de toute façon, répliqua Sebag en

bon camarade. Llach avait flairé sa piste, on ne l'aurait plus lâché.

— D'ailleurs…

Sebag sentit que le commissaire allait lui faire des remontrances sur les risques qu'il avait pris pour arrêter Sigma. Mais son chef ne termina pas sa phrase. Il devait considérer que le moment n'était pas opportun et préféra changer de sujet.

— Au fait, j'ai eu nos collègues de Marseille avant de venir. Ils ont retrouvé Maurice Garcin.

— Ah…

— Une patrouille de police l'a découvert ce matin dans un terrain abandonné d'une zone artisanale au nord de Marseille : complètement déshydraté, mais il devrait s'en sortir. Un vrai miracle… Il s'était enfui de la maison de retraite en pyjama.

— Il a bien la maladie d'Alzheimer…

— Il n'y a pas de doute.

Un cinquantenaire en blouse blanche avança vers eux d'un pas sautillant. Il courait presque.

— Docteur Prévost. C'est moi qui m'occupe de votre prisonnier. Il va bien. Vous allez pouvoir vous entretenir avec lui. À condition toutefois de ne pas trop le fatiguer. Nous l'avons installé dans une chambre au deuxième étage au bout du couloir. C'est une chambre avec des barreaux aux fenêtres. Je ne me souviens plus du numéro mais vous ne pouvez pas vous tromper : vous avez deux de vos hommes en uniforme devant la porte.

— C'est la procédure, s'excusa le commissaire, nous allons le placer en garde à vue.

— Vous devriez pouvoir le faire transférer dès demain à l'infirmerie du centre pénitentiaire.

Il leur offrit une poignée de main brève et sèche et repartit du même pas trépidant. Sebag l'avait déjà croisé. Le type ne s'arrêtait jamais et devait parcourir en sautillant autant de kilomètres chaque semaine dans les couloirs de son hôpital que lui en courant sur les sentiers du Roussillon.

Le commissaire et son lieutenant n'eurent pas de mal à trouver la chambre de Sigma. Ils saluèrent les plantons et entrèrent. Le vieil homme somnolait dans ses draps blancs immaculés. Son visage détendu paraissait lavé de ses rides. Seuls subsistaient deux profonds sillons qui déchiraient son front au départ de son nez. Sebag réalisa que Jean Servant n'avait finalement que soixante-dix ans. Soixante-dix ans ? Le début de la vieillesse. Il fit un rapide calcul. Son propre père aurait cet âge d'ici deux ans. Il se souvenait d'un homme au maintien fier et droit, au visage bronzé et à la chevelure conquérante. Très éloigné de ce petit vieux rabougri. Il revit la silhouette tassée et la course laborieuse de Sigma pour s'éloigner du cimetière. Son regard glissa sur ses mains boursouflées posées sur le drap clair et il comprit que la maladie avait accéléré le temps. Pour Jean Servant comme pour Maurice Garcin.

La fenêtre de la chambre vibra sous une bourrasque de vent. La tramontane s'était levée en cours de matinée. Un soleil généreux inondait le parking de l'hôpital mais les visiteurs relevaient leurs cols pour se protéger de la gifle. Les températures n'avaient pas bougé mais l'impression de froid, elle, avait augmenté. Les météorologues appelaient ça « le froid ressenti ». Sebag contempla encore une fois les mains en forme de ceps de vigne et se dit que l'arthrose donnait à

Servant un âge ressenti très loin de celui fourni par son état-civil.

Les ceps de vigne s'animèrent. Jean Servant émergea de son demi-sommeil. Il fixa Sebag de ses yeux noirs. Le lieutenant fit les présentations :

— Je m'appelle Gilles Sebag et je suis lieutenant de police au commissariat de Perpignan. Et voici mon supérieur, le commissaire Castello.

Servant se contenta de les observer sans rien dire. Sebag prit une chaise et l'approcha du lit. Il sortit son carnet.

— Vous êtes donc Jean Servant, né à Alger en 1942...

Il marqua une pause. Sigma l'observait toujours.

— Nous avons seulement votre année de naissance. Pourriez-vous m'indiquer le jour et le mois, s'il vous plaît ?

Malgré le caractère anecdotique de la question, l'instant était d'importance. Sebag et Castello retenaient leur souffle. Quelle attitude Servant allait-il adopter ? Le vieil homme temporisa mais ne parut pas hésiter.

— Je suis né le 9 juin, répondit-il d'une voix douce et posée.

Gilles nota l'information comme si elle constituait la clé de l'affaire. Ce n'était qu'une mise en bouche, il ne voulait rien précipiter. Il était essentiel surtout d'instaurer un bon climat.

— Et vous êtes donc mort quelques jours après votre vingtième anniversaire, le 12 juin 1962, dans l'explosion d'un bar à Alger ?

La bouche de Sigma s'ouvrit largement, découvrant deux rangées de dents bien alignées. Avec une lueur de fierté dans ses yeux noirs, il acquiesça.

— Ce fut un beau feu d'artifice. Mon dernier 14 juillet.

— Et le cadavre que l'on a retrouvé dans le café ?

— C'était un pauvre type, un ivrogne.

— Vous l'avez tué ?

— Il était déjà mort. Le FLN l'avait déjà tué.

Sebag nota les réponses avant de poursuivre :

— Vous apparaissez ensuite sous le nom de Manuel Esteban, citoyen espagnol, puis vous devenez Juan Antonio Guzman, résident argentin. C'est toujours exact ?

— Toujours.

— Pouvez-vous nous dire comment vous avez obtenu ces fausses identités ?

— Oui, je peux le dire.

La réplique empruntée à Pierre Dac accentua encore le sourire de Sigma.

— Je vous écoute, monsieur Servant, fit Sebag avec patience.

Les papiers au nom d'Esteban, je les ai eus dès mes premières semaines avec l'OAS. On avait tous une double identité. Nous avions de nombreuses complicités au sein de l'administration française, c'était facile. Ceux au nom de Guzman, on me les a donnés après mon arrivée à Buenos Aires. Les Argentins ont toujours été très accueillants avec les Français.

— C'est ce que j'ai appris récemment, oui.

Sebag tourna une page de son carnet.

— Maintenant que votre identité est établie, je vous informe que vous êtes officiellement placé en garde à vue. Nous comptons vous interroger sur les meurtres de Bernard Martinez, André Roman et Georges Lloret...

— Je proteste, inspecteur, l'interrompit Servant, un

éclat malicieux dans le regard. Pour Lloret, je souhaite invoquer la légitime défense. Il a tiré le premier.

Il porta sa main boursouflée à son épaule blessée.

— Il a été plus rapide mais il n'a pas visé assez juste. Que voulez-vous, inspecteur, même John Wayne à la fin de sa vie était presbyte.

Un rire silencieux secoua sous les draps la vieille carcasse de Sigma. L'interrogatoire l'amusait follement.

— Je vous en prie, monsieur Servant, intervint Castello en jouant l'indignation. Il n'y a pas matière à rire. Nous parlons de la mort de trois personnes…

— Des traîtres. Ils méritaient de mourir ! Ils ont bénéficié d'un long sursis, c'est déjà bien. Vous ne devez pas les comptabiliser dans vos statistiques de l'année, il faut les rajouter au bilan des événements d'Algérie. Plusieurs centaines de milliers de morts : on n'est pas à trois près !

Sebag saisit l'occasion pour mettre l'interrogatoire sur de bons rails.

— En quoi Roman, Martinez et Lloret étaient-ils des traîtres ?

Servant le fixa pendant quelques secondes. Il se doutait que le policier connaissait déjà une partie de la vérité. Devait-il tout dire ? Il décida que oui et se lança.

Il ne parla que pour Sebag. Jamais ses yeux ne se posèrent sur Castello, le commissaire n'existait plus pour lui. Il se replongea dans les dernières semaines de la guerre, il raconta l'OAS, son engagement, ses combats, ceux dont il était fier et ceux qui lui avaient laissé un goût amer. Il expliqua les premiers hold-up pour financer l'organisation et les suivants aux motivations plus troubles. Il en vint ensuite au 12 juin 1962, l'armée qui encercle au petit matin le café Le Populo.

— J'ai toujours su qu'on m'avait dénoncé mais je n'imaginais pas que c'était mes propres amis. Même si j'avais des questionnements sur certaines de nos actions, je n'ai jamais douté de la nécessité de notre combat et j'aurais donné ma vie pour protéger mes compagnons d'armes. Ils m'ont trahi mais ils ont également trahi la cause et c'est surtout ça qui devait être puni. C'est une affaire de principes.

— Cinquante ans après, ça n'a pas de sens, répliqua Castello.

Servant regarda furtivement le commissaire mais il répondit à l'inspecteur.

— Ça ne fait que six mois que j'ai eu connaissance de cette trahison.

— Comment l'avez-vous apprise ? interrogea Sebag.

— C'est formidable, Internet, n'est-ce pas ?

Il leva ses mains déformées et les contempla un instant.

— Pourtant, il n'est pas facile d'utiliser un clavier avec de tels battoirs, mais j'ai reçu une aide précieuse. Ma petite-fille. Gabriella…

Il se tut. Ses yeux de vieux tueur se brouillèrent.

— À la mort de ma femme, j'ai eu soudain l'envie de me pencher sur mon passé, reprit-il. C'est curieux, hein ? Je croyais avoir tiré un trait sur tout cela en m'installant en Amérique latine. J'avais l'impression d'avoir eu deux vies successives : une algérienne, une argentine, la seconde ayant fait oublier la première. Mais tout s'est brouillé après le décès de mon épouse. Comme si la mort de Maria avait refermé la parenthèse de cette seconde vie, l'Algérie est remontée en moi. Impitoyablement. Je me suis mis à lire beaucoup de livres sur le sujet, des ouvrages d'historiens comme des récits autobiographiques, et je me suis souvenu de tant de choses que je croyais définitivement oubliées... En fait, je n'avais rien perdu : tout était resté en moi mais complètement enfoui.

Servant voulut attraper une carafe d'eau posée sur une table roulante à côté de son lit mais le geste réveilla une vive douleur. Sebag lui servit un verre et le lui proposa. Servant but une longue gorgée et garda le verre en main.

— Les haines et les passions aussi étaient intactes. J'ai connu quelques nuits difficiles à me débattre avec de vieux fantômes. Ça aurait pu s'arrêter là, mais, comme je vous l'ai déjà dit, ma petite-fille m'a initié à Internet. J'ai noué des liens, participé à des forums pieds-noirs et puis surtout je me suis amusé à faire des recherches par noms. Et j'ai trouvé des informations intéressantes sur ce qu'étaient devenus mes petits camarades. J'ai constaté que Lloret et Roman avaient fait fortune en investissant dès leur retour d'Algérie et j'ai vu que Martinez, même s'il avait été moins chanceux, avait aussi disposé d'un pécule important à son arrivée dans le Roussillon. J'en ai évidemment déduit qu'ils avaient gardé pour eux une partie – et même sans doute une grosse partie – de ce que nous avions obtenu lors des hold-up. Déjà, cela m'a mis en colère, et puis, de fil en aiguille, j'ai compris que c'était probablement eux qui m'avaient dénoncé aux flics. Je les gênais. Jamais je n'aurais accepté de les voir quitter l'Algérie avec tout ce flouze dans leurs valises... La valise ou le cercueil, nous disait-on à l'époque... Eux ont quitté l'Algérie avec des valises pleines de pognon. Je suis revenu du passé pour leur apporter le cercueil qu'ils méritaient.

Il passa un bout de langue sur ses lèvres sèches.

— Tant de pieds-noirs avaient besoin d'argent : moi, je les aurais forcés à distribuer tout ce fric. D'ailleurs, je crois me souvenir qu'à plusieurs reprises j'avais évoqué devant eux cette idée.

Il s'arrêta pour avaler une nouvelle gorgée d'eau. Le soleil tapait sur la fenêtre. La petite chambre d'hôpital prenait des allures de sauna.

— Je renouvelle ma question, fit Castello. Est-ce que ces meurtres ont vraiment un sens cinquante ans après ?

Servant répondit en regardant Sebag.

— L'honneur a toujours eu un sens pour moi. Ce n'est pas une question d'années.

— J'ai appris à me méfier des formules grandiloquentes, répliqua Gilles. En politique comme dans les affaires de police.

Le regard de Servant s'assombrit et le timbre de sa voix se fit plus sourd.

— Alors laissons tomber les grands mots. Mon père s'est engagé dans les Forces françaises libres en 1943 et il a été tué en Cyrénaïque l'année suivante. Ma mère est morte en 1947, écrasée par un camion dans une rue d'Alger. C'est ma grand-mère qui m'a élevé. On habitait un petit deux pièces dans Bab-El-Oued. Elle était couturière et travaillait tous les jours jusqu'à ce que ses yeux la brûlent pour que je ne manque de rien. Après l'explosion du Populo, j'ai dû quitter l'Algérie précipitamment et je n'ai pas pu m'occuper d'elle. Je ne lui ai même pas dit au revoir. Je lui avais laissé un

471

billet de bateau pour Marseille mais elle n'a jamais embarqué. Elle fait partie de ces quelques centaines de Français d'Algérie qui ont disparu après le cessez-le-feu. Je n'ai jamais su ce qu'elle était devenue. Tuée par les Arabes, probablement. Ou alors morte de chagrin et enterrée dans une fosse commune.

Sebag remplit d'eau son verre en plastique. Il aurait bien bu, lui aussi.

— Vous avez raison : ce n'est pas qu'une question d'honneur, poursuivit Servant. À cause de ces trois salopards, je n'ai pas pu protéger mamie. Je leur en veux surtout de cela.

Sebag hésitait devant ce grand-père assassin évoquant sa propre grand-mère avec des sanglots dans la voix : le trouvait-il émouvant ou tout simplement ridicule ? Il enchaîna pour ne pas avoir à trancher.

— Comment pouviez-vous être certain que vos anciens amis vous avaient trahi ? Ce n'était qu'une supposition…

— Mes doutes étaient suffisamment forts pour me décider à traverser l'Atlantique. Je voulais en avoir le cœur net. Ce n'est pas un hasard si j'ai rencontré Martinez en premier. Je savais que c'était le maillon faible du trio : il m'a tout avoué. Je lui avais laissé croire que je ne le tuerais pas s'il me disait tout.

— Votre sens de l'honneur, sans doute…

Le commissaire, lui, avait tranché : il ne trouvait pas émouvant ce papy sanguinaire.

— Je ne lui ai rien promis, se rebiffa Servant, c'est lui qui a voulu y croire tout seul. Je ne l'ai pas détrompé.

— C'est ça, oui.

— C'était trois beaux salauds qui ne méritaient pas ma pitié.

— Parce que vous êtes capable de pitié ?

Sebag se retourna vers son chef et fronça les sourcils. Il ne servait à rien de braquer le vieil homme. Ils étaient flics, pas juges. Leur travail consistait à faire toute la lumière sur l'affaire et, s'il fallait pour cela se montrer indulgents avec le meurtrier, ils se devaient de le faire. Castello eut l'air de comprendre le message. Il recula, s'appuya sur le mur de la chambre et se tut. Sebag relança la conversation.

— Vous avez donc voulu venger votre grand-mère, c'est ça ?

Servant fit une moue dubitative.

— Ma grand-mère, bien sûr, mais tous les autres également. Il y a eu trop de morts dans cette guerre. Trop de Français, trop d'Arabes, trop d'enfants et de vieux. L'Algérie française était un pays magnifique qui valait bien qu'on tue pour lui. Mais uniquement pour lui. À la fin, c'est la haine qui a gagné et c'est à cause d'elle que l'on a continué à tuer. C'était sans doute inéluctable. Le destin, le *mektoub* comme disent les Arabes. Mais tuer pour de l'argent, ça, c'était vraiment ignoble. Pour moi, c'est un crime de guerre, un crime contre l'humanité. J'ai cru comprendre que la justice internationale n'admettait pas la prescription pour ce type de monstruosité…

— C'est une conception très personnelle, se permit de remarquer Gilles.

— Sans doute. C'est la mienne.

— Ce n'était pas à vous de faire justice.

— Si, c'était à moi de le faire. Sans m'en rendre compte, j'ai aidé ces salopards à trahir notre combat.

Je n'ai pas trouvé d'autre moyen pour réparer cette erreur.

Sebag le fit ensuite parler successivement des trois meurtres. Servant répondit avec précision à toutes les questions de l'inspecteur. Arriva alors le moment d'évoquer la destruction de la stèle de l'OAS.

— J'ai appris par la presse cet acte de vandalisme, déclara Sigma, mais je n'y suis pour rien.

Sebag sentit le commissaire Castello frémir à ses côtés.

— On a retrouvé sur place un de vos cheveux, souligna Sebag. Les analyses ADN sont formelles.

Servant haussa les épaules.

— C'est possible. Je m'y suis effectivement rendu pour me recueillir.

Il essuya son front humide avec la manche de son pyjama d'hôpital. Dans la chambre, la température n'avait cessé d'augmenter.

— Je suis allé également au Mur des Disparus. C'est magnifique. J'y ai trouvé le nom de ma grand-mère, vous vous rendez compte ? Moi qui croyais que tout le monde l'avait oubliée… Ça vous étonne si je vous dis que j'en ai pleuré d'émotion ?

Sebag arrêta de prendre des notes et leva son stylo.

— Vous niez formellement tout acte de vandalisme sur la stèle dite « de l'OAS » ?

— Pourquoi aurais-je fait cela ? s'étonna Servant. J'ai été si heureux d'apprendre que nos morts pouvaient enfin avoir en France leurs monuments. Il était temps, non ? Ce fut un grand moment pour moi que d'y passer.

— C'était quel jour ?

Servant réfléchit quelques secondes.

— La semaine dernière. Je dirais le mardi. Oui, c'est cela, le mardi.

La stèle avait été détruite dans la nuit du mercredi au jeudi. Sebag jugeait curieux que le cheveu soit resté si longtemps dans les cailloux mais il ne voyait pas pourquoi Servant mentirait sur le sujet. Comme il l'avait supposé bien avant d'identifier le meurtrier, l'acte de vandalisme ne cadrait pas avec les assassinats. Pas davantage que les agressions de pieds-noirs. Sebag posa néanmoins toutes les questions qu'il avait à poser.

— Connaissez-vous Guy Albouker ?

Servant chercha dans sa mémoire avant de répondre :

— Non, je ne crois pas. Qui est cet homme ?

— Et Jean-Pierre Mercier ?

— Ce nom ne me dit rien non plus. Je suis censé les avoir tués, eux aussi ?

Sebag sourit et lui expliqua l'autre affaire qui le préoccupait.

— Je suis désolé, inspecteur, répondit Servant. Pour tout cela, il vous faudra trouver un autre responsable. Moi, je n'y suis pour rien. Vous avez, je pense, assez d'éléments pour m'envoyer derrière les barreaux jusqu'à la fin de mes jours, non ? Pas besoin d'en rajouter.

Servant ferma les yeux. Il parut soudain très fatigué. Sebag consulta son chef du regard. Comme Castello n'avait pas d'autres questions à formuler, Gilles referma son carnet en le claquant bruyamment. Servant rouvrit les yeux.

— Vous avez terminé ? demanda le vieil homme.

— Je crois, oui.

— J'ai été suffisamment coopératif ?

La question surprit le lieutenant.

— Oui, ça va.

— Alors je peux peut-être vous demander un service ?

— Allez-y...

— J'ai une petite-fille en Argentine. Elle s'appelle Gabriella. C'est un ange. Enfin... c'est mon ange. Vous pourriez demander à sa mère de lui dire que je suis mort ?

— Pardon ?

— Je pense qu'il vaut mieux lui laisser croire que son grand-père a disparu, dans un accident de la route, par exemple, plutôt que de lui dire que je vais finir en prison pour un triple meurtre. Sa mère sera d'accord avec moi. De toute façon, pour elle, je suis mort depuis longtemps. Consuela ne me parle plus depuis qu'elle a tout découvert de mes engagements. L'Algérie, bien sûr, mais surtout les Escadrons de la Mort en Argentine, et toutes ces âneries.

Sebag jeta un regard en coin à son chef avant de promettre. Il nota le numéro de téléphone en Argentine que Servant lui donna. Il aurait aimé prolonger l'entretien pour en savoir un peu plus sur cet étrange meurtrier mais son travail était fini. Le procureur prendrait bientôt le relais, puis un juge d'instruction. D'ici un an ou deux, un tribunal jugerait Sigma. Il y avait peu de chances effectivement pour que le grand-père revoie un jour sa petite-fille. Curieuse famille, se dit-il, où les relations les plus fortes sautaient chaque fois une génération.

Jean Servant serra la main de Sebag dans ses grosses pognes gonflées. Il remercia chaleureusement le lieutenant avant de refermer les yeux. Il semblait épuisé. Apaisé également.

CHAPITRE 42

— J'irais bien courir avec toi, ce matin.

La proposition de Claire le prit au dépourvu. Sa femme avait toujours eu le jogging en horreur. Les cours de fitness dans une salle de sport lui suffisaient amplement.

— Il faudra, bien sûr, que tu acceptes de réduire ton allure au moins de moitié.

Gilles chercha dans les yeux bleu-vert l'éclat d'une plaisanterie. On était dimanche, il était 8 heures du matin, ils étaient encore au lit et se réveillaient à peine. Il ne pouvait s'agir que d'une blague. Mais il eut beau scruter son regard, il ne distingua rien. Il devait se rendre à l'évidence : Claire était sérieuse.

— Je trouve que je perds mon souffle. Quand je dois monter deux étages au collège, j'arrive fatiguée dans ma classe. L'âge…

Gilles passa son doigt sur les petites rides qui ourlaient ses yeux. Claire aurait quarante ans dans quelques semaines.

— Ça me fera plaisir de courir avec toi, dit-il.

— Je ne suis pas sûre que tu le penses bien longtemps.

Après cinq cents mètres de trottinement, Claire, effectivement, tirait déjà la langue. Mais Gilles avait prévu le coup et l'avait entraînée au bord de l'étang de Saint-Estève.

— Tu récupères en faisant le prochain tour en marchant, OK ?

— Et toi, pendant ce temps ?

— Disons que je fais trois ou quatre tours.

En fait, Gilles eut le temps de parcourir cinq fois le sentier qui bordait le lac, Claire ayant profité de son tour de repos pour effectuer quelques assouplissements. Ils suivirent ce rythme pendant une heure : Gilles trottinait avec Claire sur une boucle, puis effectuait cinq tours, seul, sans oublier de claquer les fesses de sa femme à chaque passage.

C'était une belle journée d'automne, sans vent et sans nuages. Le soleil, déjà haut dans le ciel, chauffait les bras et les jambes nues des joggeurs.

Sur le chemin du retour, ils marchèrent en silence. Sebag réfléchissait. Une partie de l'affaire demeurait sans réponses. Qui avait vandalisé la stèle de l'OAS ? Qui avait agressé Guy Albouker et menacé Jean-Pierre Mercier ? Les mêmes personnes étaient-elles derrière ces deux actes ? Il n'était pas sûr de trouver un jour des réponses à ces questions. Lui et ses collègues n'avaient pas le moindre début de commencement d'une amorce de piste. Juste une hypothèse, la même depuis le début, revenue en force depuis les dénégations de Servant : quelques imbéciles avaient tenté de profiter des meurtres pour semer la peur dans la communauté pied-noir. Et ils avaient réagi diablement vite, trois jours à peine après la découverte du premier crime. Maintenant que les assassinats étaient élucidés, ces individus ne feraient plus parler d'eux et ne seraient jamais identifiés. Il lui faudrait se contenter de ce retour au calme.

Sebag s'arrêta de marcher. Il défit sa basket droite et l'enleva pour se débarrasser d'un caillou qui le gênait. Le caillou roula dans le caniveau et disparut de sa vue. Si seulement on pouvait agir ainsi avec tous les soucis de la vie…

Ils reprirent leur marche. Claire lui prit la main avant de poser sa tête sur son épaule. Gilles sourit. Il repensait à cette promesse d'ado attardé qu'il s'était faite deux jours auparavant, ce serment ridicule du genre : « Si j'échoue dans cette affaire, je parle à Claire. » Face à ce demi-succès, que devait-il faire ? Il soupira. Il ne sortirait jamais de ce dilemme. Un jour peut-être devrait-il essayer un « pile ou face ».

— Tu penses encore à ton travail ?

Son soupir n'avait pas échappé à Claire.

— Un peu. J'aimerais bien trouver une réponse à toutes les questions que je me pose et je ne sais pas comment m'y prendre.

— Je peux t'aider ?

Gilles s'arrêta pour observer sa femme mais ne parvint pas à déchiffrer le sourire attendri qui étirait ses yeux bleu-vert. Avait-elle saisi son double sens ?

— Merci, c'est gentil, se contenta-t-il de répondre.

Ils frissonnèrent en même temps. Leurs corps s'étaient refroidis depuis la course.

— On se remet à courir ? proposa Gilles.

— Si c'est la seule solution pour éviter le rhume…

Ils trottinèrent le long des contre-allées qui bordaient les larges avenues des hauts de Saint-Estève. Dix minutes plus tard, ils poussaient la porte de leur maison. Séverine lisait sur le canapé du séjour tandis que Léo en terminait avec son petit déjeuner. Claire se déclara épuisée.

— Je ne sens plus mes jambes, se plaignit-elle en enlevant ses baskets.

Gilles se pinça le nez.

— En revanche, moi, je sens bien tes pieds.

Il reçut une chaussure sur le front, en guise de repartie.

Le dimanche se déroula dans une ambiance agréable et reposante. Gilles fit griller sur le barbecue des côtes de porc qu'il accompagna de fenouil. La famille au grand complet déjeuna ensuite sur la terrasse pour la dernière fois de l'année sans doute. La piscine, malheureusement, avait déjà revêtu sa couverture d'hiver et ne jetait plus de reflets bleutés sur les arbres alentour. Au dessert, les Sebag adoptèrent à l'unanimité une proposition de Claire. Après un café rapidement expédié, ils se rendirent donc tous ensemble au complexe cinématographique du nord de Perpignan. Claire et Séverine s'assirent devant le dernier film de Pedro Almodóvar, tandis que Gilles accompagna son fils dans une autre salle pour voir un acteur américain, célèbre et vieillissant, affronter une succession de catastrophes effroyables. Quand le mot « Fin » apparut sur l'écran, la star venait de sauver le monde pour la trente et unième fois mais un constat s'imposait : il n'avait rien pu faire pour sauver sa carrière.

En fin d'après-midi, Claire et Gilles s'installèrent sur la banquette du salon. Ils zappèrent sur les chaînes de la télé numérique avant de choisir une émission de reportages. Un documentaire sur la situation au Proche-Orient avait retenu leur attention. Gilles n'avait jamais rien compris aux querelles de cette région troublée. C'était l'occasion.

Malgré sa bonne volonté, Gilles se laissa distraire à plusieurs reprises par les relents de ses préoccupations professionnelles. Il perdit le fil. Décidément, cette région du globe resterait un mystère pour lui. Pourtant, quelques phrases suffirent à le happer soudain.

Le journaliste avait donné la parole à des extrémistes israéliens, des types prêts à mettre le feu à la région et qui non seulement refusaient toute paix mais semblaient même la craindre au plus haut point. « La paix, c'est l'assimilation et la disparition de notre peuple, affirmaient ces gars. Si la guerre tue des Juifs chaque année, la paix nous fera tous disparaître. » Selon eux, Israël, dans un Proche-Orient pacifié, risquait ni plus ni moins que de perdre son âme et son identité. Pour que les Juifs restent fiers de leur religion et de leurs valeurs, il fallait qu'ils vivent éternellement dans un environnement hostile, à l'image de ce qu'ils avaient connu en diaspora pendant deux mille ans. Si, durant toutes ces années, la communauté juive n'avait pas suscité partout l'animosité et parfois la haine des populations environnantes, elle se serait assimilée et aurait aujourd'hui complètement disparu. Le même piège guettait aujourd'hui les Israéliens. Le piège de la paix doublé de celui de la mondialisation. Les Juifs ne pouvaient survivre que dans la guerre éternelle. « C'est le fardeau du peuple élu », prétendaient encore ces hurluberlus.

Ces propos résonnèrent étrangement dans l'esprit de Sebag mais il n'en perçut pas la raison.

Après le documentaire, Claire et Gilles suivirent le journal régional. France 3 se contentait de revenir en bref sur l'arrestation de Servant et le reste de l'actualité dominicale tenait du régime Dukan : du sport, du sport et encore du sport, un menu hyperprotéiné sans aucun intérêt gustatif. Mieux valait encore une fin de dimanche à la sauce Drucker, suggéra Claire. Il zappa sur la Deux et se leva pour préparer le repas du soir. Il mit la soupe à réchauffer et lava une salade.

Gilles se coucha de bonne heure et s'endormit rapidement. Il avait encore du sommeil en retard.

Mais, au milieu de la nuit, des pensées parasites vinrent troubler sa récupération. Il se leva et se servit un verre d'eau dans la cuisine. Il le but lentement devant la baie vitrée qui donnait sur leur terrasse. Les ombres des branches du palmier dansaient en silence sur la bâche de la piscine.

D'un seul coup, il comprit.

CHAPITRE 43

— Tu penses vraiment qu'il peut encore nous apprendre des choses importantes sur l'agression ?

Jacques Molina ne cachait pas son scepticisme. Il ne voyait pas l'intérêt de convoquer une victime à la première heure un lundi matin. Surtout une victime que l'on avait déjà entendue à plusieurs reprises.

— Il nous a tout dit, le bonhomme.

Le mutisme de son collègue agaçait Molina.

— Tu penses qu'il connaît ses agresseurs et qu'il nous tait leurs noms ?

Dissimulé derrière le journal local, Sebag lisait la page entière consacrée à l'arrestation de Jean Servant et à la résolution du triple assassinat. Les questions de Jacques lui faisaient chaque fois perdre le fil. Molina se leva pour apercevoir son visage concentré.

— Oh toi, quand tu es comme ça, c'est que tu mijotes quelque chose, affirma-t-il. Une séance d'hypnose, c'est ça ? Tu crois que la transe va aider le bonhomme à nous lâcher une info que son subconscient refoule ?

Il écrasa son gobelet vide et le jeta à la poubelle. Il essaya une autre tactique pour dérider son collègue.

— Tu sais comment on appelle ça, le fait de guérir des troubles sexuels par l'hypnose ?

Sebag posa sur Molina un regard vide. Jacques, hilare, ne se laissa pas impressionner.

— Une transe sexuelle !

Sebag, vaincu, lui accorda un vague sourire.

— Ah quand même ! émit Jacques avec soulagement. Pour te tirer un signe de vie un lundi matin, il faut se donner du mal...

— Ne me dis pas que pour une plaisanterie de ce tonneau tu as fourni un gros effort...

— C'est un expert qui parle...

Le téléphone sonna sur le bureau de Sebag. Celui-ci décrocha.

— Allô. Qui ? Faites-le monter, s'il vous plaît.

Sebag reposa le téléphone et s'adressa à Molina.

— En fait, je vais avoir besoin de toi.

— À ton service.

En deux phrases, il lui exposa ce qu'il attendait de lui.

— Compris ?

— Compris le geste, oui, mais pas le sens. Sur les raisons, tu n'as pas été très clair.

— Normal, je n'ai rien dit.

— Alors, c'est pour ça... Et tu comptes pas me mettre dans la confidence ?

— Pas vraiment...

Deux coups frappés à la porte de leur bureau permirent à Sebag d'éviter l'insistance de Molina.

— Entrez !

Le visage rouge et bouffi du brigadier Ripoll apparut dans l'entrebâillement de la porte.

— Vous attendez quelqu'un, à ce qu'il paraît ?

— Tout à fait.

— Il est là.

Le brigadier s'écarta pour laisser passer Guy Albouker. Le président du Cercle pied-noir s'approcha et leur serra la main. Ses poches sous les yeux avaient tant gonflé qu'elles lui faisaient comme une seconde paire de joues. Sebag désigna une chaise et Albouker s'assit en se tenant le ventre.

— La blessure est toujours douloureuse ? s'enquit Sebag.

— Un peu, oui.

— Pas facile de dormir la nuit ?

— Non, chaque fois que je me retourne, ça me réveille.

— La plaie devrait commencer à cicatriser, depuis une semaine.

— D'après le médecin, la blessure évolue bien mais ça reste douloureux.

Molina se leva et vint, familièrement, poser ses mains sur les épaules d'Albouker.

— J'ai reçu une balle dans le flanc, autrefois, et ça me faisait pareil. Même si la douleur semblait s'atténuer dans la journée, j'avais l'impression qu'elle redevenait aussi forte la nuit.

— C'est un peu ça, oui.

Sebag lui sourit aimablement.

— Et avec tous les soucis causés par cette affaire, ça n'arrange rien, n'est-ce pas ?

— Effectivement, ça n'arrange rien.

Sur les dernières répliques, la voix de Guy Albouker était devenue atone, comme mécanique. Le président du Cercle savait qu'il n'avait pas été convoqué au commissariat pour parler de sa santé : il attendait la suite.

— Je voulais vous parler de notre affaire et de son heureux dénouement, le rassura Sebag.

— J'ai lu cela dans le journal, il ne fallait pas vous donner cette peine.

Molina s'éloigna en direction de la porte. Avant de sortir, il fit un clin d'œil à son collègue. Sebag souriait toujours à Albouker.

— Ah si ! Je souhaitais vous tenir au courant. Vous nous avez si bien accueillis durant cette enquête… Ce couscous, mon Dieu… Ma femme et moi, nous nous en souviendrons longtemps.

— Vous restez les bienvenus. Nous serons heureux de vous recevoir à nouveau…

Sebag le remercia puis lui raconta les aveux de Jean Servant. Il délaya l'article du journal, donna quelques précisions sur la vie du criminel, mais ne fournit aucun détail supplémentaire sur le fond de l'affaire. La presse ne parlait pas de cette histoire de cheveu blanc et Sebag se garda bien de le faire. Quand il eut fini son récit, il se leva et se mit à arpenter le bureau sous le regard inquiet d'Albouker.

— Notre souci, et vous l'aurez déjà compris, c'est que Servant réfute absolument toute implication dans le vandalisme, dans les menaces à votre trésorier et, bien évidemment, dans votre agression.

Guy Albouker s'éclaircit la voix.

— J'ai été attaqué par deux jeunes cagoulés, je n'ai jamais parlé d'un vieillard. Et d'après ce que je sais maintenant des mobiles des meurtres, je ne vois pas comment cette agression pourrait leur être liée. Il est bien évident que des gens ont tenté de profiter de cette affaire pour semer la panique et la confusion…

Sebag se rassit devant lui.

— C'est exactement notre sentiment !

— Je sais : vous me l'aviez dit.

— Le problème, c'est : qui ? Qui aurait bien pu vouloir semer cette panique ?

Guy Albouker croisa les jambes à l'équerre.

— Les pieds-noirs ne manquent pas d'ennemis.

— Des ennemis ? s'étonna Sebag. Je veux bien reconnaître que la colonisation et la guerre d'Algérie restent des thèmes sensibles à notre époque mais le terme « ennemis » me semble un peu fort.

— Chacune de nos initiatives ou de nos commémorations provoque des contre-manifestations.

— Tout au plus une cinquantaine de militants de gauche – toujours les mêmes – très remontés, je vous le concède, mais on ne peut plus pacifiques.

— Tout camp possède ses exaltés…

— Certes…

Sebag fit mine de griffonner quelques mots sur un bout de feuille. Albouker décroisa les jambes puis les croisa de l'autre côté. Il posa sa main sur son genou.

— On ne peut pas exclure que les jeunes qui m'ont agressé ne viennent pas des milieux de gauche mais soient plutôt des… euh… enfin…

— Oui ?

— Ça me gêne de jeter l'opprobre sur des gens comme ça, je… je ne voudrais surtout pas vous paraître raciste…

« Opprobre », mot de genre masculin, se souvint Sebag. Cette affaire lui aurait au moins permis d'améliorer son vocabulaire.

— Ce sont peut-être des jeunes d'origine algérienne qui m'ont attaqué, poursuivit Albouker. Des excités, comme je disais.

— Hum, hum.

Sebag effectua une moue exagérément dubitative.

— J'ai l'impression que les jeunes Algériens se foutent royalement de cette époque. Ils sont nés trente ans après l'indépendance. Tout ce qui vous semble, à vous, encore si important, pour eux, c'est de la préhistoire !

— Pour la jeunesse algérienne dans son ensemble, c'est vrai, mais comme je le disais, il suffit de quelques exaltés.

— Hum.

Sebag ménagea volontairement une pause. Il posa sur Albouker un regard bienveillant et lui sourit distraitement. Il fit durer ce moment comme s'il réfléchissait à la suite de l'entretien. Il savait pourtant ce qu'il devait faire mais il jugeait utile de laisser mûrir l'instant avant d'abattre ses cartes. Il avait dans sa manche un atout bidon qu'il devait transformer en carte maîtresse.

Après une profonde respiration, il ouvrit un tiroir et sortit une pochette plastique qu'il jeta sur le bureau. Albouker ne put s'empêcher de s'approcher pour regarder. Sebag ne dit rien.

— De quoi s'agit-il ? finit par demander le président du Cercle.

— Un cheveu.

— Je vois bien.

— Un cheveu blanc.

Albouker fit glisser son index et son pouce sur ses lèvres charnues. À la fin du mouvement, ses doigts abaissèrent les commissures pour dessiner inconsciemment une lippe désabusée.

— Je ne comprends pas.

— Nous avons trouvé ce cheveu blanc dans le cimetière du Haut-Vernet. Au pied de la stèle vandalisée. Contrairement à ce que nous pensions, il n'appartient pas à Jean Servant. Mais nous avons toutes les raisons de penser qu'il provient de l'auteur des déprédations.

Guy Albouker décroisa les jambes et posa les deux pieds au sol.

— Ce ne serait donc pas des jeunes…

— *A priori*, non.

— Ça vous fait encore un certain nombre de suspects possibles…

Volontairement, Sebag ne releva pas. En fixant son interlocuteur droit dans les yeux, il lâcha la petite bombe qu'il avait préparée.

— Pour ma part, j'en vois surtout un, de suspect.

Les sourcils noirs d'Albouker sautèrent au-dessus de ses yeux.

— Je ne vous comprends plus du tout.

— Je dois dire que j'ai eu du mal, moi aussi, à vous comprendre.

— Pardon ?

Albouker passa un doigt furtif sur le mince espace entre sa bouche et son nez où une goutte de sueur avait perlé.

— Vous pouvez m'expliquer, lieutenant Sebag ?

L'inspecteur posa son coude gauche sur le bureau et appuya son menton sur son bras dressé.

— Vous m'avez très bien compris, monsieur Albouker. Je pense que vous êtes l'auteur de la destruction de la stèle de l'OAS. Je pense que vous avez simulé votre agression et que vous avez, vous-même, mis une lettre de menaces dans la boîte de votre trésorier.

Albouker bondit de sa chaise en se tenant le ventre des deux mains.

— Qu'est-ce qui vous prend, vous délirez ? Vous pensez que je me suis planté moi-même un coup de couteau dans le ventre ? Vous me prenez pour un fou.

— Asseyez-vous, s'il vous plaît, répliqua Sebag sans se départir de son calme. Personne n'est fou. Ni vous, ni moi.

Albouker trépignait sur place. Une de ses mains avait lâché son ventre et brassait l'air devant lui.

— Je n'ai pas envie d'écouter vos élucubrations, figurez-vous. Je croyais que nous avions de l'estime l'un pour l'autre, ma parole, et vous me parlez comme si j'étais un criminel…

— Calmez-vous, monsieur Albouker. Je ne me trompe pas, le criminel dans cette affaire, c'est Jean Servant. Vous, vous n'avez commis que quelques délits…

— J'en ai assez entendu, je n'ai plus rien à faire ici.

Albouker pivota sur ses talons en direction de la porte.

— Je ne vous salue pas, lieutenant Sebag.

— Moi non plus, je ne vous salue pas, monsieur Albouker. Je ne vous salue pas car vous n'allez pas partir. Pas tout de suite.

Le président du Cercle se retourna vers lui.

— Vous allez m'en empêcher ?

— Le brigadier qui vous a amené ici est en faction derrière la porte. Il a reçu comme consigne de ne pas vous laisser quitter cette pièce.

Albouker avança de deux pas vers le bureau. Il avait pâli.

— Dois-je comprendre que je suis en garde à vue ?

— Pas encore.

— Alors vous n'avez pas le droit de me retenir…

— Monsieur Albouker, vous allez vous rasseoir de votre plein gré et m'écouter.

Il posa la main sur le combiné de son téléphone.

— Sinon, j'appelle le procureur et je lui demande l'autorisation de vous mettre effectivement en garde à vue.

— Vous êtes fou, vous n'avez rien contre moi.

Sebag sourit. La formulation maladroite sonnait comme un début d'aveu.

— Je reconnais que je n'ai pas grand-chose pour l'instant. C'est pour cela que je préférerais attendre pour la garde à vue. Mais je devrais avoir du nouveau d'une seconde à l'autre, alors si vous m'obligiez...

Albouker consentit à se rasseoir.

— Quelles sont les informations que vous aurez bientôt ?

— Et puis, entre gens bien élevés, on doit pouvoir se passer de cette procédure un peu lourde. Vous placer en garde à vue ? Franchement, si je peux éviter...

Un silence profond s'installa entre eux. Albouker n'osait pas reformuler la question qui lui brûlait les lèvres et que l'inspecteur venait d'esquiver. Tout dans son attitude confirmait les soupçons de Sebag. Le président du Cercle avait joué la colère indignée alors qu'il n'aurait dû manifester qu'une surprise amusée. Il avait accepté de revenir sur sa chaise au lieu de jouer le bras de fer jusqu'au bout. Et par-dessus tout flottait dans la pièce depuis quelques secondes un air moite et vicié. Sebag reconnaissait le parfum de la peur.

Il savait qu'il avait visé juste.

Il lui faudrait encore jouer finement la partie parce que son dossier restait vide. Désespérément vide. Il n'avait que des présomptions mais pas de preuve. Il tourna sa chaise vers son ordinateur et commença à rédiger un procès-verbal.

— Nom, prénom, âge et profession ?

Albouker l'observa quelques secondes d'un œil fiévreux avant d'accepter de répondre. Au lieu de noter, Sebag rédigeait le mail rapide que Molina attendait sur son iPhone. Il l'envoya et poursuivit ses questions.

— Que faisiez-vous la semaine dernière dans la nuit de mercredi à jeudi ?

— C'est loin… Je dormais, probablement.

— Votre femme pourra le certifier ?

— Je suppose.

— Elle a bonne mémoire ?

— En général, oui.

— Alors, elle se souviendra parfaitement de la nuit où vous avez fait des insomnies, cette semaine-là ?

— …

— Vous ne vous en souvenez pas ? Elle nous en a parlé lors de ce si sympathique couscous au siège du Cercle… Selon elle, c'est le meurtre de Martinez qui vous avait bouleversé.

— Je me le rappelle maintenant. C'est vrai que j'ai le sommeil fragile parfois.

— Elle nous a confié que vous étiez sorti, cette nuit-là…

— C'est possible, ça… Ça m'arrive quand je ne parviens pas du tout à dormir.

— C'était bien dans la nuit de mercredi à jeudi ?

— Ça, je ne sais plus trop.

— Vous ne me demandez pas pourquoi je m'intéresse tant à cette nuit-là ?

Albouker le regarda. Les poches tremblaient sous ses yeux.

— Ne me prenez pas pour un idiot non plus. Je

suppose que c'est la nuit durant laquelle la stèle de l'OAS a été détruite.

— C'est exactement ça.

— Même si je suis sorti cette nuit-là, cela ne suffit pas à faire de moi un suspect.

— Tout à fait d'accord avec vous. S'il n'y avait eu que ça, je ne vous aurais pas embêté. Mais ça plus... plus le reste, c'est troublant. Heureusement, j'ai encore d'autres choses.

— Pourquoi j'aurais fait cela ? C'est ridicule !

La porte du bureau s'ouvrit et Molina entra. « Timing parfait, se dit Sebag, jusqu'ici tout va bien. » À côté de la pochette plastique contenant le cheveu blanc retrouvé près de la stèle, Jacques jeta une autre pochette, contenant elle aussi un cheveu blanc. Sebag les prit et les compara. Le blanc pour l'un tirait sur le gris, pour l'autre plutôt sur le bleu. Mais à une certaine distance, l'illusion était parfaite.

Il les tint quelques secondes devant lui avant de les ranger dans un tiroir. Puis il s'adressa à Molina.

— Alors ?

— L'analyse est concluante. Ce sont les mêmes.

Sebag se recula sur sa chaise et prit un air soulagé. Il posa bruyamment ses deux mains sur le bureau.

— Eh bien voilà ! J'ai de quoi appeler le procureur, maintenant.

Albouker s'agita sur sa chaise.

— Vous... vous pouvez m'expliquer ?

— Avec plaisir.

Il ressortit rapidement l'une après l'autre les deux pochettes.

— Tout à l'heure, en posant sa main sur votre épaule, mon collègue a récupéré un de vos cheveux.

Il vient de faire procéder par nos services à une analyse ADN. Et vous venez de l'entendre, cette analyse s'est révélée concluante.

— Qu'est-ce que ça veut dire, « concluante » ?

— Qu'il s'agit là du même ADN !

— Je croyais que c'était plus long que cela, les recherches ADN.

Sebag remarqua que Molina avait tiqué. Leurs yeux se croisèrent. Ils pensaient tous les deux la même chose. S'il avait été innocent, Albouker aurait dû d'abord s'étonner puis protester et crier que cela n'était pas possible, qu'il ne s'était pas rendu récemment au cimetière du Haut-Vernet, que ce ne pouvait pas être un cheveu à lui. Au lieu de cela, il avait posé cette question sur la lenteur supposée des analyses.

— En fait, la rapidité d'une recherche ADN dépend surtout de la priorité qu'on lui donne. Et puis, je dois reconnaître aussi que nous avons pratiqué ici une analyse rapide qui n'est donc pas fiable à 100 %. Mais à combien, Jacques ? 91 ? 92 % ?

Surpris, Molina était resté bouche bée. Mais il se ressaisit et entra dans son jeu.

— Sur cette analyse précisément, nos experts m'ont dit 92,3 %.

— Quatre-vingt-douze virgule trois pour cent, répéta Sebag. Peut-on encore parler d'un véritable doute à ce niveau-là, monsieur Albouker ?

Le président du Cercle pied-noir ne répondit rien. Son menton tremblait et son front devenait brillant de sueur. Toutes les rides de son visage, souriantes d'ordinaire, s'étaient affaissées. Il avait vieilli de dix ans. Sebag jugea le moment venu de conclure.

— Il n'y a plus trente-six solutions, monsieur Albouker. Ou vous nous racontez tout maintenant et je vous envoie ensuite au procureur pour une mise en examen. Dans ce cas-là, vous ressortirez libre cet après-midi. Mais si vous vous obstinez, on commence par la garde à vue et après, je vous préviens, c'est l'engrenage. On vous met en cellule le temps que vous réfléchissiez et que nous procédions de notre côté à des analyses plus fines. Nous aurons deux jours devant nous pour des interrogatoires plus poussés et certainement moins agréables. D'ailleurs, je laisserai la place à des collègues qui ne nourrissent pas à votre égard les mêmes sympathies que moi. Bref, tout cela pour arriver dans quarante-huit heures à la même conclusion : une mise en examen pour destruction de monument funéraire, menaces et simulacre d'agression. Mais dans ce cas, la mise en examen s'accompagnera d'un placement en détention. Au moins pour quelques jours. Et j'aime autant vous prévenir : en général, ce sont les premiers jours les plus difficiles…

Sebag avait mis le paquet et regardait le visage d'Albouker achever de se décomposer. Il était devenu livide. Sa lèvre supérieure s'agitait de soubresauts irrépressibles.

— Mais… voyons… pourquoi aurais-je fait cela ? Cela n'a pas de sens.

Sebag saisit l'invitation qui lui était faite. Il ne crut cependant pas utile d'évoquer le reportage télévisé sur les extrémistes israéliens. Il avait déjà eu l'occasion de constater que lorsqu'il voulait expliquer l'origine de ses intuitions, il déroutait les gens plus qu'il ne les éclairait.

— Le doute m'est venu hier soir et j'ai passé une partie de la nuit à revivre le fil des événements et de nos différents entretiens. Je n'ai pas beaucoup dormi, je dois vous dire. C'est d'ailleurs en me disant que ma nuit était foutue que je me suis souvenu des réflexions de votre épouse sur vos insomnies. Je tenais là le premier élément sérieux. Le reste est venu ensuite. D'abord votre passion pour votre culture et vos racines. Selon Jean-Pierre Mercier, ce sont les seules choses qui peuvent vous rendre intransigeant.

Albouker essaya de ricaner mais son ton sonnait faux.

— Si ce type d'éléments vous suffit, vous avez des centaines de milliers de suspects dans notre communauté.

— Ah, votre communauté... Vous la chérissez, n'est-ce pas ? Et vous avez une grande inquiétude : qu'elle se désagrège et que les rapatriés cessent un jour de se sentir pieds-noirs. Vous ne voulez surtout pas d'une assimilation dans la société française. Vous l'avez dit, ce fameux samedi, que si vous guérissiez de vos blessures, non seulement votre Algérie disparaîtrait, mais vous aussi vous disparaîtriez en tant que communauté. C'est votre obsession, ça. Alors que faire ? Ça aussi vous me l'avez confié, et dès notre premier entretien. J'ai relu mes notes cette nuit et je l'ai retrouvé.

Il ouvrit son cahier bleu, le feuilleta et s'arrêta sur une page cornée.

— Je l'avais marqué noir sur blanc. Vous m'avez dit que deux choses unissaient encore les pieds-noirs et je vais vous citer. La première, c'est... « l'amour de votre pays perdu ». De ce côté, pas de souci, c'est clair, c'est affiché, c'est le but de votre association. La seconde – je vous cite encore – est « l'incompréhension voire l'hostilité des autres Français ».

Il referma son cahier d'un coup sec.

— Là, votre gros souci, c'est que cette hostilité, après cinquante ans, elle s'est quand même bien atténuée. Alors vous avez voulu faire croire à tous qu'elle était encore bien vivace.

Albouker ne bougeait plus. Il semblait même ne plus respirer.

— Vous avez donc organisé vous-même ces marques d'hostilité : vous avez détruit cette stèle, vous vous êtes autoagressé – bravo, il en faut, du courage – et vous avez déposé une lettre de menaces dans la boîte de votre ami Mercier. Vous êtes venu le voir à son domicile, n'est-ce pas, la veille de la découverte de cette lettre ?

Albouker ne répondit pas. Sa tête de saint-bernard dodelinait mécaniquement comme celle des chiens de plastique placés sur les plages arrière des voitures. Son regard flou fixait ses pieds mais ne les voyait pas. Le monde autour de lui avait cessé d'exister. Il ne lui apportait plus qu'une mélasse de sons et de couleurs.

Sebag réfléchissait. Son client était à point mais il fallait encore lui faire cracher le morceau. Le dossier ne contenait pour l'instant que des suppositions et une analyse bidon : sans aveu, il resterait vide. Sebag fit signe à Molina d'aller chercher un verre à la fontaine à eau du couloir. Vingt secondes plus tard, celui-ci posait sa main sur l'épaule d'Albouker et lui glissait sous les yeux un gobelet en plastique.

— Buvez, monsieur Albouker, dit Sebag, cela vous fera du bien.

Le président du Cercle releva la tête. Ses yeux éblouis papillotèrent. La lumière, pour lui, revenait subitement dans la pièce. Il attrapa le verre, le porta à ses lèvres tremblantes et le vida sans reprendre sa respiration. Son regard retrouva un peu de vie.

— Il faut tout me dire monsieur maintenant, Albouker. Vous verrez, vous irez mieux après.

L'homme défait secoua la tête comme pour remettre ses idées en place. Il posa un regard triste et étonné sur Sebag.

— Que puis-je vous dire que vous ne sachiez déjà ?

La main toujours posée sur l'épaule d'Albouker, Molina exécuta quelques mouvements de massage.

— Vous savez tout, vous êtes très fort, le félicita le président du Cercle. Trop fort pour moi en tout cas. C'est comme si vous aviez placé des micros dans mon cerveau.

Les yeux de Sebag fixèrent Molina puis sautèrent sur son ordinateur. Jacques comprit et s'installa devant son écran. Les mains en suspension au-dessus du clavier, il était prêt.

— J'ai l'impression que vous avez décidé très vite d'agir, avança Gilles d'une voix calme et douce.

— Oui, dès votre première visite... déjà, j'y ai songé très fort.

Il passa sa langue sur ses lèvres sèches.

— Les premières réactions de mes amis ont achevé de me convaincre. Lorsqu'on leur a parlé de vos questions sur l'OAS, ils ont hurlé à la provocation et à la persécution, ils ont même parlé d'injustice. Je me suis dit qu'il suffirait d'un petit coup de pouce du destin...

— Vous pensez que votre communauté se délite à ce point ?

Albouker fit glisser ses mains sur ses cuisses puis il leva la tête et, pour la première fois, regarda Sebag dans les yeux.

— Il n'y a que des vieux dans notre association, vous l'avez bien constaté à notre déjeuner. Pourquoi j'ai été élu président, à votre avis ? Parce que je suis le plus jeune tout simplement ! Mais depuis quelques jours, nous avons eu une dizaine de nouvelles adhésions, dont trois personnes de moins de cinquante ans. Mon idée n'était pas si bête…

Il haussa les épaules.

— Et puis après tout, je n'ai fait de mal à personne. À part moi !

Sebag se garda d'acquiescer mais il se permit un sourire compatissant.

— Pourquoi avoir commencé par la stèle ?

Albouker baissa de nouveau les yeux.

— Est-ce que l'on peut vraiment dire que j'ai « commencé » par la stèle ? En fait, je n'ai rien planifié, je n'avais pas prévu la suite. La stèle est un symbole important pour nous mais très controversé. Sa destruction allait forcément provoquer la colère chez nous sans susciter de compassion ailleurs. Et puis, c'était une cible facile. Le cimetière du Haut-Vernet n'est pas un site surveillé et le mur d'enceinte n'est pas bien haut. Je n'ai jamais été sportif mais ça n'a pas été difficile de le franchir.

Sebag jeta un coup d'œil à Molina. Il attendit qu'il ait fini de taper sur son clavier pour relancer Albouker.

— Comment en êtes-vous arrivé à ce geste insensé de vous poignarder vous-même ?

Albouker se redressa. Cet acte-là, il en semblait plus fier.

— Je ne suis pas bien sûr de le comprendre moi-même. Un psy dirait que j'ai voulu me punir. Il y a sans doute un peu de cela, il fallait que je paye de ma personne. Et puis qui d'autre ? Je n'allais pas poignarder Jean-Pierre, tout de même !

Sebag laissa s'écouler un frisson le long de sa colonne vertébrale.

— J'ai du mal à imaginer que l'on puisse se planter une lame dans son propre ventre…

— C'est fréquent, vous savez, que des détenus se coupent un doigt en prison pour attirer l'attention de la justice ou des médias. Et eux, ils le font avec des instruments de fortune. Moi, j'ai acheté un bon couteau bien aiguisé que j'ai soigneusement désinfecté. Et puis j'avais gardé un pack de glace pendant une demi-heure là où je voulais frapper. Je ne sais pas si j'ai vraiment réussi à atténuer la souffrance.

— Vous avez eu mal ?

— Comme un chien, oui. J'ai toujours été douillet.

— Tu parles ! J'aimerais bien être douillet comme vous, lança Molina par-dessus son bureau.

Albouker ne put réprimer un rire nerveux qui éclata en sanglots. Des sanglots longs ponctués de grimaces. Il dut se tenir le ventre à deux mains pour contenir la douleur. Sebag surfa sur cette brusque détente.

— En revanche, je suis sûr que vous vous êtes bien amusé à rédiger les lettres de menaces.

— Pour sûr, confirma Albouker en hoquetant toujours. Pour moi, professeur de français, faire volontairement des fautes d'orthographe, c'était une première.

— Et en adresser une à votre trésorier, c'était plaisant aussi ?

— Assurément ! J'aurais bien aimé voir sa tête lorsqu'il l'a découverte. Mercier m'a toujours agacé. Il fait partie de l'association depuis plus de vingt ans et aurait bien aimé être président. Seulement, c'est moi que nos adhérents ont élu, pas lui ! Je crois qu'il ne me l'a jamais pardonné.

Il s'arrêta brusquement.

— Évidemment, ce n'est pas très compliqué de deviner qui sera le prochain président. Car il va bien falloir que je démissionne, maintenant.

Sebag aurait aimé poser bien d'autres questions mais il considéra que son client était mûr pour signer ses aveux. Soulagé de s'être confessé, le futur ancien président du Cercle n'avait pas encore réalisé qu'il s'était fait berner. Il ne fallait pas lui laisser l'occasion de se rétracter. Sebag, d'un geste, fit comprendre à Molina qu'il devait lancer l'impression du procès-verbal. Jacques tapota encore quelques mots sur son clavier avant de faire crépiter l'imprimante qui cracha allègrement ses deux feuillets recto verso. Il les récupéra au vol et les tendit à Sebag avec un clin d'œil de félicitations.

Gilles posa le PV d'audition devant Albouker et lui glissa un stylo dans la main.

— Vous pouvez relire avant si vous voulez.

— À quoi bon… ?

— Alors vous signez au bas de chaque feuille, s'il vous plaît.

Albouker s'exécuta et Sebag retint avec peine un soupir de soulagement. Il récupéra le PV pour le donner à Molina. Jacques quitta aussitôt la pièce, le laissant seul avec Albouker.

— Je ne vais pas aller en prison ?

— Non, je ne pense pas. Mon collègue est parti montrer le document à notre commissaire qui le transmettra ensuite au procureur. Vous allez attendre au commissariat que celui-ci puisse vous recevoir pour la mise en examen. Mais ça m'étonnerait fort qu'il choisisse la détention. Vous vous êtes montré très coopératif.

Cette remarque sembla rassurer Albouker. Le professeur de français était fier de passer pour un bon élève.

— Le seul criminel de cette affaire est sous les verrous, poursuivit Sebag. En ce qui vous concerne, vous vous êtes surtout fait du mal à vous-même. Et je ne parle pas que de votre blessure au ventre.

— J'ai fait du mal à ma femme aussi. La pauvre, lorsqu'elle va l'apprendre…

— Cet aspect de l'affaire ne regarde ni la police, ni la justice. Ce sera à vous de le lui dire.

— Je ne sais pas comment je vais m'y prendre.

Ce n'était plus de la prison que Guy Albouker avait peur, maintenant.

— Qu'est-ce que vous me conseillez ?

— Hou là, gémit Sebag en se levant prématurément. Je ne suis pas le meilleur des conseillers conjugaux.

Cette réaction soudaine amusa Albouker.

— Vous formez pourtant avec Claire un couple très harmonieux. L'adjectif vous paraîtra peut-être curieux mais c'est celui qui nous est venu spontanément à ma femme et moi.

— Je vous remercie, éluda Sebag. J'ai trouvé également beaucoup de tendresse et de complicité entre vous et votre femme. Elle vous aime, elle comprendra. Et elle vous pardonnera.

Albouker passa ses mains dans ses cheveux blancs.

— Vous avez raison. Après tout, pour elle, ce ne sera pas aussi grave que si je l'avais trompée avec une autre femme.

— Puisque vous le dites…

Le brigadier Ripoll poussa la porte du bureau.

— Le lieutenant Molina m'a dit qu'il y avait un client ici pour une cellule.

La formule maladroite effaroucha Albouker.

— Une cellule ?

— Ne vous inquiétez pas, le calma Sebag tout en lançant un regard lourd de reproches à Ripoll. Ce ne sera que le temps d'attendre la convocation du procureur. Si ça ne tenait qu'à moi, je vous ferais patienter ici et nous papoterions gentiment, mais vous conviendrez que ce n'est pas possible.

Il ajouta avec un sourire aimable :

— C'est un commissariat, pas un salon de thé tout de même.

Il lui tendit la main pour l'inviter à se lever. Albouker se mit debout, s'ébroua et lissa sa veste froissée.

— Bien. Nous nous reverrons peut-être ?

— Dans le cadre de l'enquête sûrement pas, mon rôle est terminé. Mais ailleurs, un autre jour, pourquoi pas ?

Albouker lui serra chaleureusement la main.

— C'est sans doute idiot, ce que je vais dire, mais tant pis : sachez que pour rien au monde je n'aurais voulu être démasqué par un autre que vous.

Sebag émit un bref gloussement en lui posant une main sur le bras. Puis il le laissa suivre Ripoll. La porte du bureau se referma sur un lieutenant perplexe. La dernière réflexion d'Albouker le rendait songeur car elle allait dans le même sens que les propos tenus à son égard par Jean Servant la veille. Ce n'était pas la première affaire de sa carrière qui se terminait ainsi sur une estime réciproque envers les hommes qu'il parvenait à arrêter.

Il aurait été plus confortable pour lui d'éprouver moins d'empathie. Mais les délinquants et même les criminels se révélaient plus humains dans la vie que dans les films ou les séries télévisées… Rares étaient les vrais psychopathes, les bourreaux d'enfants et les auteurs de crimes contre l'humanité. Sebag se demanda s'il avait déjà éprouvé une joie sans partage à envoyer quelqu'un croupir en prison. Il passa rapidement en revue sa carrière. Oui, c'était bien arrivé deux ou trois fois… Heureusement !

Il s'approcha de la fenêtre de son bureau et posa son front sur la vitre. Il regarda sans la voir l'agitation de la rue de Grande-Bretagne. Une douce mélancolie s'emparait lentement de lui. Comme à la fin de chaque enquête. Son « baby blues » à lui. Cela ne s'arrangeait guère avec le temps. Bien au contraire. Il songea à une phrase de Victor Hugo : « La mélancolie, c'est le bonheur d'être triste. » Il trouvait la note juste, l'accord parfait avec ce qu'il ressentait.

Inévitablement, cet état d'âme le ramena à Claire.

Il imagina sa femme assise dans son bureau comme Albouker quelques secondes auparavant, Claire passant aux aveux, Claire admettant avoir eu un amant, Claire lui disant avec un sourire sombre troublant ses yeux brillants : « Pour rien au monde, je n'aurais voulu être démasquée par un autre que toi. »

Il recula sa tête pour la cogner à plusieurs reprises sur la vitre.

Il avait su habilement conduire Albouker aux aveux mais il ne se faisait pas d'illusions : le président du Cercle ne demandait que ça. Confesser ses fautes.

Claire aussi en avait peut-être envie. S'il lui posait la question, elle avouerait aussitôt. Combien de fois lui avait-elle tendu une perche qu'il n'avait pas voulu saisir ?

Il entendit dans le bureau voisin le timbre triomphant de Molina annoncer « leur » réussite aux collègues. Il reconnut les exclamations de Llach et de Ménard, la surprise de Lambert. Julie Sadet était probablement avec eux mais elle ne disait rien. Ou elle ne le disait pas assez fort. Dans les éclats de voix, il perçut quelques mots familiers et convenus. Il était question d'apéro, de Carlit, de fête et de succès. Ses collègues n'allaient pas tarder à débarquer dans son bureau. Ils lui taperaient joyeusement dans le dos, le féliciteraient, le plaisanteraient gentiment.

Il lui faudrait sourire et se réjouir du dénouement. Après le premier verre, ce serait plus facile.

Un spleen épais engourdissait son corps et son esprit. Pour chaque enquête, combien de vies brisées, combien de corps reposant au cimetière et d'âmes enfermées derrière les quatre murs humides d'une prison ? Et combien de cœurs meurtris parmi les survivants ? Josette Vidal, Mathilde Roman, Marie Albouker... et la petite Gabriella. D'autres sans doute qu'il ne connaissait pas.

Les voix retentissaient maintenant dans le couloir. Plus que quelques secondes pour évacuer ce blues et cette fatigue immense.

Il fallait se secouer. Vite.

Il repensa à Claire et à cette promesse idiote qu'il s'était faite. Il avait résolu complètement l'énigme. Il était libéré de son serment. Mais il n'en éprouvait aucun soulagement.

Alors il se fit une nouvelle promesse. Une date, une échéance. Dans quelques semaines, la fin de l'année…

Il s'accordait encore ce délai.

S'il ne retrouvait pas d'ici là le goût de vivre à deux, l'esprit d'insouciance et le plaisir d'aimer, il parlerait. Il poserait à Claire les questions et il aurait les réponses. Il prendrait le risque d'ouvrir la boîte de Pandore des confidences et des remords. Il n'en sortirait pas forcément les pires malheurs. On ne maîtrisait pas toujours son destin, il ne servait donc à rien de vouloir tout anticiper. Il fallait faire selon son cœur et son humeur. Et selon ses capacités.

S'il ne parvenait pas à supporter ses tourments, il crèverait l'abcès qui pourrissait sa vie.

Et après ?

Après… *Inch'Allah !*

BIBLIOGRAPHIE

Yves Courrière, *La Guerre d'Algérie*, Fayard
Jeannine Verdès-Leroux, *Les Français d'Algérie*, Fayard
Philippe Bouba, *L'Arrivée des pieds-noirs en Roussillon en 1962*, Trabucaire
Joëlle Hureau, *La Mémoire des pieds-noirs*, Tempus
Olivier Dard, *Voyage au cœur de l'OAS*, Tempus
Jean Philippe Ould Aoudia, *L'Assassinat de Château-Royal*, Éd. Tirésias

POCKET N° 15115

« Philippe Georget a ferré, il ne nous laissera pas nous échapper. »

Polar Noir

Philippe GEORGET
L'ÉTÉ TOUS LES
CHATS S'ENNUIENT

L'été, le serial killer s'ennuie à mourir. Heureusement, l'arrivée des jeunes touristes hollandaises apporte son lot d'activités. Au programme : agression, enlèvement et assassinat. Reste à trouver un partenaire de jeu. Gilles Sebag, flic plus habitué aux blagues vaseuses qu'aux affaires sordides, fera l'affaire.

D'obscurs indices en éclairs de génie, les adversaires se croisent, se toisent et se rapprochent. Forcément, passer des vacances ensemble, ça crée des liens...

Retrouvez toute l'actualité de Pocket :
www.pocket.fr

POCKET N° 15538

«Un feu d'artifice! On savoure.»
LE POINT

JANIS OTSIEMI

LE CHASSEUR DE LUCIOLES

Thriller

POCKET

« Le Chasseur de lucioles *se lit comme du petit-lait...* »

Libération

Janis OTSIEMI
LE CHASSEUR DE LUCIOLES

Le corps d'un ex-flic retrouvé sur la plage, abattu au calibre 22. Un fourgon blindé attaqué, pour un butin d'une vingtaine de millions de francs CFA. Des prostituées assassinées par un tueur en série bien décidé à débarrasser la ville de toutes ses *lucioles*.
Au Gabon, comme ailleurs, la nature a horreur du vide, surtout en matière de crime... ici, on tire *à balles réelles*, et puisque l'argent est le nerf de la guerre, les flics peuvent difficilement la gagner sans se salir les mains...

Retrouvez toute l'actualité de Pocket :
www.pocket.fr

Composé par PCA
à Rezé
Achevé d'imprimer en avril 2014
par Black Print CPI Iberica à Barcelone

POCKET – 12, avenue d'Italie – 75627 Paris cedex 13

Dépôt légal : mai 2014
S22211/01